S. 165 – Tamaro
S. 166 – Bosco-Gurin
S. 168 – Corippo
S. 170 – San Salvatore
S. 172 – Lago Maggiore
S. 174 – Mesocco
S. 176 – Braggio
S. 178 – Rheinwald
S. 179 – Am Schamserberg
S. 180 – Thomasee
S. 182 – Rheinschlucht
S. 184 – Arosa
S. 185 – Tiejer Fluh
S. 186 – Pfäfers
S. 188 – Gonzen
S. 190 – Alvier
S. 192 – Cavlocosee
S. 194 – Sils
S. 196 – Vallun-Julierpass
S. 197 – Dschimels
S. 198 – Albulapass
S. 200 – Piz Bernina – Piz Roseg
S. 201 – Morteratschgletscher
S. 202 – Piz Palü
S. 204 – Val Tuoi
S. 206 – S-chanf
S. 207 – Samnaun
S. 208 – Tarasp
S. 210 – Sertigpass
S. 211 – Sulzfluh
S. 212 – Wiesner Alp
S. 214 – Soglio
S. 216 – Bondascatal
S. 217 – Poschiavo
S. 218 – Bennau
S. 220 – Sarnersee
S. 222 – Sihlsee
S. 224 – Vierwaldstättersee
S. 226 – Urnersee
S. 228 – Grossmythen
S. 230 – Salez-Alp
S. 232 – Am Klausenpass
S. 234 – Heitmanegg
S. 235 – Fätschbach
S. 236 – Im Sernftal
S. 238 – Tschingelhoren
S. 239 – Blaubergstöcke
S. 240 – Winterberg
S. 242 – Galenstock
S. 244 – Braunwald
S. 245 – Altmann
S. 246 – Churfirsten
S. 248 – Säntis

Zum Andenken
Avec notre bon souvenir
A Souvenir of Switzerland

STUDER REVOX

Die Schweizer Alpen

Les Alpes Suisses

The Swiss Alps

Fotografie/Photographies de/Photographs: Edmond van Hoorick
Text/Textes de/Text: Jean-Christian Spahni
Bildbeschreibungen/Légendes de/Captions: Erwin Heimann

Die Schweizer Alpen

Les Alpes Suisses

The Swiss Alps

Gesamtherstellung / Production / Produced by
Sigloch Edition AG, Thalwil
Printed in Switzerland

Die Alpen und ihre Geschichte

Les Alpes et l'Histoire

The Alps and their History

Der Rütlischwur

1. August 1291: Dreissig Männer - vielleicht waren es auch mehr - haben sich auf der Rütliwiese versammelt, nahe einem herrlichen See, den riesige, im Nebel verschwindende Gipfel umgeben.
Es sind harte und stolze Bergbauern aus Uri, Schwyz und Unterwalden. Aus ihren Adlerhorsten sind sie herabgestiegen, von ihren Höfen, die sich auf fast unzugänglichen Alpen verlieren. Sie tragen Bärte wie Propheten, haben wettergegerbte Gesichter, sind stämmige Gestalten. An Märsche sind diese Männer gewöhnt, auch an Anstrengungen, an die Arbeit auf steil abfallenden Feldern, an den täglichen Lebenskampf in einer kärglichen und wilden Umgebung von ungewöhnlicher Schönheit. Sie fürchten weder Kälte noch Schnee, weder den Regen noch die Stürme, welche an den Berggipfeln rütteln, die Wälder kahlfegen, ihre Herden erschlagen und ihre Äcker verwüsten. Dennoch haben sie es satt, jeden Tag von neuem das Joch zu tragen, das ihnen die Fürsten von Habsburg auferlegt haben, jene Habsburger, die über einen Teil von Europa herrschen. Ihre gefürchteten Abgesandten, die Fronvögte, durchziehen das Land, treiben Abgaben ein und versuchen gewaltsam, altüberlieferte Gebräuche abzuschaffen, denn eine neue Ordnung soll erstellt werden, die jedoch nichts anderes als eine unerträgliche Form von Knechtschaft sein konnte.
In den Bergen gärt der Aufstand. Er brach 1240 los. Doch die Österreicher griffen ein und schlugen ihn grausam nieder.
Diese harten und stolzen Bergbauern kennen schon seit langem den wahren Preis der Freiheit. Sie wissen auch, dass ihr Landstrich in der jetzt entstehenden Welt eine ganz vorzügliche Lage innehat. Die wirtschaftlichen und kulturellen Beziehungen, die im Laufe von Jahrhunderten zwischen dem Norden und dem Süden unseres Kontinents geknüpft wur-

Le serment du Grütli

Premier août 1291!
Ils sont là, une trentaine ou peut-être davantage, rassemblés sur la plaine du Grütli, près d'un lac magnifique dominé par de très hautes cimes qui se perdent dans le brouillard.
Ce sont de rudes et fiers montagnards, venus d'Uri, de Schwyz et d'Unterwald, descendus de leurs villages en nid d'aigle et de leurs fermes perdues dans des pâturages presque inaccessibles. Barbes de prophètes, visages burinés, charpentes solides! Ces hommes sont rompus à la marche, à l'effort, au travail de la terre sur les pentes les plus raides, à la lutte permanente pour la vie dans un milieu austère, sauvage et d'une insolite beauté. Ils ne craignent ni le froid, ni la neige, ni la pluie ni les tempêtes qui ébranlent les sommets, détruisent les forêts, foudroient leurs troupeaux, anéantissent leurs cultures. Pourtant, ils sont las de subir, quotidiennement, le joug que font peser sur eux les princes des Habsbourg qui règnent sur une partie de l'Europe. Les baillis, leurs redoutables représentants, parcourent la région, perçoivent des tributs et s'efforcent de supprimer des coutumes ancestrales, voulant imposer un ordre nouveau qui n'est rien d'autre qu'une forme intolérable de servitude.
Dans les montagnes, la révolte gronde. Elle a éclaté, en 1240. Mais les Autrichiens intervinrent et la répression fut terrible.
Ces rudes et fiers montagnards savent depuis longtemps l'exact prix de la liberté. Ils savent aussi que leur région occupe, dans un monde qui se forme, une situation exceptionnelle. Les relations commerciales et culturelles qui, au cours des siècles, se sont établies entre le nord et le sud du continent, se font grâce à des routes, incertaines mais non moins indispensables qui, malgré tous les obstacles, traversent le formidable rempart des Alpes. Région privilégiée, convoitée à la fois par les Autrichiens, par les comtes de Kybourg et par

The Rütli Oath

1st August 1291: thirty men - perhaps more - gathered on Rütli Field, an idyllic spot near Lake Lucerne surrounded by lofty mountain peaks.
They were proud, tough Alpine farmers from the areas of Uri, Schwyz, and Unterwalden. They had come down from their farms buried high in the mountains in almost inaccessible terrain: sturdy men with weather-beaten faces, and bearded like prophets. They were used to walking great distances in the mountains, and hardened by work on the steep Alpine slopes and by the tough living conditions in a region of wild, breathtaking beauty. They feared neither the bitter winter weather, nor the violent storms which battered the mountain peaks and could lay waste their woods and fields and decimate their herds. And just as they defied and fought against these natural enemies, they were also prepared to defy the Habsburg princes who were trying to extend their power over the Alpine regions. The mountain people hated the bailiffs who travelled throughout the country for the Habsburgs, collecting tribute and doing their best to stamp out age-old traditions preparatory to establishing a new order.
The mountain people realized that "new order" was another name for servitude, and they had no intention of accepting it without a fight. A rebellion had broken out as early as 1240, but had been brutally crushed by the Austrians.
These proud Alpine people had long known the price of freedom. They also knew that their country occupied a key position in the developing medieval world. The economic and cultural ties between the north and south of our continent could only be maintained via the roads - unsafe, but indispensable - which wound their way across the mighty barrier formed by the Alps.
Now, greedy eyes were being cast on this

den, existieren nur dank den zwar unsicheren, doch unentbehrlichen Strassen, die trotz aller Hindernisse jenen ungeheuren Alpenwall überqueren.
Es ist also eine bevorzugte Gegend, auf die sowohl die Österreicher wie auch die Grafen von Kyburg und die von Savoyen ein Auge geworfen haben. Am 15. Juli 1291 jedoch tut König Rudolf, das verhasste Oberhaupt der Habsburger, seinen letzten Seufzer. Ist dieser plötzliche Tod ein Wink des Schicksals? Zweifellos. Und sechzehn Tage später bereits findet das Treffen auf dem Rütli statt, inmitten der Berge, nahe dem Sankt Gotthard, diesem Knotenpunkt unseres Kontinents. So wird die Bestimmung der Schweiz zum Alpenland mit Entschlossenheit begründet. Durch die Unterzeichnung des Bündnisses schwören die Bergbauern aus Uri, Schwyz und Unterwalden vor Gott und den Menschen, ihre Freiheit um jeden Preis zu verteidigen. Der Sage nach war auch Wilhelm Tell dabei. Doch hat diese Gestalt wirklich gelebt? Oder ist er tatsächlich der Held einer isländischen Sage, den man dann im 15. Jahrhundert in der Schweiz angesiedelt hat? Mit Bestimmtheit werden wir es nie wissen. Doch was soll es auch! Wilhelm Tell, sein Sohn, der Apfelschuss, dann der Mord in der hohlen Gasse am grausamen Gessler sollten über Jahrhunderte die Symbole für den Freiheitskampf eines Volkes sein.
Im Bündnis von 1291 geloben die Bergbewohner gleichfalls, sich im Gefahrenfall gegenseitig beizustehen. „Einer für alle und alle für einen!“ – das ist der Wahlspruch der jungen Schweiz. Diese Solidaritätsbezeugung respektiert Vorrechte, auf die keiner verzichten will. So gewährleistet sie die unantastbaren Rechte der bäuerlichen Bevölkerung, in deren Besitz sich weite Wälder, Viehherden und behagliche Häuser befinden. Die Verpflichtung ist bindend. Sie steht am Anfang eines Landes, das seinen Namen den Bewohnern von Schwyz verdankt; sie waren berühmt ob ihrer kriegerischen Fähigkeiten und ihres Kampfesmuts.

les comtes de Savoie. Pourtant, le 15 juillet 1291, le roi Rodolphe, chef haï des Habsbourg, rend le dernier soupir. Cette disparition soudaine est-elle un signe du destin ? Sans aucun doute. Seize jours plus tard, c'est la rencontre du Grütli, au cœur de la montagne, dans le voisinage du Gothard, centre névralgique du continent. La vocation alpestre de la Suisse se trouve ainsi rigoureusement établie.
En signant le pacte, les montagnards d'Uri, de Schwyz et d'Unterwald jurent, devant Dieu et devant les hommes, de défendre à tout prix leur liberté. La légende veut que Guillaume Tell ait été présent. Mais ce personnage, a-t-il vraiment existé ? Est-il vraiment le héros d'un conte islandais qui aurait été transplanté en Suisse au 15ème siècle ? Nous ne le saurons probablement jamais. Qu'importe d'ailleurs ! Guillaume Tell, son fils, la pomme puis le meurtre, dans le chemin creux, du cruel Gessler seront, pendant des siècles, les symboles de la luttc d'un peuple pour son indépendance.
Dans le pacte de 1291, les montagnards promettent également de s'aider les uns les autres en cas de danger. « Un pour tous et tous pour un ! » est la devise de la Suisse naissante. Cette solidarité s'exprime en faveur de privilèges auxquels aucun des intéressés ne tient à renoncer. Elle garantit l'intégrité des populations paysannes qui possèdent de vastes forêts, d'immenses troupeaux et de confortables demeures. L'engagement est formel. Il est à l'origine d'un pays qui doit son nom aux habitants de Schwyz, réputés pour leurs qualités guerrières et leur bravoure dans les combats.

strategically important area by the Austrians, the Counts of Kyburg, and the County of Savoy. But on 15th July 1291, King Rudolph, the hated head of the house of Habsburg, drew his last breath. To the mountain people his sudden death seemed like an omen. And sixteen days later the meeting at Rütli took place – in the depths of the mountains, near St. Gothard, the nodal point of our continent. At Rütli, the mountain farmers from Uri, Schwyz, and Unterwalden formed a defensive alliance, swearing before God and man to protect their freedom no matter what the cost. This pact has been called the "birth certificate" of the Helvetic Confederation. Legend says that William Tell was at the historic meeting, but Tell might, in fact, never have existed. He may simply have been a legendary figure – the hero of an Icelandic saga who was incorporated into Swiss lore in the 15th century. The truth will probably never be known. But what does it matter? William Tell, his son, the apple, and the assassination of the Bailiff, Gessler, have survived the centuries as symbols of a people's determination to be free.
In the pact of 1291, the mountain dwellers swore to help one another in times of danger. "One for all and all for one!" – that was the motto of young Switzerland. At the same time, this declaration of solidarity respected privileges that none of the individual groups wished to lose. Thus, the rights of the peasants, who were in possession of large forests, huge herds, and comfortable houses, were declared to be inviolable. The agreement was binding, and formed the first chapter in the history of a country which owes its name to the inhabitants of Schwyz, a people renowned for their fighting qualities.

Von den Waldstätten zu den dreiundzwanzig Kantonen

Die Schweiz entstand also aus dem Zusammenschluß der Waldstätte, dreier bewaldeter Gebirgsgegenden im Herzen Europas. Bis dahin bestand das Land aus einem Mosaik kleiner Einheiten, wahrscheinlich Überresten der gallo-romanischen *„pagi"*, die dann, ob sie wollten oder nicht, Burgund oder dem Heiligen Römischen Reich einverleibt wurden. Die deutschen Herrscher pflegten die Alpen insbesondere am Lukmanier, am Septimer oder am Grossen Sankt Bernhard zu überqueren.
Das Bündnis von 1291 bereitete den Ansprüchen der Habsburger auf den Gotthard ein Ende, dessen wirtschaftliche und strategische Bedeutung sie sehr wohl erfasst hatten. Von diesem Zeitpunkt an führen die ersten Eidgenossen einen regelrechten Guerillakrieg gegen die Österreicher, wobei ihnen die Alpen einen uneinnehmbaren Zufluchtsort bieten. Ihr Handwerk lernten sie in den Heeren der Hohenstaufer, wo sie Mut und Ausdauer unter Beweis gestellt haben.
Dennoch ist es nicht damit getan, Krieg zu führen. Um den imperialistischen Bestrebungen der Österreicher entgegentreten zu können, müssen die Schweizer dauerhafte Bündnisse eingehen. Wenn ihre Wahl dabei auf Zürich fällt, entspringt dies scharfsinniger Berechnung. Diese Stadt verdankt ihre aufsehenerregende Entwicklung einem lebhaften Handel, weckt aber gleichzeitig die Begehrlichkeit der Habsburger. Die Gebirgsbauern stehen für die Verteidigung der Zürcher Interessen ein und profitieren dabei von den Vorteilen, die ihnen diese wohlwollend gewährte Beschützeraufgabe einbringt. Vom Gotthard zu den Ufern der Limmat werden von nun an im Grunde sehr verschiedenartige Gebiete durch feste Bande geeint.
Doch die Österreicher schlagen zurück. Hoch auf ihren prachtvollen Pferden haben sie keine Angst vor diesen grobschlächtigen Mannen,

Des Waldstätten aux vingt-trois cantons

La Suisse naquit d'un acte d'association entre les Waldstätten, trois régions montagneuses et forestières situées au cœur de l'Europe. Jusqu'alors, le pays avait été formé d'une mosaïque de petites unités, probables survivances des *«pagi»* de l'époque gallo-romaine, annexées bon gré mal gré au royaume de Bourgogne et au Saint-Empire. Les souverains allemands avaient l'habitude de franchir les Alpes, notamment au Lukmanier, au Septimer et au Grand Saint-Bernard.
Le pacte de 1291 mit un terme aux prétentions que les Habsbourg avaient sur le Gothard dont ils avaient compris l'importance économique et stratégique. Dès lors, et profitant du refuge inviolable que leur offrent les Alpes, les premiers Confédérés vont mener une véritable guérilla contre les Autrichiens. Ils ont bien appris leur métier dans les armées des Hohenstaufen où ils ont fait preuve de courage et d'endurance.
Cependant, la guerre ne suffit pas. Il faut que les Suisses s'assurent de solides alliances afin de contrecarrer les visées impérialistes des Autrichiens. Le choix de Zürich procède d'un judicieux calcul. La ville doit son développement spectaculaire à un commerce actif qui fait tout son prestige mais qui, en même temps, excite la convoitise des Habsbourg. Les montagnards garantiront aux Zürichois la défense de leurs intérêts tout en bénéficiant des avantages que leur vaut cette bienveillante protection. Du Gothard aux bords de la Limmat, des liens très solides unissent désormais des régions pourtant très différentes les unes des autres.
Les Autrichiens réagissent. Montés sur leurs superbes chevaux, ils n'ont pas peur de ces hommes grossiers, venus de sombres vallées, qui font encore la guerre à pied. La bataille de Morgarten a lieu le 15 novembre 1315 dans une nature que les Suisses connaissent bien.

From three "Forest States" to twenty-three cantons

Thus Switzerland grew out of the alliance of the three "Forest States", three mountain regions in the heart of Europe. Up to that point, the country had consisted of a mosaic of small units, probably the remains of the Gallo-Roma *pagi,* which were later absorbed by Burgundy or the Holy Roman Empire. The German emperors frequently crossed the Alps by way of the Lukmanier, Septimer, or Great St. Bernard Passes.
The alliance of 1291 put an end to the Habsburg claims to St. Gothard, whose economic and strategic importance they had so correctly assessed. From this point onwards, the first Confederates, with their inaccessible hiding-places in the Alps, carried on a thoroughgoing guerrilla war against the Austrians. They had learned the soldier's trade in the service of the Hohenstaufen, where they had already proved their endurance and courage.
But war was not enough: to counter Austria's imperialistic ambitions, the Swiss had to enter into permanent alliances. The choice of Zurich as a partner was well calculated: Zurich's flourishing trade and rapid development made it a tempting target for the Habsburgs, and the mountain farmers agreed to defend Zurich's interests in return for certain privileges. From then on, the fundamentally diverse regions between St. Gothard and the banks of the River Limmat were firmly united.
But the Austrians were determined to strike back. Their proud cavalrymen were not afraid of the bucolic mountain dwellers who emerged from their gloomy valleys to fight on foot. On 15th November 1315 the Battle of Morgarten took place – home ground to the Swiss. The result was a catastrophe for the Habsburgs, and a spectacular victory for the Swiss which marked their entrance onto the stage of history. It demonstrated their courage

die aus ihren dunklen Tälern gekommen sind und noch zu Fuss Krieg führen. Am 15. November 1315 findet die Schlacht von Morgarten statt, in einer den Schweizern wohlbekannten Umgebung. Den Habsburgern gerät sie zur Katastrophe. Mit diesem spektakulären Sieg halten die Eidgenossen Einzug in die Geschichte. Er offenbart der Welt ihren Angriffsgeist und ihren Freiheitsdurst und gibt ein nachahmenswertes Beispiel ab, dem bald schon andere unterdrückte Völker unseres Erdballs folgen sollten.

Mitte des 14. Jahrhunderts traten die Einwohner von Bern, Luzern, Zug und Glarus - vier Mittelpunkte von Handel, Handwerk und Kultur - der Eidgenossenschaft bei. Eine Art Landtag steht an der Spitze dieses neuen Bündnisses, doch verfügt er über keinerlei bindende Staatsgewalt.

Für die Schweizer wird der Krieg nach und nach zu einem Lebensideal. Die schrecklichen Hellebardenkämpfer fürchten niemanden. Sie beweisen dies bei Grandson, wo sie 1476 das für unbesiegbar gehaltene Heer Karls des Kühnen überrennen. Das ist ein harter Schlag für Burgund, von dem es sich nie mehr erholen sollte. Die Kriegsbeute besteht aus unermeßlichen Reichtümern. Gold, Silber, Diamanten und Edelsteine füllen die Taschen, wecken Begehrlichkeit und niedrigste Leidenschaften. Niklaus von Flüe rettet gerade noch die Lage, indem er bei der Beuteteilung Gerechtigkeit und Mässigung predigt. Doch die Würfel sind gefallen. Die Bauern aus Uri, Schwyz und Unterwalden kehren ihren Bergen entschlossen den Rücken und verschreiben sich nun einzig dem Waffenhandwerk. Sie stellen eine schlagkräftige militärische Macht dar, die sich in den Dienst von Fürsten und Königen begibt.

Die Söldner verdienen viel Geld und verschleudern es, ohne zu zählen. Sie belasten sich weder mit Skrupeln noch mit Vorurteilen. Kunst, Wissenschaft, Kultur interessieren sie nicht. Sie berauschen sich an

Pour les Habsbourg, c'est la catastrophe. Cette victoire retentissante fait entrer d'un coup les Confédérés dans l'histoire. Elle révèle au monde leur agressivité et leur soif de liberté. Bel exemple que suivront bientôt d'autres peuples opprimés de la planète !

Vers la fin du 14ème siècle, les habitants de Berne, de Luzerne, de Zoug et de Glaris, centres de commerce, d'artisanat et de culture, se joignent aux Confédérés. La Diète coiffe cette nouvelle alliance, mais elle ne dispose pas d'un pouvoir contraignant.

Pour les Suisses, la guerre devient peu à peu un idéal de vie. Les terribles hallebardiers ne craignent personne. Ils le prouvent, à Grandson où, en 1476, ils écrasent Charles le Téméraire, que l'on croyait invincible. C'est un rude coup pour la Bourgogne qui, d'ailleurs, ne s'en remettra jamais. Le butin est d'une richesse incalculable. L'or, l'argent, les diamants et les pierreries remplissent les poches, éveillent les convoitises et les passions les plus basses. Nicolas de Flue, le Saint, sauvera *in extremis* la situation en prêchant l'équité et la modération dans le fabuleux partage. Cependant, les jeux sont faits. Tournant résolument le dos à leurs montagnes, les paysans d'Uri, de Schwyz et d'Unterwald se consacrent désormais au seul métier des armes. Ils constituent une force militaire puissante qui est au service des princes et des rois.

Les mercenaires gagnent beaucoup d'argent et dépensent sans compter. Ils ne s'embarrassent ni de scrupules ni de préjugés. L'art, les sciences et la culture ne les intéressent pas. Ils sont ivres d'aventures que l'on rencontre dans les voyages et sur les champs de bataille. C'est, en vérité, un retour à l'âge barbare des Helvètes.

Les Waldstätten luttent également pour leur propre compte. Ils envahissent le Tessin, l'Oberland bernois, l'Argovie et le pays de Vaud qui deviennent des baillages gouvernés sans douceur. Ils concluent des alliances avec

and love of freedom to the world, and set an example which other oppressed peoples were to follow.

In the middle of the 14th century, the original cantons were joined by Berne, Lucerne, Zug, and Glarus - four centres of commerce, trade, and culture. The new union was headed by a kind of diet, but it was not yet endowed with any central executive authority.

War gradually became a way of life to the Swiss. The terrible halberdiers were afraid of no one. They proved this at Grandson in 1476, where they overran the hitherto invincible Charles the Bold, Duke of Burgundy. Burgundy never really recovered from this blow. The spoils were immense: gold, silver, and jewels filled the pockets of the victors and the question of how to divide the booty threatened the unity of the Confederates. The situation was saved by Nicholas von Flüe, a Swiss patriot who had renounced worldly success to become a hermit, and was a man of great moral influence. He preached justice and moderation, and Swiss peace and unity were saved. But the die was cast for the peasants from Uri, Schwyz, and Unterwalden: they turned their backs on the mountains, and from now on dedicated themselves entirely to the trade of arms. They formed an effective military force which was available on a mercenary basis to any European prince or king.

Troubled by neither scruple nor prejudice, the mercenaries earned a lot of money and spent it freely. Art, science, and culture meant nothing to them: they were intoxicated by the adventures they met on their travels or on the battlefield. It was almost a reversion to the barbaric age of Helvetia.

The "Forest States" also went to war on their own account. They invaded Ticino, the Bernese Oberland, Aargau, and Waadtland, and tyrannized the people. They entered into agreements with the Grisons Leagues and the Republic of Oberwallis, and pursued a policy

Abenteuern, denen man auf Reisen oder auf Schlachtfeldern begegnet. Eigentlich ist das fast ein Rückfall ins barbarische Zeitalter der Helvetier.
Die Waldstätte kämpfen auch auf eigene Rechnung. Sie fallen ins Tessin, das Berner Oberland, den Aargau und das Waadtland ein und machen daraus Untertanenlande, die ohne Nachsicht regiert werden. Sie schliessen Bündnisse mit den Graubündner Ligen und der Republik Oberwallis und verfolgen dabei eine Politik, die auf eine Ausdehnung ihrer Herrschaft über das Bergland abzielt. Die Einnahmen aus Personen- und Warentransport über die Alpenpässe, insbesondere den Gotthard, sind für sie eine erkleckliche Geldquelle.
Das Söldnertum bedeutet einen unaufhörlichen Aderlass an Menschen und Energien. Es höhlt die Verteidigungskraft des Landes aus, denn die rührigsten und tapfersten Männer werden mit dem Köder des Geldes aus dem Lande gelockt und ihren wirklichen Aufgaben entfremdet. Auch wird so ein verfälschtes Bild der Eidgenossenschaft gezeichnet, denn Söldnertum gründet sich ja auf einen kurzfristigen Interessenpakt zwischen den betroffenen Parteien. Zwanzigtausend Schweizer kämpfen für Karl VII. von Frankreich, der in Italien Krieg führt; doch lassen sie ihn für einen anderen Kriegsherrn gar bald im Stich. Das Bündnis mit dem Papst, hinter dem Matthäus Schiner, Bischof von Sion, steht, verhilft der Schweiz zu europäischer Bedeutung. Von nun an kennt der eidgenössische Ehrgeiz keine Grenzen mehr. Die Söhne Wilhelm Tells kämpfen überall, für alle Fürsten, jede Fahne, verdienen Reichtümer, die sie gleich wieder verschleudern, und bilden so eine Kaste von grausamen, gierigen und undisziplinierten Menschen.
Vielleicht sind sie zu selbstsicher geworden und tappen daher in die Falle Franz' I., welcher der Kriegskunst die Tugenden des feinsinnigen und gebildeten Mannes entgegenstellt. Die

les Ligues grisonnes et la république du Haut-Valais, poursuivant une politique qui vise à étendre leur domination sur la région montagneuse. Les droits perçus pour le transport des passagers et des marchandises à travers les cols alpestres, principalement le Gothard, sont pour eux une soucre appréciable de revenus.
Le mercenariat est une saignée permanente en hommes et en énergie. Il mine la force défensive du pays qu'il prive de ses éléments les plus dynamiques, ceux-ci étant détournés par l'appat du gain de leur véritable destin. Il donne de la Confédération une image déformée, car il s'appuie sur des accords purement intéressés entre les différentes parties concernées. Vingt mille Suisses combattent pour Charles VIII de France qui guerroie en Italie mais qu'ils abandonneront bientôt pour un autre maître. L'alliance avec le Pape, voulue par Mathieu Schinner, évêque de Sion, assure à la Suisse une dimension européenne. Dès lors, l'ambition des Confédérés n'a plus de limites. Les fils de Guillaume Tell se battent partout, pour tous les princes - qu'importe les couleurs du drapeau - gagnant des fortunes qu'ils dilapident aussitôt, formant une catégorie d'hommes cruels, cupides et indisciplinés.
Trop sûrs d'eux-mêmes, ils vont néanmoins se laisser prendre au piège de François 1er, qui oppose à la science militaire les vertus d'un homme fin et cultivé. Les troupes françaises franchissent les Alpes et, en 1515, à Marignan, s'attaquent aux Confédérés qui sont commandés par le cardinal Schinner. La défaite est complète ; dix mille montagnards restent sur le champ de bataille. Dure leçon pour les Suisses qui comprennent, un peu tard, que le mercenariat est peut-être une occupation lucrative, mais qu'il ne sera jamais un moyen de conquête.
D'autres soubresauts vont agiter le pays et mettre en danger ses institutions. La Réforme consomme la division confessionnelle de la

aimed at extending their rule over the mountain country. The fees received for transporting people and goods over the Alpine passes, especially St. Gothard, provided them with a considerable income.
But the mercenary system proved an incessant drain on men and resources. It undermined the defensive strength of the country, because the most active and courageous men were enticed away from their real tasks. The mercenaries also gave a bad name to the Confederation, as they were, of course, always prepared to serve the best paymaster. At one time, when twenty thousand Swiss were fighting for Charles VII of France in Italy, for example, they suddenly deserted him for another master. An alliance with the Pope, engineered by Mathäus Schiner, Bishop of Sion, lent Switzerland European status. From now on, Swiss ambition knew no bounds. The descendants of William Tell fought everywhere for any master, under any flag, amassing fortunes, and dissipating them. They formed a caste of cruel, voracious, undisciplined men.
Perhaps they began to feel too confident - at any rate, they fell into the trap set for them by Francois I of France, who, unlike his opponents, was not only a man of military skill, but sensitive and cultured as well. The French troops crossed the Alps in 1515 and attacked the Confederate army, led by Cardinal Schiner, at Marignano. The Swiss were totally defeated: ten thousand men from the mountains fell on the battlefield. It was a bitter lesson for the Swiss, who now realized, almost too late, that although the mercenary trade might bring in good money, it was not a satisfactory preparation for conquest.
The country and its institutions were to be shaken by other troubles. Switzerland was split by the Reformation, when the Protestants declared war on corruption, vice, excess, and debauchery.
Berne took the opportunity to extend its con-

französischen Truppen überschreiten die Alpen und greifen die von Kardinal Schiner befehligten Eidgenossen 1515 bei Marignano an. Es wird eine totale Niederlage; zehntausend Männer aus den Bergen fallen auf dem Schlachtfeld. Für die Schweizer ist es eine herbe Lektion, und sie begreifen, etwas spät allerdings, dass Söldnertum vielleicht eine einträgliche Beschäftigung darstellt, für Eroberungen jedoch nicht taugt.
Andere Zuckungen schütteln das Land und gefährden seine Institutionen. Die Reformation vollzieht endgültig die konfessionelle Teilung der Schweiz. Herbeigeführt wurde sie durch den Kampf der Protestanten gegen Korruption, Laster, Ausschweifungen und Wollust.
Bern ergreift die Gelegenheit, seine Eroberungen zum Chablais und der Franche-Comté hin auszudehnen. Ungewollt begünstigt es damit den Zusammenhalt einer Region, der späteren französischen Schweiz, die als letzte der Eidgenossenschaft beitreten wird.
Das von den Söldnern bedenkenlos ausgegebene Geld beglückt die Bewohner der grossen Städte. Innerhalb eines gewissen städtischen Bürgertums, das sich allerhand einfallen lässt, um aus der Rast des Krieges eine richtige Urlaubszeit zu machen, blühen die Geschäfte.
Niemand hätte sich je vorstellen können – weder Soldaten noch Geschäftsleute –, dass sich die Lage eines Tages rapide ändern würde. Die Gründe liegen in der Französischen Revolution, dann folgt der Auftritt von Napoleon Bonaparte. Als der spätere Kaiser noch erster Konsul ist, erlegt er den neunzehn Schweizer Kantonen im Jahre 1803 eine Mediationsakte auf und verwandelt so das Land in eine einfache Kolonie, ein unerschöpfliches Reservoir für Soldaten, die für Frankreich noch auf den eisigen Ebenen des grossen Russland kämpfen werden. Er schafft die Vogteien ab und unterzeichnet einen Friedensvertrag mit den Eidgenossen, denn er braucht den freien Übergang über die

Suisse. Elle est motivée par la lutte que les protestants mènent contre la corruption, les vices, la débauche et la luxure.
Berne profite de l'occasion pour étendre ses conquêtes en direction du Chablais et de la Franche-Comté. Il favorise, sans le vouloir, la cohésion d'une région qui, plus tard, formera la Romandie, la dernière à faire partie de la Confédération.
L'argent que les mercenaires dépensent sans compter fait le bonheur des habitants des grandes villes. Les affaires vont bon train chez les représentants d'une certaine bourgeoisie urbaine qui s'ingénient à faire du repos du guerrier un vrai temps de vacances.
Jamais les uns ni les autres – les soldats et les commerçants – n'auraient pu imaginer que les choses puissent un jour changer. Et pourtant! C'est bientôt la révolution française, puis l'entrée en scène de Napoléon Bonaparte. L'empereur, alors qu'il est encore premier consul, impose en 1803, aux dix-neuf cantons suisses, un acte de médiation, faisant du pays une simple colonie, réserve inépuisable de soldats qui iront se battre, pour la France, jusque dans les plaines glacées de la grande Russie. Il supprime le système des baillages et signe la paix avec les Confédérés, car il a besoin du libre passage des Alpes afin de porter la guerre dans le sud du continent. Cet acte de médiation, qui est une création de l'extérieur, ne suffit pas à calmer les passions, aucune région concernée ne voulant renoncer à ses privilèges.
Le Sonderbund illustre d'une manière tragique les conflits qui opposent les catholiques aux protestants. Cette guerre aurait pu être fatale au pays. Elle eut le mérite de permettre l'élaboration d'une Constitution qui, en 1848, consacra définitivement l'existence de la Suisse. La Confédération compte désormais vingt-deux cantons, grâce à l'adhésion du Valais, de Neuchâtel et de Genève (en 1978, la création du canton du Jura portera ce nombre à vingt-trois). L'acte final du Congrès de Vienne et du Traité de Paris, en 1815, avaient reconnu,

quests to Chablais and Franche-Comté. This unintentionally had the effect of promoting a feeling of solidarity in what was to be the last region to join the Confederation – the area now known as French Switzerland.
The money spent so freely by the mercenaries was very welcome in the large cities. A certain section of the urban citizenry made a profitable business of providing attractive leisure activities for the soldiers.
No one – neither soldiers nor business people – imagined that the situation would one day change rapidly. The change was brought about by the French Revolution and the emergence of Napoleon Bonaparte. In 1803, when the later Emperor was still First Consul, he imposed an Act of Mediation on the nineteen Swiss Cantons, transforming the Confederation into a mere colony, an inexhaustible reservoir of soldiers destined to fight for France in the icy wastes of Russia. He abolished the system of bailiffs, and signed a peace agreement with the Confederation, for he needed free access to the Alpine Passes in order to carry war to the south of the Continent. But this Act of Mediation, imposed from outside, did not succeed in breaking the people's spirit; none of the regions concerned was prepared to give up tis hard-won privileges.
After the fall of Napoleon, the accession of Valais, Neuchâtel, and Geneva brought the number of cantons up to 22, and the Congress of Vienna proclaimed the perpetual neutrality of Switzerland. But now the state was threatened by internal difficulties. Deep religious divisions led to the formation of a separatist League of Roman Catholic cantons calling themselves the *Sonderbund.* In 1978, the creation of the canton of Jura put the number of cantons up to 23.
There was a brief civil war before the other cantons secured the dissolution of the *Sonderbund.* This was followed in 1848 by the acceptance of a new constitution which, with some modifications, is still in force today.

Alpen, um den Krieg in den Süden des Kontinents tragen zu können. Doch diese von aussen eingebrachte Mediationsakte genügt nicht, um die Leidenschaften zu dämpfen; keines der betroffenen Gebiete will auf seine Vorrechte verzichten.
Der Sonderbund zeigt auf tragische Art und Weise die Probleme, die Katholiken und Protestanten entzweien. Dieser Krieg hätte für das Land verhängnisvoll sein können. Doch entsteht in seinem Gefolge immerhin eine Verfassung, welche im Jahr 1848 endgültig die Existenz der Schweiz absegnet. Die Konföderation umfasst nun - nach dem Beitritt des Wallis, von Neuenburg und Genf - zweiundzwanzig Kantone (1978 kommt noch der Kanton Jura hinzu). In der Schlussakte des Wiener Kongresses und des Pariser Vertrages von 1815 war zwischenzeitlich die immerwährende Neutralität der Schweiz anerkannt worden.
Ein neues Zeitalter sollte für das Land beginnen. Plötzlich erinnern sich seine Bewohner ihrer Berge, denen sie jahrhundertelang den Rücken gekehrt hatten. Endlich begreifen sie, dass ihre Zukunft eher darin liegt, ihrem Vaterland zu dienen als fremde militärische Abenteuer einzugehen, die früher oder später zum Scheitern verurteilt sind.
Diese Rückkehr zu den Ursprüngen ist eine Rache der Natur. Die Schweizer fallen von einem Extrem ins andere, blicken nicht mehr nach draussen und empfinden plötzlich eine tiefe Zuneigung für jene Orte, welche die wirklichen Geburtsstätten ihrer Kultur waren und auch geblieben sind. Das Gebirge wird zum Mittelpunkt aller Tätigkeit. Es lockt Wissenschaftler und Künstler an. Es wird gefeiert, verherrlicht und besungen. In der französischen Fassung des Schweizerliedes lauten die Anfangsworte: „Wenn die Sonne über unseren Bergen...“; die frühere Nationalhymne - ihre Melodie war identisch mit der englischen - begann mit dem nicht weniger vielsagenden Ausruf: „O freie Berge...“

entre temps, la neutralité perpétuelle de la Suisse.
Une nouvelle ère va commencer pour le pays. Ses habitants se souviennent tout à coup de l'existence de leurs montagnes dont ils s'étaient détournés pendant des siècles. Ils comprennent enfin que leur avenir dépend, non pas d'une aventure militaire vouée tôt ou tard à l'échec, mais bien plutôt d'une mise en valeur de leur territoire.
Ce retour aux origines est une revanche du milieu naturel. Passant d'une extrême à l'autre et cessant d'avoir les yeux tournés vers l'extérieur, les Suisses éprouvent soudain un amour profond pour ces lieux qui furent et qui sont restés le véritable berceau de leur culture. La montagne devient le centre de toutes les activités, de toutes les préoccupations. Elle attire les savants et les artistes. On la célèbre, on la glorifie et on la chante. «Sur nos monts quand le soleil...» sont les premières paroles du cantique suisse, qui a remplacé l'hymne national, musicalement identique à celui des Anglais et qui commençait par ces mots, non moins significatifs: «O monts indépendants...».

A new age was dawning in Switzerland. The Swiss suddenly remembered their mountains, largely ignored for centuries. At last they realized that their future lay in service to their fatherland rather than in military adventures doomed to ultimate failure.
This return to their origins was Nature's revenge. The Swiss fell from one extreme to the other, looking only inwards instead of outwards, suddenly discovering a deep affection for the real sources of their culture. The mountains became the focal point of all activity. They attracted scientists and artists, were glorified, celebrated. The Swiss anthem begins with the words: "When the sun, above our mountains..."; the former national anthem - whose tune was identical with that of the British national anthem - began with the no less stirring words: "O, mountains free . . ."

Die Alpen und die Natur

Les Alpes et la Nature

The Alps and Nature

Die Geburt der Berge

Die Schweizer Alpen bilden nur den Westteil einer riesigen Gebirgskette, die sich quer durch den europäischen Kontinent von Nizza nach Wien erstreckt. Die tief eingegrabenen Täler von Rhein und Rhone teilen sie in zwei Systeme. Die Nordalpen flachen nach und nach ab, bilden die Voralpen und laufen im Mittelland aus; jenseits davon verläuft der Jura. Die Südalpen hingegen überragen die Poebene und formen einen fast unüberschreitbaren Grenzwall. Auf der Höhe des Gotthards durchschneidet das zum Rhein- und Rhonegraben senkrecht verlaufende Tal der Reuss die Nordkette. Genau an diesem geografischen Punkt entstand eine wahre Alpenkreuzung, die sich nach den vier Himmelsrichtungen hin öffnet. In den Schweizer Alpen ragen etwa fünfzig Viertausender auf; sie machen – mit Ausnahme des Montblanc-Massivs – den höchsten Teil des europäischen Gebirgsdaches aus.
Die Jahrmillionen erschrecken den Geologen nicht, und so betrachtet er die Alpen mit einer gewissen Nachsicht, denn diese Gebirgskette ist äusserst jung. Sie erschien im Tertiär, und ihre Entstehung ist ausgesprochen einfach. Sie stellt einen logischen Bestandtteil geologischer Phänomene dar, welche die Erdgeschichte kennzeichnen.
Vor etwas weniger als 200 Millionen Jahren war Südeuropa von einem Meer unterschiedlicher Tiefe bedeckt. An seinen Ufern erhoben sich Festlandmassen, deren Flüsse Geröll mitschoben. Dieser Schutt wurde auf dem Meeresgrund abgelagert und verwandelte sich unter dem ungeheuren Druck der Wassermassen in Sedimentgestein, also in Mergel, Sand- und Kalkstein. Doch bald erfolgte durch einen gewaltigen Schub von Süden her eine Faltung der Erdkruste und damit auch des Sediment-Deckgesteins. Der Faltenwurf gewann an Höhe, tauchte schliesslich aus dem Wasser auf und bildete Inseln. Doch der

Genèse de la montagne

Les Alpes suisses ne sont que la partie ouest d'une immense chaîne de montagnes qui s'étend de Nice à Vienne, à travers le continent européen. Elles sont séparées en deux systèmes par le profond sillon des vallées du Rhône et du Rhin. Les Alpes du nord s'abaissent progressivement pour former les Préalpes puis céder peu à peu la place au Moyen Pays à l'autre extrémité duquel s'étire le Jura. En revanche, les Alpes du sud dominent la plaine du Pô, formant une barrière qui paraît infranchissable. Au niveau du Gothard, la vallée de la Reuss, qui est perpendiculaire aux sillons rhodanien et rhénan, entamme profondément la chaîne septentrionale. Ce lieu géographique bien précis est un véritable carrefour alpin qui s'ouvre sur les quatre points cardinaux. Les Alpes suisses recèlent une cinquantaine de sommets de plus de 4000 mètres ; elles constituent la partie la plus élevée de l'édifice montagneux européen.
Le géologue, que les millions d'années n'effraient pas, regarde les Alpes avec une certaine indulgence, car cette chaîne de montagnes est d'une extrême jeunesse. Elle est apparue au Tertiaire et sa formation est d'une remarquable simplicité. Elle s'inscrit dans la logique des phénomènes géologiques qui ont marqué l'histoire de la terre.
Il y a un peu moins de 200 millions d'années, l'Europe méridionale était recouverte d'une immense mer de profondeur variable. De chaque côté se trouvaient des masses continentales dont les fleuves charriaient des alluvions. Ceux-ci se déposaient au fond de la mer et, sous la pression exercée par les eaux, se transformaient en roches sédimentaires telles que des marnes, des grès et des calcaires. Mais, bientôt, une fantastique poussée, venue du sud, fit se plisser la croûte terrestre et, par voie de conséquence, les roches sédimentaires qui la recouvraient. Ces plissements gagnèrent en hauteur et finirent par émerger,

The birth of the mountains

The Swiss Alps are only the western part of an immense mountain system which runs across the European continent from Nice to Vienna. The deep valley of the Rhine and Rhône divide the Swiss Alps into two subsystems. The Northern Alps gradually flatten off, first into foothills, and then into the Central Plateau, on the other side of which rise the Jura Mountains. The Southern Alps tower above the Po Basin of northern Italy, forming an almost insurmountable obstacle. The Northern Alps are cut through by the valley of the Reuss, which runs at right angles to the Rhine and Rhône, and, like them, has its source and headstreams in the St. Gothard Massif. St. Gothard is the site of a real Alpine crossroads opening up to the four points of the compass. The Swiss Alps have about 50 peaks of over 13,000 ft, the greatest concentration of high mountains in the European system.
Used to dealing in millions of years, the geologist looks upon the Alps with a certain degree of indulgence, for, geologically speaking, they are extremely young. They were formed during the Tertiary period, and the process was very simple. It was a logical step in the geological development of the earth.
Less than 200 million years ago, South Europe was covered by a sea of varying depth.
Around its shores rose land masses whose rivers carried debris into the sea. This debris settled on the sea bed and, under the enormous pressure of the water, was gradually transformed into sedimentary rock: marl, sandstone, and limestone. But soon the earth's crust, and with it the sedimentary rock layer, was folded by a tremendous thrust from the south. The folded rock rose higher and higher, finally emerging above the water and forming islands. But the pressure continued, and the rock folded over towards the north, forming overlapping "pleats", or overfolds.

Druck hielt an, die Falten neigten sich als Überschiebungsdecken immer mehr gen Norden, wobei sie sich dachziegelartig überlagerten.
Die Alpen waren jetzt geboren, doch sie sollten noch verblüffende Veränderungen erleben. Die Erosion begann diese äusserst verwundbare Felsmasse anzugreifen. Die grossen Flüsse nagten sich tief in die Ablagerungen und transportierten die Trümmer ins Meer. Dieses ausgeschwemmte Material sank in grossem Umkreis ab, seine leichtesten Bestandteile schwebten bis weit vor die Küsten und formten die Molasse, worunter man sich Mergel, Sand- und Konglomeratgestein vorzustellen hat.
Doch auch das Magma aus dem Erdinnern spielte mit. Es versetzte dem Alpenmassiv einen gewaltigen Stoss, sprengte seinen Kalkmantel und brachte die ursprünglichen altkristallinen Felsmassen zum Vorschein. Unter diesem Gestein, das aus der Erdtiefe heraufdrang, nimmt der Granit eine vorrangige Stelle ein. Manchmal erscheint er mit Gneis, dem am weitesten verbreiteten metamorphen Gestein.
Im Norden sind vorwiegend tertiäre Kalksteine vertreten. Stark verwittert, reich an Fossilien, schliessen sie teilweise Mineralien ein, denen sie dann ihre überraschende Farbgebung verdanken. Sie bestimmen ebenfalls die Form der Deckschichten.
So sind die Alpen also gleichzeitig durch kontinentale Schübe und magmatische Ausbrüche entstanden. Die zerstörerische Arbeit der Verwitterung setzte bereits beim Auftauchen der Landmassen ein und hat zu keinem Zeitpunkt der Erdgeschichte aufgehört. Die Erosion ist wahrlich ein Architekt von planetarischem Format, hat sie doch ohne Unterlass aus dem Granit Hörner, Nadeln und Spitzen gestaltet, steil abfallende Wände oder gezackte Grate aus dem Kalkstein; selbstverständlich mit allen nur möglichen Übergangsformen, dort wo sich härtere und weichere Felsgesteine abwechseln.

formant des îles. La poussée n'en continua pas moins et les plissements, devenus de véritables nappes de charriage, s'inclinèrent de plus en plus vers le nord, se superposant les uns aux autres, à la manière des tuiles d'un toit.
Les Alpes étaient nées, mais elles allaient subir de spectaculaires modifications. L'érosion commença à s'attaquer à cette masse rocheuse très vulnérable. Les grands fleuves entamèrent toute l'épaisseur des dépôts, charriant leurs détritus dans la mer. Ces matériaux se répandirent sur un vaste rayon, les plus légers étant emportés très loin des côtes. Ils formèrent la molasse, un nom qui sous-entend des marnes, des grès et des conglomérats.
Le magna central ne tarda pas à entrer en jeu. Par un gigantesque coup de boutoir appliqué à la masse des Alpes, il parvint à faire éclater le revêtement calcaire, laissant apparaître les roches cristallines primitives. Dans ces matériaux, qui viennent du cœur de la planète, le granite est bien représenté. Il est parfois associé au gneiss qui est l'élément le plus répandu des roches métamorphiques.
Dans le nord, ce sont les calcaires du Tertiaire qui dominent. Ils sont fortement érodés, riches en fossiles, mêlés ou non à d'autres minéraux auxquels ils doivent de surprenantes couleurs. Ils caractérisent la forme des nappes de couverture.
Les Alpes sont donc nées à la fois de poussées continentales et d'une ascension du magna central. Le travail de sape exercé par l'érosion a commencé dès le début de l'émersion et n'a cessé à aucun moment de l'histoire. Véritable architecte à l'échelle planétaire, cette érosion permanente a modelé les sommets en pics, en aiguilles et en pointes pour les granites, en parois abruptes ou en crêtes dentelées pour les calcaires avec, bien sûr, toutes les formes de passage possibles entre les unes et les autres, là où les roches dures alternent avec des roches plus tendres.

The Alps were now born, but they were to go through further startling changes. Erosion began to attack these extremely vulnerable masses of rock. The great rivers cut their way deep into the rocky layers and transported the sediment into the sea. This material covered a large area, the lightest elements drifting far beyond the coasts and forming the soft Tertiary sandstone, or molasse, under which were layers of marl, sandstone, and conglomerate.
But magma, the molten material beneath the earth's crust, also played a part. It exerted immense pressure on the Alpine system, fracturing its limestone crust, and revealing the ancient crystalline substructures. Granite was the rock most frequently forced upwards from below. Sometimes it appears together with gneiss, the most common form of metamorphic rock.
Tertiary limestones are the most common rocks in the north. Heavily, eroded, and rich in fossiles, they sometimes enclose minerals, which give them surprising tints. They endow the surface of this region with its characteristic appearance.
Thus the Alps were formed by horizontal continental thrusts and vertical magmatic outbreaks. Erosive activity started as soon as the land masses emerged from the sea and has never ceased. Erosion is a sculptor of planetary stature, never ceasing to work on the granite to form all kinds of bizarre shapes, and on the limestone to carve out steep cliffs, or jagged ridges; transitional shapes of all kinds are to be found where harder and softer rocks occur in the same area.
Erosion has many agencies, apart from the simple action of wind and water. Rain seeping into small cracks and then freezing, for example, can split the rock. And thermal fluctuations leading to the expansion and contraction of rock can also ultimately have an erosive effect.
The slow death of the mountains is often

Auch physikalische Erscheinungen haben zum heutigen Aussehen der Alpen beigetragen. Das Regenwasser etwa, das in die kleinen Spalten dringt, sich durch die Kälte in Eis verwandelt und die Felsen sprengt. Oder aber thermische Schwankungen, der stete Wechsel zwischen Erwärmung und Abkühlung, zwischen Ausdehnung und Kontraktion des Gesteins führen schliesslich zur Verwitterung der Felsen.
In oft mörderischen Steinschlägen spiegelt sich der langsame Tod der Berge wider. Ihre Reste werden von den Flüssen fortgeschwemmt und häufen sich nach und nach auf dem Meeresgrunde an. Und vielleicht wird in vielen Millionen Jahren ein neuer Kreislauf beginnen.

Vom Leben der Gletscher

Die Eiszeiten gehören ins Quartär, die letzte geologische Epoche. Eis überzog mehrfach und über wechselnde Zeiträume hinweg Teile der Kontinente. An manchen Stellen erreichte die Eisschicht eine Dicke von zwei oder drei Kilometern.
Die heutigen Gletscher sind recht bescheidene Überbleibsel jener Gletscherströme, die für Jahrtausende die Zusammensetzung von Flora und Fauna sowie die Entwicklung prähistorischer Kulturen bestimmten.
Ein Steigen und Sinken des Wasserspiegels in Meeren und Flüssen begleitete Rückzug oder Vorrücken der Gletscher. Diese Erscheinung ist leicht zu erklären, wenn man weiss, dass auf den Kontinenten bei jeder Vereisung grosse Wassermassen mobilisiert wurden. Die Erforschung der Fluss- und Meeresterrassen ermöglichte es den Fachleuten, das genaue Ausmass dieser geologischen Ereignisse zu bestimmen.
Man weiss heute, dass nicht ein beträchtliches Absinken der Temperaturen zu einer Eiszeit führte, sondern vielmehr die merkliche

Des phénomènes physiques ont également contribué à donner aux Alpes leur physionomie actuelle. C'est le cas de l'eau des précipitations qui s'infiltre dans les fissures et qui, sous l'influence du froid, se transforme en glace, faisant éclater les roches. C'est aussi le cas des variations thermiques, succession ininterrompue de réchauffement et de refroidissement, c'est-à-dire de dilatation et de contraction des pierres qui aboutissent à la dégradation des roches.
Des éboulements, parfois meurtriers, illustrent cette mort lente de la montagne dont les restes, emportés par les rivières, s'accumulent peu à peu au fond des mers. Et un nouveau cycle recommencera peut-être dans quelques dizaines de millions d'années...

La vie des Glaciers

Le Quaternaire, la dernière des périodes géologiques, a été le témoin de glaciations qui, à plusieurs reprises et pendant un laps de temps variable, ont recouvert une surface importante des continents. En certains endroits, la couche de glace atteignit une épaisseur de deux ou trois kilomètres.
Les glaciers actuels sont les vestiges bien modestes de ceux qui, durant des millénaires, conditionnèrent la composition de la flore et de la faune et le développement des grandes civilisations préhistoriques.
Avances et reculs des glaciers furent accompagnés d'une oscillation simultanée du niveau des fleuves et des mers. Ce phénomène s'explique aisément, sachant que chaque glaciation se traduisit par une mobilisation massive d'eau sous forme de glace à la surface des continents. L'étude des terrasses fluviales et marines a permis, aux spécialistes, de mesurer l'exacte dimension de ces événements géologiques.
On sait aujourd'hui qu'une période glaciaire ne fut pas la cause d'un abaissement notable de

dramatically emphasized by violent landslides. The rubble is carried away by rivers and accumulates on the sea bed. And perhaps in many million years' time a new cycle will begin.

The life of the glaciers

The ice ages occured during the quaternary era, the last great geological epoch. Large areas of the continents were covered with ice, which advanced and retreated a number of times. In some places the ice layer was up to ten thousand feet thick.
Today's glaciers are modest remnants of those great regions of ice which, for thousands of years, determined the composition of local flora and fauna and the development of prehistoric cultures.
The advance and retreat of the ice resulted in corresponding fluctuations in the levels of the seas and rivers. This is easily explained by the fact that the ice sheets and glaciers were formed principally of water that had evaporated from the oceans. Study of river and sea terraces has enabled specialists to estimate the precise extent of these geological events.
Today it is known that an ice age was not brought about by a considerable reduction in temperatures, but by a heavy increase in precipitation. The process is very simple. It begins with heavy falls of snow on the highest peaks. The snow is exposed to a continual process of melting during the day and refreezing at night, and is converted first into granular ice, or névé, and then into a compact layer of ice from which the glacier emerges. It is fed from altitudes between about 7,500 and 8,200 ft – above the present-day perpetual snowline which varies from region to region depending on exposure to sun and the severity of the climate.
Being continually replenished from above, the glaciers move inexorably downwards, spread-

Zunahme der Niederschläge. Der Vorgang ist höchst einfach. Er beginnt mit ausgiebigen Schneefällen auf den höchsten Gipfeln. Dann setzen sich diese Schneemassen. Sie sind dem ständigen Wechsel von Schmelze am Tag und nächtlichem Gefrieren ausgesetzt, verwandeln sich zunächst in knolliges Firneis, sodann in eine kompakte Eisschicht, aus der schliesslich der Gletscher hervorgeht. Er wird aus Höhen gespeist, die über 2300 bis 2500 m liegen, über der heutigen Grenze des ewigen Schnees. Die Höhe ändert sich je nach Gebiet, denn alles hängt von der Sonneneinstrahlung und der Milde oder Strenge des Klimas ab.
Eine fortwährende Versorgung treibt den Gletscher voran, so dass er sich in die Ebene hinab ausdehnt, in unerbittlichem Fluss, der erst an dem Tag aufhört, an dem sich die klimatischen Bedingungen geändert haben, indem entweder die Temperaturen ungewöhnlich stark sinken oder allgemein ansteigen.
Am Oberlauf des Gletschers finden sich schroffe Firnblöcke und erstarrte Wasserfälle. Danach mildert sich das Gefälle etwas ab, und die Gletscherzunge kann breit in den Talgrund ausfliessen. Der Gletscher führt beträchtliche Gesteinsmengen mit sich, die er den Bergen entrissen hat: Sand, Kiesel, Blöcke von manchmal beeindruckenden Ausmassen, welche die Mittel- und Stirnmoränen bilden. Einige dieser Blöcke stürzen in Längs- und Querspalten und werden langsam auf den Grund des Gletschers gezogen. Zugleich mit den Moränen und den Gletschern selbst schleifen sie den Boden der Mulde aus.
Die aus den Alpen zu Tale strömenden prähistorischen Gletscher drangen viele Kilometer in die Ebene vor. Als sie sich zurückzogen, hinterliessen sie prächtige Findlinge, welche die Volksphantasie beschäftigten. Die bereits bestehenden Täler wurden zu weiten Seenbecken.
Wasser und Eis verrichten nicht die gleiche Arbeit. Das Wasser höhlt den Fels tief aus und verleiht dem Tal eine V-Form. Der

la température, mais bien plutôt d'une augmentation sensible des précipitations.
Le processus est d'une remarquable simplicité. Il commence par d'abondantes chutes de neige sur les plus hauts sommets. Cette neige ne tarde pas à se tasser. Soumise à des alternances continuelles de fonte diurne et de congélation nocturne, elle se transforme en glace bulbeuse de névé, puis en glace compacte qui est à l'origine même du glacier.
La zone d'alimentation se situe au-delà de la limite actuelle des neiges persistantes, à une alitude de 2300 à 2500 m. Elle varie selon les régions, car tout dépend de l'insolation et de la clémence (ou de l'inclémence) du climat.
Une alimentation suivie permet à un glacier d'avancer et de s'étendre dans la plaine en une marche inexorable qui cessera le jour où les conditions climatiques auront changé, soit dans le sens d'un abaissement exagéré de la température, soit au contraire dans celui d'un réchauffement général.
La partie supérieure d'un glacier est une zone abrupte de séracs et de cascades glaciaires. Après quoi, la pente s'adoucit quelque peu et la langue glaciaire peut s'étaler largement, occupant le fond de la vallée. Le glacier transporte avec lui des quantités considérables de matériaux arrachés à la montagne. Ce sont des sables, des cailloux et des blocs aux dimensions parfois impressionnantes, qui constituent les moraines latérales et médianes. Quelques-uns de ces blocs roulent dans les crevasses transversales et latérales, gagnant peu à peu les profondeurs du glacier. Ils contribuent, en même temps que les moraines et que le glacier lui-même, à user le fond de la cuvette.
Les glaciers préhistoriques, qui descendaient des Alpes, savancèrent sur des dizaines de kilomètres dans les plaines. En se retirant, ils abandonnèrent de magnifiques blocs erratiques qui ont frappé l'imagination populaire. Ils surcreusèrent des vallées qui existaient

ing out in the plains, and only stopping when the temperatures either drop to unusually low levels, or rise.
The upper course of a glacier is characterised by rough blocks of névé and frozen waterfalls. Then the gradient becomes less steep, and the glacier finally flows into the valley, the tip usually being tongue-shaped. A glacier carries with it considerable quantities of debris which it has torn from the rocks: sand, gravel, and sometimes blocks of stone of considerable size, which form the lateral, medial, and terminal moraines. Some of the large blocks fall into transverse and longitudinal crevasses and are gradually drawn down to the ground of the glacier. Together with the moraines and the glacier itself they erode the floor of the valley.
The glaciers that poured down the Alpine valleys in prehistoric times spread far out onto the plains. As they retreated they left behind them impressive erratic blocks of stone with bizarre shapes that were the source of much folklore. The glacial movements deepened and widened the valleys into lakes.
Water and ice work differently. Water hollows out rock and lends the valley a V-shape. A Glacier patiently removes the softer rock, but only planes and smoothes the harder rock, forming more or less deep, elegant basins; they are topped by jagged ridges interspersed with small, crystal-clear lakes.
A glacier is not troubled by obstacles: it climbs over them without difficulty. It slowly but surely snakes it way through narrow gorges and gaps between mountain massifs, leaving characteristic scratches and furrows on the bare, rounded rock.
Today the glaciers appear to be in retreat. The extent of this movement can be seen at Gletsch, where the famous hotel, once close to the tip of the Rhône glacier, is now hundred of yards below the terminal moraine.
And yet periods of growth have also been observed after particularly cool and rainy summers, especially between 1920 and 1950. Nearly

Gletscher hingegen trägt geduldig das weiche Gestein ab, verschont jedoch die harten Felsen und begnügt sich damit, sie zu schleifen und zu hobeln. Er formt mehr oder weniger tiefe, elegante Mulden; sie werden überragt von zackigen Graten, in deren Schutz sehr häufig kleine, kristallklare Seen schlummern.
Der Gletscher kümmert sich nicht um Hindernisse - er überklettert sie ohne Schwierigkeiten. Er nutzt Einkerbungen, engste Durchlässe und Pässe zwischen Gebirgsketten, um sich langsam, aber sicher durchzuschlängeln, und läßt auf nackten, abgerundeten Felsen charakteristische Rinnen und Furchen zurück.
Die Gletscher scheinen sich heute allgemein zurückzuziehen. Das Ausmass dieses Phänomens kann man am Rhone-Gletscher ablesen, denn das berühmte Hotel von Gletsch steht Hunderte von Metern talab der Stirnmoräne. Und doch hat man auch Wachstumsperioden festgestellt nach besonders kühlen und regenreichen Sommern, insbesondere zwischen 1920 und 1950. Fast überall lässt sich in den Alpen die Obergrenze der Quartärgletscher zum Zeitpunkt ihrer grössten Ausdehnung feststellen. Sie zieht sich als scharfe Trennlinie hin zwischen den hohen, durch Erosion zerklüfteten Gipfeln und den von den Gletschern in Jahrtausenden rundbucklig gemeisselten Felsen.

Ein dichtes, weitreichendes Gewässernetz

Der Alpenwall sorgt für eine ganz besondere Verteilung der hydrografischen Becken Westeuropas. Zwar fliesst der Rhein als einziger Fluss zur Nordsee, doch nimmt er nicht weniger als 70 Prozent der Schweizer Gewässer auf. Die Rhone ihrerseits - sie strömt lieber in sonnige Regionen und mündet ins Mittelmeer - führt nur 18 Prozent dieses abfliessenden Wassers. Der Rest wird von den

déjà avant leur passage, créant de vastes bassins lacustres.
Le travail de l'eau et celui de la glace ne se ressemblent pas. L'eau creuse profondément les roches et donne à la vallée une forme en V. Le glacier érode patiemment les roches tendres, épargnant les roches dures qu'il se borne à polir et à raboter. Il façonne d'élégantes cuvettes plus ou moins profondes, dominées par des crêtes dentelées qui, très souvent, abritent de petits lacs d'une merveilleuse limpidité.
Le glacier se moque des obstacles qu'il escalade sans aucune difficulté. Il profite des échancrures, des passages les plus étroits et des cols qui séparent une chaîne de montagnes d'une autre pour se faufiler, lentement mais sûrement, laissant sur les roches vives, aux formes arrondies, des cannelures et des stries caractéristiques.
Le recul des glaciers paraît, aujourd'hui, général. On peut mesurer l'étendue de ce phénomène au glacier du Rhône, le fameux hôtel de Gletsch se trouvant à des centaines de mètres en aval de la moraine frontale. Pourtant, des périodes de crue ont été signalées à la suite d'étés particulièrement frais et pluvieux, notamment entre 1920 et 1950. On voit un peu partout dans les Alpes la limite supérieure des glaciers quaternaires, au moment de leur phase maximale d'extension. Elle marque la frontière rigoureuse entre les hauts sommets déchiquetés par l'érosion et les roches moutonnées que les glaciers, pendant des millénaires, ont sculptées.

Un riche réseau hydrographique

Le rempart des Alpes contribue à une très singulière répartition des bassins hydrographiques de l'Europe occidentale. Si le Rhin est le seul fleuve qui se dirige vers la mer du Nord, il n'en recueille pas moins 70 pour-cent des eaux de surface du territoire helvétique.

everywhere in the Alps the upper limit of the quaternary glaciers at the time of their greatest expansion can be seen from the sharp line dividing the high, jaggedly eroded peaks from the rocks moulded into smooth undulations by thousands of years of glacial activity.

A dense network of rivers and lakes

The Alps form an important divide for Western Europe. The Rhine, although it ist the only river from these regions to flow to the North Sea, drains away 70 per cent of the Swiss water. The Rhône - preferring sunnier regions, and flowing into the Mediterranean - drains 18 per cent. The rest is drained by the Ticino rivers, which flow into the Po, and by the River Inn, which rises in Grisons Canton, flows eastward, and joins the Danube.
Heavy precipitation in the high mountains and on the great glaciers provides Switzerland with ample water resources. It is always a moving experience to see the modest source of a great river. A mountain rivulet bubbles out beneath the terminal moraine of a glacier, trickling peacefully between the bizarre shapes of erratic boulders. Its cold water is milky with sand and mud. Bowing to the irresistible force of gravity, it flows downwards towards the plains. But there are numerous obstacles on the way, and the glacial stream's journey turns into a breathtaking adventure.
At times the water course drops abruptly, forming a waterfall, which is particularly impressive in April, when the snow is melting, or in July and August, when the summer thunderstorms echo round the mountains. The water, loaded with sand and stones, cuts into hard rock, forming deep, narrow gorges. Gradually the stream grows into a torrent, thundering and seething downwards, throwing up a fine spray in which the sun forms wonderful miniature rainbows.
The erosive power depends, of course, on the

Tessiner Flüssen, die den Po speisen, abtransportiert sowie vom Graubündner Inn; er fliesst nach Osten und vereinigt sich mit der Donau.
Die auf den hohen Gipfeln und den grossen Gletschern reichlich fallenden Niederschläge bilden eine ideale Versorgungsquelle für dieses Gewässersystem, das in der Schweiz ausgesprochen stark ausgeprägt ist.
Wir sind stets von neuem bewegt, wenn ein Fluss in einer Quelle entspringt. Ein bescheidener Bergbach entquillt der Stirnmoräne eines Gletschers, bahnt sich friedlich einen Durchschlupf zwischen riesigen erratischen Blöcken. Sein milchiges, kaltes Wasser führt Schlamm und Sand mit. Es unterwirft sich dem unerbittlichen Gesetz der Schwerkraft und fliesst hangabwärts in die Ebene. Doch an Hindernissen fehlt es nicht: Für den Gletscherbach wird sein Lauf zu einem wahrhaft berauschenden Abenteuer.
Bisweilen verwandelt sich der Wasserlauf in einen Wasserfall, im April vor allem, zur Zeit der Schneeschmelze, oder im Juli und August, wenn die Sommergewitter das Gebirge mit ihrem Grollen erfüllen.
Dieses mit Sand und Steinen beladene Wasser höhlt auch die widerstandsfähigsten Felsen aus, führt zur Bildung enger, tiefer Schlünde. Donnernd und schäumend stürzt der Giessbach hinab, umgeben von einem feingewobenen Wasserschleier, in dem die Sonne wunderbare Regenbogen zum Leuchten bringt.
Die erodierende Kraft hängt natürlich von der Wassermasse und ihrer Durchflussgeschwindigkeit ab. Weiter unten, zur Ebene hin, verläuft das Bachbett weniger steil. Dennoch lässt die Arbeit der Erosion nicht nach, denn kleine Nebenbäche lassen die Wasser des Hauptflusses anschwellen. Die Schluchten bergen eine ungewöhnliche, faszinierende und eindrucksvolle Welt; sie legen Zeugnis ab von der Gewalt des Wassers und begründen den Ruf zahlreicher Alpengegenden.
Schon nahe ihrem Ursprung nehmen die

Pour sa part, le Rhône, qui préfère les régions ensoleillées et qui se jette dans la Méditerranée, entraîne seulement 18 pour-cent de ce drainage. Le reste des eaux est transporté par les rivières du Tessin qui alimentent le Pô et par celles de l'Inn des Grisons, qui prend la direction de l'est et qui s'unit au Danube.
Les précipitations qui tombent en abondance sur les hauts sommets et les grands glaciers des Alpes constituent la source idéale d'alimentation de ce réseau hydrographique qui, en Suisse, témoigne d'un remarquable développement.
La naissance d'un fleuve, comme celle d'une source, ne laisse jamais d'émouvoir. Le modeste torrent qui s'échappe de la moraine frontale d'un glacier se fraie péniblement un passage dans l'entassement incroyable de matériaux erratiques. Ses eaux, laiteuses et froides, sont chargées de boue et de sable. Soumises à la loi inexorable de la pesanteur, elles suivent la pente et se dirigent vers la plaine. Mais les obstacles ne manquent pas et ce parcours devient, pour le torrent glaciaire, une véritable et exaltante aventure.
Parfois, le cours d'eau se transforme en cascade, surtout en avril, à l'époque de la fonte des neiges, ou en juillet et en août, lorsque les orages de l'été remplissent la montagne de leurs bruits inquiétants.
Cette eau chargée de sable et de pierres creuse les roches les plus résistantes et aboutit à la formation de gorges étroites et profondes.
Le torrent s'y précipite en grondant, produisant une abondante écume et une poussière d'eau d'une extrême finesse où le soleil allume de merveilleux arcs-en-ciel.
Cette force érosive dépend, bien entendu, de la masse d'eau et de sa vitesse d'écoulement. Plus bas, vers la plaine, la pente du talweg est moins accentuée. Mais le travail de l'érosion ne diminue pas pour autant, car les eaux du torrent principal sont gonflées par celles de ses petits affluents. Ces gorges sont un monde insolite qui fascine et qui impressionne; elles

amount of water and the speed at which it travels. Further down the valley, the gradient slowly flattens out, but the river's erosive power is kept fairly constant by the acquisition of fresh water from small tributaries. The gorges form an unusual, fascinating, and impressive world, bearing witness to the power of water, and constituting one of the main attractions of the Alpine regions.
Rivers often have tributaries very near their source. These frequently originate in funnel-shaped basins which open to the skies to receive the rain or snow falling on the mountains. These streams tumble down the slopes, cutting channels through accumulations of debris. Down in the lower reaches, they join the river, adding to its load of sand, pebbles, and fragments of vegetation.
Mountain people have long had a healthy respect for the temperamental and unruly mountain streams whose flow can vary abruptly and unexpectedly. A rainstorm in the high mountains can lead to a dangerous increase in the flow of water. Earthslides and floods can be extremely destructive, destroying woodland, crops, barns and houses.
Now, as the flat country opens out in front of it, the river can begin to relax. The rate of flow decreases, and it meanders along, nibbling at the banks, especially during high water periods; an action which can have tragic consequences for the population. Dikes and course corrections prove inevitable. They provide effective protection against floods for the fields and villages. These measures are supplemented by re-afforestation of the most exposed slopes, partly with a view to preventing disastrous earth slides.
When the river is finally clear of the mountains it may flow into a lake, emerging again at the other end to continue its journey. It gets further and further away from its origins, flows across borders, and becomes an international waterway. By the time it finally flows into the sea it has achieved more than local fame.

Flüsse Nebenbäche auf. Dabei handelt es sich häufig um Wasserläufe, die einem Geröllkessel entspringen, einem regelrechten Trichter, der sich weit den auf den Gipfeln fallenden Niederschlägen öffnet. Diese Bäche stürzen geschwind die Abhänge hinunter, wobei sie ihr Bett in die aufgeschütteten Gesteinsmassen graben. Unten in der Ebene vereinen sie sich mit dem Fluss, dem sie ihren Teil sand-, stein- und pflanzenrestenbeladenen Wassers überlassen.
Die Bauern haben seit langem gelernt, dass sie sich in acht nehmen müssen vor den launischen und unbändigen Bergbächen, deren Wasserausschüttung ebenso jähen wie unerwarteten Veränderungen unterworfen ist. Ein längeres auf den Höhen niedergehendes Gewitter lässt Bäche und Flüsschen sogleich gefährlich anschwellen. Erdrutsche und Überschwemmungen verwüsten das Land, indem sie alles auf ihrem Weg mitreissen: Bäume, Häuser, Scheunen.
Die Ebene tut sich vor ihm auf, und der Fluss erholt sich. Eigentlich spaziert er ohne Eile dahin, vermehrt die Zahl seiner Mäander, knabbert vor allem zur Zeit des Hochwassers die Ufer an, was für die Bewohner der betreffenden Gegend dann zu tragischen Folgen führen kann. Deiche und Flusskorrekturen. erweisen sich als unerlässlich. Den Feldern und Dörfern der Bauern verleihen sie einen wirksamen Schutz. Diese Massnahmen werden durch Wiederaufforstung der am meisten gefährdeten Hänge ergänzt, was unter anderem die mörderischen Erdrutsche verhindern soll. Nun ist der Fluss unten angelangt, er ist endgültig gezähmt und mündet manchmal in einen See. Auf der gegenüberliegenden Seite verlässt er ihn, um seine Reise fortzusetzen; so entfernt er sich immer weiter von seiner Heimat, fliesst über Grenzen und wird zu einer bedeutenden internationalen Wasserstrasse. Wenn er dann eines der grossen Weltmeere erreicht, geht sein Leben ruhmreich zu Ende.

témoignent de la puissance des eaux et font le prestige de nombreuses régions des Alpes.
Les fleuves reçoivent des affluents déjà au voisinage de leur lieu de naissance. Il s'agit souvent, à cet endroit, de rivières originaires d'un cirque d'éboulement, véritable entonnoir ouvert généreusement aux précipitations qui tombent sur les sommets. Ces rivières dévalent le long de la pente à vive allure, creusant leur lit dans le cône de déjection. Dans la plaine, elles s'unissent au fleuve auquel elles cèdent leur part d'eau chargée de sable, de pierres et de débris végétaux.
Les paysans ont appris, depuis longtemps, à se méfier du cours capricieux et turbulent des torrents alpestres dont le débit est susceptible de variations aussi brusques qu'inattendues. Un orage qui éclate sur les hauteurs et qui se prolonge quelque peu fait aussitôt se gonfler dangereusement les torrents et les rivières. Des éboulements et des inondations ravagent les pâturages, emportant tout sur leur passage : des arbres, des maisons, des granges et des champs de cultures.
Dans la plaine qui s'ouvre devant lui, le fleuve se repose. En vérité, il flâne et multiplie ses méandres, sans se presser, grignottant ses rives, surtout en période de crue, ce qui peut avoir, pour les habitants de la région, des conséquences tragiques. Des endiguements et des corrections s'avèrent indispensables. Ils assurent aux paysans une protection efficace de leurs terres et de leurs villages. Ces mesures s'accompagnent d'un reboisement des pentes les plus menacantes, ce qui empêche des éboulements meurtriers.
Le niveau de base est atteint. Le fleuve, définitivement apprivoisé, pénètre dans un lac. Il en ressortira, à l'autre extrémité, pour continuer son voyage, s'éloignant de plus en plus de sa terre natale, franchissant la frontière et devenant une voie d'eau importante, internationale. Il finira sa vie glorieusement, en rejoignant l'une ou l'autre des grandes mers de la planète.

The Swiss are proud of their country's lakes, which, not surprisingly, feature in every travel guide. There are hundreds of them in the Alps, filling glacial basins, or valleys blocked by moraines. Even the tiny ones add a touch of variety to what might otherwise be a somewhat monotonous landscape: they act like mirrors, doubling the beauty of the trees and mountain peaks.
Lakes at lower altitudes can take on impressive proportions. They have frequently been major factors in the history of their regions.
The mountain lakes owe their wonderful colours to the depth of their waters, the climate, and the vegetation growing round their shores. They regulate the water of the outflowing rivers. The larger the mass of water, the smaller the fluctuations in level.
The large lakes also have another advantage: they have a moderating effect on the climate, storing heat in summer and releasing it again in winter. This encourages the growth of numerous forms of vegetation which would otherwise not be able to survive here.

The capricious climate

Central Switzerland is not only the cradle of the Swiss Confederation. It is not only the heart of an extensive drainage system whose ramifications spread over large parts of Europe. It is also an area where very diverse climates meet and overlap.
Relatively mild and moist maritime air masses flow across from the west. But, under the influence of the continental climate of the hinterland, a drier, colder wind blows from the east, warming up noticeably in the course of the summer. A cold polar wind, the notorious "Black Breeze", comes from the north, a moist wind, the "Föhn", from the south. Thus Switzerland enjoys a transition climate which is subject to heavy fluctuations in the

Die Schweizer sind stolz auf die Seen ihres Landes, die in allen Reiseführern aufgezählt werden. Das ist verständlich. In den Alpen findet man Hunderte. Sie sind in Gletschermulden entstanden oder in Tälern, die ein Moränengürtel umgibt. Einige sind winzig, doch ergänzen sie eine Landschaft, die sonst vielleicht eintönig wäre. Es sind wahre Spiegel, in denen sich die Schönheit von Bäumen und Berggipfeln verdoppelt.
Andere Seen, in mittlerer und tieferer Lage, nehmen eindrucksvolle Ausmasse an. Häufig ist ihre Geschichte mit jener der Umgegend verbunden.
Ihre wundersamen Farben verdanken die Bergseen der Wassertiefe, dem Klima und der Ufervegetation. Sie regulieren die Wasserverhältnisse der Versorgungsflüsse. Je grösser die jeweilige Wassermasse, desto geringer sind die Niveauschwankungen.
Noch einen anderen Vorteil besitzen die grossen Seen. Sie wirken mildernd auf das Klima ein, denn im Sommer speichern sie Wärme, die sie dann im Winter abgeben; so ermöglichen sie das Gedeihen zahlreicher Pflanzenarten.

Die Launen des Klimas

Die Zentralschweiz ist nicht allein Wiege der schweizerischen Eidgenossenschaft. Sie ist nicht nur das Herz eines stark ausgebildeten Gewässernetzes, das seine Verästelungen quer durch Europa treibt. Sie ist auch Treffpunkt sehr unterschiedlicher Klimata.
Von Westen her strömen verhältnismässig milde und feuchte ozeanische Luftmassen ein. Von Osten dagegen weht im Winter unter dem Einfluss eines ausgeprägten Kontinentalklimas ein eher frischer und trockener Wind, der sich dann im Lauf des Sommers spürbar erwärmt. Ein kalter Polarwind, die berüchtigte Schwarze Bise, bläst aus dem Norden, ein feuchter Wind, der Föhn, aus dem Süden.

Les Suisses sont très fiers des lacs de leur pays qui figurent dans tous les guides touristiques. On peut les comprendre. Dans les Alpes, il y en a des centaines. Ils se sont formés au fond de cuvettes creusées par les glaciers ou dans des vallées entourées d'une ceinture de moraines. Les uns sont très petits, mais ils viennent compléter un paysage qui, sans eux, serait peut-être monotone. Ils constituent de véritables miroirs dans lesquels les arbres et les sommets aiment à se refléter.
D'autres lacs, en moyenne et basse altitude, ont des dimensions impressionnantes. Leur histoire est souvent liée à celle de la région. Les lacs de montagne doivent leurs étonnantes couleurs à la profondeur des eaux, au climat et à la végétation qui croît sur leurs rives. Ils régularisent le régime des rivières d'alimentation. Plus grande est la masse d'eau concernée, plus modestes seront les variations de son niveau.
Les grands lacs ont encore un autre avantage. Ils exercent une action adoucissante sur le climat car, l'été, ils emmagasinent la chaleur qu'ils dispenseront ensuite en hiver, permettant à de nombreuses espèces végétales de se développer.

Les caprices du climat

La Suisse centrale n'est pas seulement le berceau de la Confédération helvétique. Elle n'est pas seulement le cœur d'un réseau hydrographique développé qui pousse des ramifications à travers le continent européen. Elle est également le point de rencontre de climats fort différents les uns des autres.
De l'ouest parviennent des masses d'air relativement doux et humide, propres à un climat océanique. De l'est, en revanche, sous l'influence d'un climat franchement continental, souffle un vent plutôt frais et sec en hiver, mais qui tend à se réchauffer sensiblement au

mountains. The annual rainfall on the Jungfrau is 4,000 mm, and yet a few kilometres away, in Valais, it is only 500 mm.
Considering the latitude, the climate is rough. Three quarters of Switzerland has an annual rainfall of more than a metre. The very rainy area round St. Gothard is popularly known as "Switzerland's chamber pot" - not very flattering for a region of such strategical and historical importance.
The higher you go, the more it rains or snows. On the Säntis it snows on about 150 days a year. The climate is varied. Near La Brévine, in the Neuchâtel Jura, a veritable Swiss Siberia, temperatures can sink to minus 30 degrees C in winter. At the same time, palms grow in Montreux and numerous tropical plants flourish on the islands of Lake Maggiore.
And yet the mountains are not always damp and misty: above the clouds the air is generally quite dry. While the lowlands and valleys are wrapped in a thick, gloomy mantle of mist in the winter, which can drive even the greatest optimist to despair, high in the mountains it is often fine, and even hot, and tourists can sunbathe as if they were on a Mediterranean or Caribbean beach. Nevertheless, with their large number of rainy days and rather frequent cloud, the mountains are basically under the influence of a maritime climate.
The Atlantic is a source of moist winds which cross the Continent from west to east. When they encounter the Jura or the Alps, the damp air masses ascend, cool down, and lose most of their moisture in the form of more or less heavy rain. The south side of the range escapes the rain; it is a favoured, relatively dry area. The south wind has a similar effect. In this case, the rain falls mainly on the southern slopes of the Alps on each side of the Rhine-Rhône trench. The central valley of Valais thus remains rather dry, with only 500 to 800 mm of rain per year. One hotelier in Sierre refunds money to his guests for every rainy day during their holidays. He knows that this

Die Schweiz geniesst also ein Übergangsklima, das auf den Gebirgsmassiven doch stark unterschiedlichen Schwankungen unterworfen ist. Auf der Jungfrau fallen 4000 mm Regen im Jahr und wenige Kilometer davon entfernt, im Wallis, nur 500 mm.
Berücksichtigt man die Breitenlage, ist das Landesklima eher rauh. Auf Dreiviertel des Gebiets gehen jährlich mehr als ein Meter Regen nieder. Die sehr regenreiche Gegend um den Gotthard ist unter dem Namen „Nachttopf der Schweiz" bekannt, was weder ihrem strategischen Gewicht noch ihrer geschichtlichen Bedeutung schmeichelt.
Mit der Höhe steigen auch die Niederschläge. Auf den Spitzen fallen sie als Schnee. Auf dem Säntis schneit es etwa 150 Tage im Jahr.
Das Klima ist recht abwechslungsreich. Bei La Brévine, im Neuenburger Jura, einem richtigen Schweizer Sibirien, werden im Winter Temperaturen gemessen, die bis auf 30 Grad unter Null absinken. Zur gleichen Zeit wachsen in Montreux die Palmen, und auf den Inseln des Lago Maggiore kann man zahlreiche tropische Pflanzenarten bewundern.
Doch ist das Gebirge nicht immer eine Welt voll Feuchtigkeit und Nebel, wie man sich das noch allzu oft vorstellt. Sobald man die Wolkenschichten durchstossen hat, bleibt die Luft im allgemeinen recht trocken. Während im Winter die Ebene und die Täler in eine dicke, trübe und traurige Nebeldecke eingewickelt werden, woran sogar größte Optimisten verzweifeln können, ist es auf den Höhen schön, recht heiss sogar, und die Touristen können ihre Sonnenbäder geniessen, als ob sie am Strand des Mittelmeers oder einer Karibikinsel lägen. Dennoch steht das Gebirge unter dem Einfluss eines ozeanischen Klimas dank den reichlichen Niederschlägen, der hohen Zahl an Regentagen sowie einer ziemlich ausgedehnten Bewölkung.
Der Atlantik lenkt feuchte Winde aufs Festland, die das Land von West nach Ost durchziehen. Wenn sie an den Jura oder die Alpen

cours de l'été. Un vent froid, polaire, la fameuse bise noire, vient du nord, alors qu'un vent chaud et parfois humide, le foehn, souffle du sud.
La Suisse bénéficie donc d'un climat de transition qui montre au niveau des massifs montagneux des variations d'une certaine ampleur. Il rombe 4000 mm de pluie par année à la Jungfrau et seulement 500 mm en Valais, à quelques kilomètres de la.
Le climat du pays est plutôt rude si l'on tient compte de la latitude. Les trois quarts du territoire reçoivent annuellement plus d'un mètre de pluie. La région du Gothard, à très forte pluviosité, est connue sous le nom de «pot de chambre» de la Suisse, ce qui n'est guère flatteur ni pour sa valeur stratégique ni pour son importance historique.
L'altitude accroît les précipitations. Celles-ci se transforment en neige sur les hauteurs. Au Säntis, il neige environ 150 jours par année.
Le climat est très diversifié. A la Brévine, dans le Jura neuchâtelois, véritable Sibérie helvétique, on enregistre en hiver des températures qui descendent jusqu'à 30 degrés au-dessous de zéro. Pendant ce temps, à Montreux, croissent des palmiers et sur les îles du lac Majeur on peut admirer de nombreuses espèces végétales tropicales.
Mais la montagne n'est pas toujours ce monde d'humidité et de brouillards que l'on imagine encore trop souvent. L'air y demeure généralement très sec dès que l'on a franchi la zone des nuages. En hiver, alors que la plaine et les vallées sont ensevelies sous un épais linceul de brumes opaques et tristes, qui désespèrent même les plus optimistes, sur les hauteurs il fait beau, il fait même très chaud, et les touristes peuvent prendre des bains de soleil comme s'ils se trouvaient sur une plage de la Méditerranée ou d'une île de la mer des Caraïbes. Il n'en demeure pas moins que la montagne est soumise à un climat océanique qu'elle doit à l'abondance des précipitations,

is one of the sunniest spots in Switzerland, and that he will not often have to show the colour of his money.
The winds play an essential part even in the regional climate. The eastern slopes of the mountains are warmed by the sun in the early morning. The air rises, passes the high peaks, and cumulus clouds form. This upward movement of air in the mountains draws a current of air down into the valleys powerful enough to bend and distort the tall poplars. During the night the process is reversed. The colder, heavier air of the heights sinks into the valleys. In reaction to this, the mountain breeze now blows up the valleys - in the opposite direction to the morning breeze.
The föhn wind is still a bit of a mystery to the meteorologists. At one time it was believed that it came from the Sahara. But now we know that this warm, moist wind comes from the Mediterranean area, although it is sometimes accompanied by Sahara currents; these may carry reddish-coloured sand with them, traces of which can then be seen on the Alpine snowfields. The föhn wind passes through several phases on its way northwards. In the southern Alps it releases its moisture in heavy falls of rain which transform the streams into torrents. Then it crosses the mountain chain, continues northwards, and blows across the plateau. It dries out the air, disperses mist, and miraculously clears the atmosphere. If a few clouds still persist around the northern peaks they are surrounded by a "föhn window", a bright, sunny zone. Föhn is both beneficial and harmful. It favours the growth of plants that need warmth, like vines, maize, and chestnuts. But when it is in a gusty mood it can destroy woods and houses and even cause fires. Föhn precipitates sudden thaws of the snow, resulting in floods, sometimes of catastrophic proportions. Finally many people living in areas affected by the föhn fear the wind because it can cause sleeplessness, migraines, and exhaustion.

gelangen, steigen die Luftmassen auf, kühlen ab, und ein grosser Teil ihrer Feuchtigkeit geht als mehr oder weniger starke Regenfälle nieder. Die Südseite des Reliefs bleibt verschont; sie ist eine bevorzugte, relativ trockene Gegend. Mit dem Südwind hat es die gleiche Bewandtnis. In diesem Fall treffen die Niederschläge den Südhang der Alpen, beiderseits des Rhein-Rhone-Grabens. Das Zentraltal im Wallis bleibt so verschont; es fallen hier nur 500 bis 800 mm Regen pro Jahr. Ein Hotelier aus Sierre zahlt seinen treuen Gästen bereitwillig das Geld für die Regentage zurück, die ihren Urlaub eventuell umwölkten. Dieser Mann kennt seine Heimat sehr gut, und er bekommt nicht oft Gelegenheit, seine Grosszügigkeit unter Beweis zu stellen.
Schon für das Regionalklima spielen die Winde eine wesentliche Rolle. Bereits am frühen Morgen werden die Ostflanken der Berge von den Sonnenstrahlen aufgeheizt. Die Luft steigt auf, streicht an den hohen Gipfeln vorbei und verdichtet sich zu Kumuluswolken. Diese Aufwärtsbewegung der Hangwinde erzeugt einen taleinwärts strömenden Sog, der grosse Pappeln beugt und ihnen ihr Leben lang diese seltsame Haltung aufzwingt.
Während der Nacht dreht sich die Erscheinung um. Die kalte und schwere Luft der Höhe sinkt in das Tal nieder. Der Bergwind begleitet diese Bewegung und bläst nun in umgekehrter Richtung wie der Talwind am Morgen.
Mehr als die anderen Winde gibt der Föhn den Meteorologen Rätsel auf. Früher meinte man, er komme aus der Sahara. Doch heute wissen wir, dass dieser warme und feuchte Wind aus dem Mittelmeerraum weht. Manchmal gesellen sich ihm Saharaströmungen bei; sie sind mit rötlichem Sand beladen, dessen Spuren man auf den weiten Schneefeldern der alpinen Zonen wiederfindet. Der Föhn legt auf seinem Weg nach Norden mehrere Etappen zurück. In den Südalpen entledigt er sich seiner Feuchtigkeit in sintflutartigen

au nombre élevé des jours de pluies et à l'importance non négligeable de la couverture nuageuse.
L'Atlantique dirige vers le continent des vents chargés d'humidité qui traversent le pays d'ouest en est. Au passage du Jura et des Alpes, les masses d'air se soulèvent et, en se refroidissant, abandonnent une grande partie de leur humidité sous forme de pluies plus ou moins abondantes. Le versant sud du relief est épargné ; il constitue une région privilégiée, relativement sèche. Il en va exactement de même avec les vents qui viennent du sud. Dans ce cas, les précipitations affectent le versant méridional des Alpes, des deux côtés du sillon rhodanien-rhénan. La vallée centrale du Valais est ainsi épargnée ; il n'y tombe que 500 à 800 mm de pluie par année. Un hôtelier de la ville de Sierre rembourse volontiers, à ses fidèles clients, les jours de mauvais temps qui auraient pu assombrir leurs vacances. Connaissant bien son pays, cet home n'a pas souvent l'occasion de prouver sa générosité.
Les vents jouent un rôle fondamental dans le climat, déjà au niveau régional. Les flancs des montagnes, exposés au levant, sont chauffés, dès le matin, par les rayons du soleil. L'air s'élève et, au contact des hauts sommets, forme des cumulus. Ce mouvement ascendant ou brise de pente engendre, au fond des vallées, un courant longitudinal qui oblige les grands peupliers à s'incliner et à conserver, leur vie durant, cette étrange position. Pendant la nuit, un phénomène contraire se produit. L'air froid et dense des cimes descend vers la vallée. Ce mouvement est accompagné d'une brise de montagne qui suit une direction inverse à celle empruntée, le matin, par la brise de vallée.
Davantage que les autres vents, le foehn a intrigué les météorologues. Autrefois, on croyait qu'il venait du Sahara. Mais aujord'hui, nous savons que ce vent chaud et humide est originaire des régions méditerranéennes. Il est parfois associé à des courants sahariens qui

The plant and animal world

Alpine flora has long attracted botanists from all over the world. Unfortunately, some mountain plants have proved such a temptation for climbers and tourists that strict protective measures have been introduced to save particularly popular kinds from extinction. Attractive-looking posters in railway stations and travel bureaux provide the general public with information on protected plants.
In spring, the Alpine meadows come into their own, covered with an amazingly colourful mantle of wild flowers: anemones, enzian, marsh marigolds, primroses, orchids, and soldanella. Some of them, too impatient to wait until it thaws, thrust their way up through the snow to greet the sun as soon as possible, well aware that sunny days are none too frequent in the heights.
In the woodland undergrowth crouch the hardy alpine rhododendrons, and perched in often inaccessible places, is the proud edelweiss, the innocent cause of many a tragedy when would-be pickers have underestimated the danger. It feels like velvet, and is unquestionably the queen of the Alpine plants.
Encroaching from all directions, the Alpine vegetation came into being after the ice-age glaciers had receded. It is unique in its variety and richness. What grows where depends on the altitude and also on local variations in soil and climate.
To gain an insight into the composition of the Alpine plant world, it is only necessary to follow one of those narrow, serpentine paths that climb from the plateau to the foot of the highest peaks.
The hilly phase rises to about 2,300 ft. The vine will grow everywhere at this level provided it is in a sunny location with the right soil. The farmers are proud of the orderliness of their vineyards: the vines march up the slopes in neat rows, the plants spaced out with military precision. The woods consist of

Regenfällen, welche die Bäche anschwellen lassen. Dann überwindet er die Gebirgskette, setzt seine Reise gen Norden fort und bläst über das Mittelland. Bei seiner Berührung trocknet die Luft aus, die Nebelschwaden verschwinden, und die Atmosphäre wird wie durch ein Wunder durchsichtig klar. Wenn sich auch noch einige Wolken an den Gipfeln der Alpennordseite festklammern, öffnet sich ringsum ein Föhnfenster, eine lichte, sonnige Zone. Der Föhn ist zugleich wohltuend und schädlich. Er begünstigt das Wachstum jener Pflanzen, die, wie Reben, Mais und Kastanien, Wärme brauchen. Doch zerstören seine heftigen Böen Wälder und Häuser und entfachen bisweilen Feuersbrünste, die im ganzen Dorf wüten. Der Föhn bringt den Schnee plötzlich zum Schmelzen; die Wasserläufe treten über ihre Ufer und verursachen teilweise katastrophale Überschwemmungen. Nicht zuletzt fürchten auch viele Bewohner diesen Südwind, weil er ihnen Schlaflosigkeit, Migräne und aussergewöhnliche Erschöpfungszustände beschert.

Die Welt der Pflanzen und Tiere

Die alpine Flora lockte Botaniker aus aller Herren Ländern. Bergsteiger und Touristen verführte sie so weit, dass man angesichts des raschen Aussterbens einiger besonders begehrter Arten drakonische Massnahmen ergreifen musste, um ihren Bestand zu sichern. Auf den Bahnhöfen und in den Reisebüros kann man anschauliche Plakate bewundern, welche über die Pflanzen aufklären, die unter Naturschutz stehen.
Im Frühjahr werden die Weiden für einige Monate dem eigenen Leben zurückgegeben; sie bedecken sich dann mit Myriaden kräftig wachsender Blumen von überraschenden Farbgebungen: Anemone, Enzian, Dotter- und Schlüsselblumen, Orchideen und Soldanellen. Einige brachten nicht die Geduld auf zu war-

sont chargés de sable rougeâtre dont on trouve les traces sur les vastes étendues de neige de la zone alpine. Le foehn, dans sa progression vers le nord, passe par plusieurs étapes. Au niveau des Alpes méridionales, il se débarrasse de son humidité, provoquant des pluies diluviennes qui grossissent les torrents. Puis il franchit la chaîne de montagnes et continue son voyage vers le nord, traversant le Moyen Pays. A son contact, l'air s'assèche, les brumes disparaissent et l'atmosphère, comme par miracle, devient limpide. Si des nuages s'accrochent encore aux sommets du versant nord des Alpes, par contre tout autour s'ouvre une «fenêtre du foehn» qui est une zone lumineuse et ensoleillée. Le foehn est à la fois bénéfique et malfaisant. Il favorise le croissance de plantes qui, telles que la vigne, le maïs et le châtaignier, ont besoin de chaleur. En revanche, ses violentes raffales détruisent les forêts et les maisons, allumant parfois des incendies qui se propagent à tout le village. Le foehn fait fondre brusquement la neige; les cours d'eau sortent de leur lit et causent des inondations qui peuvent être catastrophiques. Enfin, de nombreux habitants redoutent ce vent du sud qui leur vaut des insomnies, des migraines et une fatigue physique excessive.

Le monde des plantes et des animaux

La flore alpine a attiré l'attention des botanistes du monde entier. Elle a séduit les alpinistes et les touristes à ce point qu'il a fallu, devant la disparition rapide de certaines epèces particulièrement recherchées, prendre des mesures draconiennes afin d'en assurer la protection. D'attrayantes affiches, que l'on peut admirer dans les gares et les agences de voyages du pays, renseignent les gens sur les plantes qu'il est formellement interdit de cueillir.

tall, deciduous trees like the oak, and especially the beech, which grow in groups interspersed with birch, limetrees, hornbeam, and maple. Holly bushes, spindle trees, and hazelnut complete the picture.
The second level is truly Alpine. The trees of the hilly phase are replaced by maple, larch, the untidy-looking arolla, or Swiss stone pine, and, above all, the Norway spruce. Together they form a rather sparse wood with a dense undergrowth. Here the rhododendron - which, like the edelweiss, comes from Asia - grows next to juniper; and wortleberry, mountain ash, and cranberry flourish side by side with daphne mezereon and woodbine. The mountain and other pines grow in compact groups, forming dark, but beautifully scented forests. The last deciduous trees are to be found at about 4,000 ft. Their place is then taken by coniferous trees and alpine pastures. The timberline, at about 5,000 ft to 7,250 ft, is usually clearly marked, although some crippled, forlorn trees do attempt to climb to greater heights. At this level, the vegetation consists of hardy, quick-growing plants which have adapted themselves to the special conditions of the Alpine climate. They are necessarily of low growth, as the longer the stem, the more likely it is to be affected by frost. They display brilliant colours - a phenomenon explained by experts as being the result of incomplete photosynthesis and low environmental temperatures. The red colour displayed by plants in the autumn provides protection against over-bright sunlight, and prevents the destruction of the essential chlorophyll. Certain kinds of plants produce fleshy leaves, or form a covering of woolly hairs as protection against wind and light.
It is well known that plants and trees are extremely sensitive to excessive moisture or dryness. But, particularly at high altitudes, moisture is dependent not only on adequate precipitation, but also on soil conditions and gradient. The wind has a drying effect,

ten, mutig durchstiessen sie die bedeckende Schneeschicht; sie wollen die Sonne begrüssen, wohl wissend, dass hier in der Höhe die schönen Tage sehr kurz bemessen sind. Im Unterholz blühen gedrungene, widerstandsfähige Alpenrosensträucher. Und an den Felsstürzen das stolze Edelweiss, ungewollter Anlass für Tragödien, wenn jemand einmal die Gefahr nicht erkennen wollte. Es fühlt sich samten an und bleibt unbestritten die Königin unter den Alpenblumen.

Nachdem sich die Gletscher der Vorzeit zurückgezogen hatten, bildete sich die alpine Vegetation. Aus allen Himmelsrichtungen waren die Pflanzen gekommen. Diese Flora ist gewiss von einzigartiger Reichhaltigkeit und Vielfalt. Ihre Zusammensetzung hängt von der Höhenlage ab; doch lässt sie auch Unterschiede aufgrund von örtlichen Besonderheiten, von Bodenbeschaffenheit und Klima erkennen.

Will man das erfassen, braucht man nur einen jener schmalen Pfade zu begehen, die sich in Serpentinen aus der Ebene hin zu den Füssen der höchsten Gipfel schlängeln.

Die Hügelstufe dehnt sich bis zu einer Höhe von etwa 700 m aus. Die Weinrebe wächst überall, wo genügend Sonneneinstrahlung vorhanden ist und wo sich der Boden für diese Art von Kultur eignet. Die Bauern sind stolz auf die vollkommene Anordnung der Rebstöcke; gleichweit voneinander entfernt werden sie in Reih und Glied gepflanzt. Die Wälder bestehen aus grossen, edlen Baumarten, wie der Eiche und vor allem der Buche, die in Gruppen mit Birken, Linden, Hainbuchen und dem Ahorn wächst. Büsche von Stechpalmen, Spindelbäumen und Haselnüssen vervollständigen das Ganze.

Die zweite Stufe ist wirklich montan. Die ebengenannten Bäume werden abgelöst von Ahorn, Lärche, der Arve mit ihrem zerzausten Aussehen und vor allem von der Rottanne. Sie bilden zusammen kärgliche Wälder, in denen sich jedoch ein dichtes Unterholz ent-

Au printemps, les pâturages, rendus pour quelques mois à la vie, se couvrent de myriades de fleurs vigoureuses aux surprenantes couleurs : anémones, gentianes, renoncules, primevères, orchidées et soldanelles. Certaines d'entre elles n'ont pas eu la patience d'attendre et ont courageusement brisé la couche de neige qui les recouvrait afin de saluer le soleil, sachant aussi que la période des beaux jours est très courte en altitude. Dans les sous-bois, ce sont les rhododendrons qui fleurissent en buissons serrés et résistants. Et, sur les rochers, au bord du précipice, cause involontaire de tragédies pour ceux qui refusaient de voir le danger, ce sont les fières edelweiss, douces au toucher, qui demeurent les reines incontestées de la flore des montagnes.

La couverture végétale des Alpes s'est formée, après que les glaciers de la préhistoire se soient retirés, par des apports venus des quatre points cardinaux. Cette flore est d'une richesse et d'une variété peut-être uniques au monde. Sa composition est fonction de l'altitude ; mais elle montre des variations sensibles dues à des particularités locales, à la topographie et au climat. Pour le comprendre, il suffit d'emprunter l'un de ces petits sentiers qui s'élève de la plaine pour gagner, en serpentant, le pied des plus hauts sommets.

La zone des collines s'étend jusqu'à une altitude d'environ 700 m. La vigne croît partout où l'insolation est suffisante et où la qualité du sol se prête à ce genre de cultures. Les paysant sont fiers de la parfaite ordonnance des ceps, plantés en files, à égale distance les uns des autres. Les forêts se composent de grandes et nobles espèces, telles que le chêne et, surtout, le hêtre, en association avec le bouleau, le tilleul, l'érable et le charme. Des arbustes de houx, de fusain et de noisetier complètent l'ensemble.

Le deuxième étage est franchement montagnard. Il marque la relève des arbres précédents au bénéfice de l'érable, du mélèze, de l'arole à la silhouette tourmentée et, surtout, de l'épicea, le sapin rouge. Les uns et les

accelerates evaporation, and breaks off boughs and twigs. It is the most deadly enemy of large trees which for this reason do not grow at all in many Alpine regions.

Perpetual snow starts at about 8,250 ft. It is reached by climbing through an area of moraines and debris where nothing but mosses, lichens, and fungus grow, clinging to the rock. They are the last representatives of a flora which at this altitude fights a constant battle against extreme weather conditions.

The Aletsch Forest in Valais is a microcosm of particular interest. It is near a glacier, and has to struggle to survice in the face of unfavourable weather conditions. The principle of survival of the fittest is ruthlessly at work here, and weakness of any kind is quickly punished. Only the hardiest trees can survice. They offer protection to a dense undergrowth which helps to retain moisture. And the undergrowth provides shelter for a great variety of fauna, particularly birds.

Wild fauna is sparse in Switzerland, particularly in the mountain regions. The disappearance of many varieties of wild animal has been due to a number of factors, not only man's destructiveness. The end of the ice age brought about considerable changes which had a fundamental effect on the flora and fauna of our continent. Arctic species like the great reindeer of the Magdalenian period withdrew to northern regions. Horses, bison, aurochs, wild cattle, and fallow deer preferred the wide plains of eastern Europe. Other species, like the ibex, chamois, and marmot took refuge in the mountains, But, since the Middle Ages, these animals have been ruthlessly pursued by hunters who became even more mindlessly destructive once the firearm was invented. In earlier times, hunting was reserved for the aristocracy, which helped to limit the destruction. In later times it became a popular "sport" with no respect for wildlife, with the result that many species were decimated. There was a grim period when a premium was paid for

wickelt. Die Alpenrosen - auch sie kommen aus Asien wie das Edelweiss - stehen hier neben Wacholdern, Heidel-, Vogel-, Preiselbeeren, neben Seidelbast und Geissblatt. Dagegen wachsen Wald- und Bergkiefern in geschlossenen Gruppen, wobei sie einen finsteren und wohlduftenden Wald bilden.
Die letzten Laubgehölze klettern bis 1200 m. Sie überlassen dann ihren Platz den Nadelbäumen und den Alpenwiesen. Im allgemeinen ist die Waldgrenze deutlich gezeichnet - je nach den örtlichen Gegebenheiten zwischen 1800 und 2200 m -, obgleich einige verkrüppelte, mitleiderregende Bäume versuchen, noch etwas höher als die anderen zu steigen. Auf dieser Stufe besteht die Vegetation aus zähen, raschwachsenden Pflanzen, die ihr Dasein der Höhe angepasst haben, wo andere Bedingungen an Feuchtigkeit, Trockenheit und Sonneneinstrahlung herrschen als in der Ebene.
Aus gutem Grund sind sie kurzstenglig, denn man bekommt den Frost zu spüren, je mehr man sich vom Boden entfernt. Sie strahlen in den leuchtendsten Farben, welche die Gelehrten einer unvollständigen Zuckerumwandlung und den tiefen Temperaturen der Umwelt zuschreiben. Die rote Farbe der Pflanzen, die sich im Herbst zeigt, stellt einen Schutz gegen zu starke Sonnenbestrahlung dar. Sie soll die Zerstörung des unentbehrlichen Chlorophylls verhindern. Bestimmte Arten treiben fleischige Blätter oder überziehen sich mit einem Haargewand; damit verteidigen sie sich gegen Licht und Wind.
Man weiss, dass die Pflanzen, auch die Bäume, äusserst empfindlich gegenüber einem Übermass an Feuchtigkeit oder Trockenheit sind. In der Höhe hängt die Feuchtigkeit nicht allein von reichlichen Niederschlägen ab, sondern auch von der Bodenbeschaffenheit und dem Hanggefälle.
Der Wind trocknet aus, beschleunigt die Verdunstung, Äste knicken ab. Er ist der Todfeind der grossen Bäume, die seinetwegen in

autres forment des forêts clairsemées, ce qui permet à un très riche sous-bois de se développer. Les rhododendrons, originaires comme les edelweiss de l'Asie, y voisinent avec les myrtilles, les genévriers, les sorbiers, les airelles, le bois-gentil et le chèvrefeuille. En revanche, les pins sylvestres et les pins montagnards croissent en groupes compacts, formant des forêts sombres et odoriférantes.
Les derniers feuillus montent jusqu'à 1200 m d'altitude. Ils cèdent la place à la prairie alpine proprement dite. La limite de la forêt est généralement bien marquée, quoique des arbres, rabougris et pittoyables, essaient de monter un peu plus haut que les autres. La couverture végétale de cet étage est faite de plantes vivaces, à la croissance rapide, adaptées à l'existence en altitude où les conditions d'humidité, de sécheresse et d'insolation diffèrent de celles qui prévalent dans la plaine.
Elles sont basses sur tige pour des raisons de confort, car le gel se fait sentir au fur et à mesure que l'on s'éloigne du sol. Elles ont d'éclatantes couleurs que les savants attribuent à une assimilation incomplète des sucres et à la basse température du milieu. La couleur rouge des végétaux, qui se développe en automne, est une protection contre l'insolation; elle s'oppose à la destruction de l'indispensable chlorophylle. Certaines espèces ont des feuilles charnues ou se couvrent de pilosité, grâce auxquelles elles se défendent de la lumière et du vent, deux éléments redoutables qui favorisent l'évaporation.
Il est connu que les espèces végétales - les arbres y compris - sont d'une extrême sensibilité aux excès de l'humidité comme à ceux de la sécheresse. Cette humidité, en altitude, ne dépend pas seulement de l'abondance des précipitations, mais aussi de la nature du sol et du degré de la pente. Le vent assèche l'air, active l'évaporation et brise les branches; il est l'ennemi numéro un des grands arbres qui, par sa faute, se voient refuser des régions entières du domaine alpin.

every animal killed, and when respect due to an Alpine farmer partly depended on the number of trophies he had hanging on the walls of his house. Man really seemed to hate and abhor harmless wild animals. He regarded them as destructive and pernicious, and mercilessly butchered them on the altar of ignorance, stupidity, and superstition. The spread of arable farming, and deforestation of the slopes, also contributed towards the destruction of wildlife. Some varieties might have sought refuge in the more remote Alpine valleys, but they were unable to adapt themselves to the different environmental conditions.
In the course of the 16th century the ibex disappeared completely from the Swiss Alps. Individual specimens sometimes succeeded in escaping from the great hunting estates of the Italian kings, but they soon fell to the bullets of the mountain farmers. It was not until the intrepid League for the Defence of Nature had been founded, and a large National Park in the Grissons Mountains had been opened in 1914, that it became possible to reestablish and protect the ibex on Swiss soil. Since then the stocks have increased considerably, so that today there are several hundred of them.
The brown bear, lynx, and wolf were not so lucky. They were considered totally undesirable, and struck off the list of survivors. Chamois and red deer live in harmony with one another and are the most delightful animals among the Swiss Alpine fauna. They are protected, and in severe winters are even fed by the mountain farmers, whose attitude towards wildlife has fortunately changed for the better.
Marmots can now finally sleep in peace. For centuries they were prized because of their fat, which was believed to have very special properties. This led to their decimation. These charming animals are gregarious, and live in stony, sunny areas beyond the timberline,

manchen alpinen Gebieten gar nicht wachsen.
Auf den ewigen Schnee stösst man ab 2500 m. Da hinauf gelangt man, nachdem man Geröll- und Moränengebiete durchstiegen hat, in denen man Moosen, Pilzen und Flechten begegnet, die an den Felsen festkleben. Sie sind die letzten Vertreter einer Flora, die von nun an einen ständigen Kampf gegen Kälte und die Höhe führt.
Der Aletschwald im Wallis ist ein Mikrokosmos von ganz besonderer Art. Er erstreckt sich in der Nähe eines Gletschers und kämpft verbissen gegen das Klima und die Unbilden der Witterung. Unerbittlich herrscht hier die natürliche Selektion und verschont keinen Schwachen. Nur widerstandsfähige Bäume können überleben. In ihrem Schutz wuchert ein Gestrüpp, unter dem sich Regen und Schmelzwasser sammeln. Und das gleiche Gestrüpp beherbergt eine Vielzahl von Tieren, vor allem Vögel.
Die wildlebende Fauna, insbesondere die der Bergregionen, ist in der Schweiz nur spärlich vertreten. Dieses Fehlen bzw. Verschwinden zahlreicher Arten lässt sich durch mehrere Faktoren erklären, wobei allerdings nicht immer der Mensch dafür verantwortlich ist. Erinnern wir uns, dass das Ende der Eiszeit beträchtliche Umwälzungen auslöste, die Fauna und Flora unseres Kontinents gleichermassen beeinflussten. Arktische Tierarten wie das königliche Rentier aus dem Magdalénien zogen sich in die nördlichen Regionen zurück. Die Pferde, Wisente, Auerochsen, Wildrinder und Damhirsche zogen die weiten Ebenen Osteuropas vor. Andere Arten dagegen, zu denen der Steinbock, die Gemse und das Murmeltier gehören, suchten Unterschlupf in den Bergen. Doch seit dem Mittelalter wurden diese Tiere durch Jäger dezimiert, die mit den aufkommenden Feuerwaffen rücksichtslos niederschossen, was sich vor der Flinte zeigte. Außerdem war früher die Jagd einer Adelselite vorbehalten, nun war sie für alle

Les neiges persistantes se rencontrent à partir de 2500 m d'altitude, un peu plus haut sur les versants bien exposés. On y parvient après avoir traversé une zone d'éboulis et de moraines où l'on rencontre des mousses, des champignons et des lichens collés aux rochers. Ce sont les dernières manifestations d'une flore désormais en lutte permanente contre le froid et contre l'altitude.
La forêt d'Aletsch, en Valais, est un microcosme d'un intérêt tout particulier. Elle s'étend à proximité d'un glacier et mène un dur combat contre le climat et les intempéries. La sélection naturelle y joue sans pitié et ne ménage pas les plus faibles. Seuls les arbres résistants sont capables de survivre. Ils protègent des fourrés qui retiennent l'eau des pluies et de la fonte des neiges. Et ces mêmes fourrés abritent une multitude d'animaux, surtout des oiseaux.
La faune sauvage de la Suisse, et plus spécialement celle de la région montagneuse, est d'une assez grande pauvreté. Divers facteurs expliquent cette carence et la disparition de nombreuses espèces, la responsabilité de l'homme n'étant heureusement pas toujours en cause. Il faut se souvenir que la fin de l'époque glaciaire provoqua des bouleversements considérables qui affectèrent autant la faune que la flore des continents.
Les espèces animales, de caractère arctique, telles que le renne animal-roi du Magdalénien, se retirèrent dans les contrées du nord, alors que d'autres espèces, parmi lesquelles figurent le bouquetin, le chamois et la marmotte, cherchèrent un refuge dans les montagnes. Pour leur part, les chevaux, les bisons, les aurochs, les bœufs sauvages et les daims, préférèrent les vastes plaines de l'Europe orientale. Mais, à partir du Moyen Age, ces animaux furent décimés par des chasseurs devenus dangereux du moment où ils commencèrent à utiliser des armes à feu. La chasse, réservée d'abord à une élite de seigneurs, fut désormais à la portée de tous. Les abus,

which does not prevent them from hopping down to much lower levels occasionally. The marmot constructs burrows up to 17 ft deep: miniature architectural wonders. They contain storage room for food collected during the summer months, and ample space for offspring. The marmot hibernates in its burrow, protected from the cold and the inclement weather. It announces the approach of enemies (including man) with a whistling sound, opening its mouth wide and pressing its tongue against its teeth. Then it dives head first into its burrow. It is an extremely intelligent animal, quite capable of distinguishing between a harmless climber and a hunter. When a harmless climber approaches it stays below the surface for only a few minutes, and is soon looking out confidently again. When a huntsman is near it stays down in the depths and waits patiently (or perhaps impatiently) until man and gun have disappeared.
Many kinds of animal, including certain Alpine species, resort to mimicry to escape their enemies. The mountain hare, with its white winter coat, moves about on the snow as soon as winter comes. Although it leaves unmistakable prints it is nevertheless virtually invisible. In summer the mountain hare changes its coat to red-brown, and spends its time mainly in stony areas covered in rhododendron, hiding and bedding down between stone blocks. Hunstman and dog have a hard time finding it, so it is able to devote itself to its love life and family. The delightfully shy and modest ptarmigan or white grouse also uses mimicry in the same way as the mountain hare, whose territory it shares. In winter it is white, changing to red in the spring. If a family is chased, the female does everything possible to distract the attention of the enemy – be it man or animal – to give her young time to hide among the stones or bushes. She will even sacrifice her own life to save those of her family.
In the east and north of Europe the black

da. Die Achtung vor dem wild Lebenden fehlte völlig; damit ist auch der Missbrauch zu erklären, der zu einer raschen Ausrottung des Wildbestandes führte. Es war eine finstere Zeit, als für jedes erlegte Tier Prämien gezahlt wurden und das Ansehen mancher Bergbauern von der Zahl der Trophäen abhing, die ihre Hauswände schmückten. Der Mensch empfand nahezu Hass und Abscheu den harmlosen Tieren gegenüber, die für schädlich und unheilbringend gehalten wurden. Sie wurden als Opfer von Unwissenheit, Dummheit und Aberglauben unerbittlich niedergemetzelt. Das Vordringen des Ackerbaus und die zunehmenden Hangrodungen trugen ebenfalls zur Vernichtung der wildlebenden Tierwelt bei. Einige Arten hätten zwar in abgelegenen Alpentälern Unterschlupf suchen können, aber sie waren unfähig, sich neuen Lebensbedingungen anzupassen.
Im Laufe des 16. Jahrhunderts verschwand der Steinbock völlig aus den Schweizer Alpen. Einzelnen Tieren gelang manchmal die Flucht aus den grossen Jagdreservaten der italienischen Könige, doch fielen sie bald unter den Gewehrkugeln der Bergbewohner.
Erst nach der Gründung der unerschrockenen Liga zum Schutze der Natur und nach Eröffnung eines ausgedehnten Nationalparks in den Graubündner Alpen im Jahre 1914 konnten endlich Steinböcke auf Schweizer Boden wieder eingesetzt und wirksam geschützt werden. Seitdem ist ihr Bestand stark angewachsen und beträgt heute einige hundert Tiere. Leider ging es Braunbär, Luchs und Wolf nicht so gut; sie wurden von den Menschen für unerwünscht erachtet und endgültig aus der Liste der grossen Wildtierarten in den Schweizer Alpen gestrichen.
Gemse und Hirsche leben in guter Eintracht und sind die reizvollsten Tiere der heutigen Schweizer Alpenfauna. Sie sind geschützt, und ist der Winter einmal zu streng, zögern die Bergbauern nicht, sie zu füttern. Ihre Einstellung hat sich geändert, häufen sie doch in den

motivés par une absence totale de respect pour la vie sauvage, aboutirent à la destruction rapide du gibier. Ce fut la sombre époque où des primes étaient versées pour chaque animal abattu et où le prestige de certains montagnards dépendait du nombre de trophées ornant les parois de leurs maisons. D'ailleurs, l'homme éprouvait de la haine et de la répugnance envers des animaux pourtant inoffensifs, mais jugés comme nuisibles et malfaisants qui, victimes de l'ignorance, de la bêtise et des superstitions, furent impitoyablement massacrés. L'extension des champs de cultures et le déboisement des pentes contribuèrent également à la destruction de la faune sauvage. Certaines espèces auraient pu trouver refuge dans les vallées retirées des Alpes. Mais elles furent incapables de s'adapter à de nouvelles conditions d'existence.
Le bouquetin disparut complètement des Alpes suisses dans le courant du 16ème siècle. Quelques individus parvenaient parfois à s'échapper des grandes réserves de chasse des rois d'Italie, proches de la frontière valaisanne. Hélas ! Ils tombaient bientôt sous les balles des fusils des habitants de la montagne.
Il fallut attendre la création de la courageuse Ligue pour la protection de la nature, puis celle d'un vaste parc national dans les Alpes grisonnes, en 1914, pour rendre enfin possible la réintroduction et la protection efficace des bouquetins sur le territoire helvétique. Dès lors, les colonies se sont bien développées et se composent, aujourd'hui, de plusieurs centaines de bêtes.
Il n'en a malheureusement pas été de même pour l'ours brun, pour le lynx et pour le loup, que les hommes trouvaient indésirables et qui furent définitivement rayés de la liste des grandes espèces sauvages.
Le chamois et le cerf, qui vivent en très bonne harmonie, font l'intérêt de la faune alpestre actuelle de la Suisse. Ils sont protégés et, si l'hiver se montre par trop rigoureux, les montagnards, qui ont changé de mentalité,

grouse lives in the lowlands, but in Switzerland it is, oddly enough, a mountain dweller, preferring deforested, sunny spots high in the mountains. The black grouse lives a rather miserable existence. It builds an uncomfortable nest on the ground among rhododendron or juniper bushes, sometimes under low branches of pine or spruce. It pays a high tribute to birds and beasts of prey, but the hen lays many eggs, and the chicks that survive hide in the scrub. They are soon able to move about, and are quick on their feet, so that some of them do manage to survive. The cocks fight in the mating season, spreading their lyre-shaped tails. The victor then courts the female, making strange drumming sounds.
The Alpine world of birds includes some impressive fliers: golden eagles, sparrow hawks, falcons, ravens, jackdaws, and choughs. They delight in their freedom, mocking the wind and storms, and are the undisputed masters of the skies which they fill with their wild cries and calls.

The varied landscape

With an area of 15,941 square miles, Switzerland is one of the world's smallest countries. It lies at the heart of Europe, halfway between Spain and Russia, England and Greece. It is the highest territory in Central Europe: follow the natural gradients upwards, and no matter where you start from you are bound to end up in Switzerland. If you set out from Lyon, Cologne, Vienna, or Cremona and follow one of the great rivers it will lead you to the Swiss Alpine region.
The Swiss countryside is astonishingly varied. The country can be divided into three distinct regions which run from south-west to north-east and extend far beyond the borders.
The Jura, a medium-high chain of limestone mountains, forms the border between Switzer-

Wäldern und auf den Weiden ansehnliche Heuschochen auf.
Die Murmeltiere können jetzt auf beiden Ohren schlafen; jahrhundertelang waren sie ihres Fettes wegen dezimiert worden, dem man ganz besondere Eigenschaften zuschrieb. Dieses sympathische Tierchen lebt rudelweise in steinigen, sonnigen Gebieten jenseits der Waldgrenze, was es nicht daran hindert, auch manchmal in die Ebene hinabzuhoppeln. Seine vier bis fünf Meter tiefe Höhle ist ein Wunder der Baukunst. Hier stapelt das Murmeltier im Sommer beträchtliche Vorräte auf, hält aber einen Teil seiner Wohnung für den Nachwuchs frei. Es verbringt dort die langen Wintermonate, geschützt vor Kälte und Witterungsunbilden. Mit einem Pfeiflaut meldet es die Anwesenheit des Menschen. Weit reisst es sein Maul auf und presst dabei die Zunge gegen seine Zähne. Dann macht es einen Satz und taucht, mit dem Kopf voraus, in seinen Bau. Dieses Tier ist äusserst intelligent und vermag sehr wohl zwischen einem harmlosen Bergsteiger und einem Jäger zu unterscheiden. Beim ersteren verharrt es nur wenige Minuten unter der Erde, dann wirft es einen zutraulichen Blick ins Freie. Beim anderen bleibt es so lange in seiner Höhle, bis sich der Jäger, des Wartens müde, endlich anschickt, das Feld zu räumen.
Die Mimikry ermöglicht es zahlreichen Tierarten, ihren Feinden zu entkommen. Einige Vertreter der Alpenfauna greifen auf diesen Trick zurück. Der Schneehase hoppelt mit Vorliebe im Schnee, sobald der Winter gekommen ist. Zwar lässt er unverwechselbare Spuren zurück, doch darum kümmert er sich kaum, weiss er doch, daß er dank seiner Farbe meistens unerkannt bleibt. Im Sommer wechselt der Schneehase den Anzug. Er kleidet sich in Braun und Rot und sucht nun unzugängliche, mit Alpenrosen bestandene Steinfelder heim. Zwischen zwei Blöcken versteckt er sich und schlägt dort sein Lager auf. Jäger und Hunde finden ihn nur schwer. So

n'hésitent pas à les nourrir, abandonnant dans les forêts et sur les pâturages envahis par la neige, d'impressionnants tas de foin.
La marmotte, décimée pendant des siècles à cause de sa graisse dont on prétendait qu'elle possédait des vertus particulières, peut aujourd'hui dormir sur ses deux oreilles. Ce sympathique animal vit en colonies, dans des zones pierreuses et ensoleillées, au-dessus de la limite des forêts, ce qui ne l'empêche pas de descendre parfois dans la plaine. Son terrier, d'une profondeur de quatre à cinq mètres, est une merveille de construction. La marmotte y entasse, au cours de l'été, d'importantes provisions, réservant une partie de son habitat à sa progéniture. Elle y passe les longs mois de l'hiver, à l'abri du froid et des intempéries. La marmotte signale la présence humaine en sifflant. Elle ouvre la gueule tout en appuyant sa langue contre ses dents. Puis elle bondit et plonge, tête en avant, dans son terrier. Cet animal est d'une extrême intelligence et sait faire la différence entre un alpiniste généralement inoffensif et un chasseur. Dans le premier cas, la marmotte restera sous terre pendant quelques minutes seulement, puis elle jettera un coup d'œil confiant à l'extérieur. Dans le deuxième cas, elle prolongera son séjour dans le terrier jusqu'à ce que le chasseur, las d'attendre, se décide enfin à quitter les lieux.
Le mimétisme permet à de nombreuses espèces animales d'échapper à leurs ennemis. Quelques représentants de la faune alpine utilisent ce subterfuge. Le lièvre blanc aime à se promener dans la neige, l'hiver venu. Il laisse derrière lui des empreintes caractéristiques mais il ne s'en soucie guère car il sait que, grâce à sa couleur, il passera inaperçu. En été, le lièvre blanc change de costume. Il s'habille de brun et de roux et fréquente les pierriers inaccessibles où croissent les rhododendrons. Il se dissimule dans un trou, entre deux blocs, sous lesquels il aménage son gîte. Le chasseur et son chien

land and France. It covers ten per cent of the country's total area.
The Central Plateau, as it is called in all atlases and guides, is not really a plateau at all. It is an area of undulating hills, some of which are quite abrupt and can attain a respectable height of up to 3,000 ft.
The Alpine foothills comprise an unbelievably varied mosaic of landscapes; they run between the Central Plateau and the Alps themselves. The valley floors consist of molasse - soft, tertiary sandstone - while the higher parts are of heavily eroded sedimentary calcareous rock. They take on strange tower-like or crenelated forms. There is an abundance of rivers in this region, and, like those of the Central Plateau, they are of glacial origin. They cut deep into the mountain range, giving access to the Eastern Alps. Luxuriant woodlands climb up the flanks of the mountains to conquer the peaks, interspersed with wide stretches of pastureland which owes its lusciousness to rich soil and frequent rain. The landscape is further enlivenend by waterfalls and torrents that tumble down from all sides.
Gradually the slopes become steeper, and the hills give way to mountains. Close to the Alps, the pastures are naturally terraced, and the woods clamber up as high as the gradient allows. They follow narrow gorges, battling with debris and rubble, and offering protection to lonely farmhouses and villages.
The mountain profile becomes steeper, and unassailable rock-faces sweep up to the peaks shrouded in mist. Their sides, torn by erosion, reveal stratifications of text-book perfection which delight the heart of every geologist. Sunlight and shadow create strange effects. Sometimes the blue sky reflects on the snowfields, the glaciers and the rocks. At sunset the mountains are bathed in a rosy glow, and it seems as if the whole range were burning. But the fire does not last long. Red transmutes to violet, and one by one the stars come out as the wind drops and the valleys fall silent.

kann der Hase in aller Ruhe an die Liebe denken und seine Nachkommenschaft aufziehen. Das bezaubernde, schüchtern-bescheidene Schneehuhn, unter dem Namen Lagopus bekannt, setzt ebenfalls die Mimikry ein, genau wie der Schneehase, mit dem es das Revier teilt. Im Winter ist es weiss, im Frühjahr legt es sein Brautkleid ab und wirft sich in Rot. Wird es verfolgt, unternimmt das Weibchen alles nur Mögliche, um die Aufmerksamkeit des Feindes - sei es der Mensch oder ein Raubvogel - auf sich zu lenken, während sich seine Jungen unter Steinen oder im Gebüsch verstecken. Selbst sein Leben opfert es, damit seine Familie verschont bleibt und überleben kann.
Im Osten und Norden Europas lebt das Birkhuhn Lyrurus tetrix in der Ebene. In der Schweiz ist es seltsamerweise ein Bergbewohner. Es schätzt einen abgeholzten, hellen und hochgelegenen Lebensraum. Das Birkhuhn lebt armselig. Sein unbehagliches Nest baut es auf dem Erdboden, in Alpenrosen- oder Wacholderbüschen, bisweilen auch unter tiefhängenden Kiefern- oder Rottannenzweigen. Den Raubtieren muss seine Gattung einen hohen Tribut entrichten. Doch legt es fleissig Eier, und die Kücken entkommen ihren Feinden, indem sie sich im Gestrüpp verstecken. Sie sind sehr früh flügge, flink auf der Flucht, so dass sie oft den Krallen der Raubtiere entwischen. Die Hähne liefern sich eigenartige Kämpfe und spreizen dabei ihren Schwanz zum Fächer auf. Der Sieger beginnt das Weibchen zu umtanzen, wobei er recht sonderbare Schreie ausstösst.
Die Vogelwelt der Alpen umfasst noch andere eindrucksvolle Flieger: Königsadler, Sperber, Falken, Kolkraben, Dohlen und Krähen. Sie berauschen sich an der Weite, an der Freiheit und spotten Wind und Stürmen; sie sind die unumstrittenen Beherrscher des Himmels, den sie mit ihren wilden Rufen und Schreien erfüllen.

auront beaucoup de peine à le trouver. Le lièvre peut, en toute tranquillité, songer à l'amour puis élever sa progéniture.
La charmante perdrix des neiges, timide et modeste, connue sous le nom de lagopède, pratique également le mimétisme, à la manière du lièvre blanc dont elle partage le royaume. Blanche en hiver, elle abandonne sa robe de mariée au printemps et s'habille de roux. Poursuivie, la femelle fait tout pour attirer l'attention de son ennemi - l'homme ou le rapace - alors que sa progéniture se dissimule sous des pierres ou des feuillages. Elle ira même jusqu'à se sacrifier afin que sa famille, épargnée, puisse survivre.
Le coq de bruyère ou tétra lyre, oiseau de la plaine dans les contrées orientales et nordiques est, très curieusement en Suisse, un habitant de la montagne. Il aime les espaces déboisés, bien éclairés et haut perchés. Le tétra vit dans la pauvreté. Son nid, dépourvu de tout confort, est aménagé à même le sol, dans des buissons de rhododendrons ou de genévriers, parfois sous des branches basses de pin ou de sapin rouge. Les prédateurs font payer un lourd tribut à l'espèce. Mais la ponte est généreuse et les poussins échappent à leurs ennemis en se dissimulant dans les fourrés. Aptes très tôt à voler, ils savent prendre rapidement la fuite, échappant de justesse aux griffes des prédateurs. Les tétras mâles se livrent à de singuliers combats, la queue en éventail. Le vainqueur se met alors à danser autour de la femelle, tout en émettant des cris très particuliers.
La faune ornithologique des Alpes compte encore d'autres oiseaux au vol impressionnant: l'aigle royal, l'épervier, le faucon, le grand corbeau, le chocard et le crave. Ivres d'espace et de liberté, ils se moquent des vents et des tempêtes et sont les maîtres incontestés du ciel qu'ils remplissent de leurs appels et de leurs cris sauvages.

The Grisons Alps have an extremely complex morphology. The valleys and mountain chains are of striking irregularity - in contrast to the drainage system. Though extensive, the massifs are lower than in the centre of the country. Each main chain subdivides into minor chains, and these are again subdivided, so that the mountains are broken up into an irregular pattern unlike any other Alpine region. There are rivulets, brooks, and mountain streams everywhere, and hundreds of lakes. They form natural mirrors, reproducing the grandeur of the snow-capped peaks. Each has its typical shade of colour and its own personality. There are really only two seasons in the Grissons Alps: a dry, sunny, and rather mild winter, and a sometimes rainy summer. Snow can fall as early as mid-August, but then the sun breaks through again, and transforms the mountains into a fairytale landscape.
Ticino, with its valleys and plains, is a land of light. The general atmosphere is pleasantly southern. The Alps tower above the area, and provide massive protection from the encroachment of cold air streams from Northern Europe. The southern faces of the Alps rise sheer, and the slopes are precipitous. The deep, narrow valleys are lined with great boulders that have crashed down from the heights. The traveller finds himself in a world of granite, gneiss, and slate, all glinting in the sun. The vegetation changes quickly from one stage to the next. Eucalyptus, agaves, magnolias, and mimosas flourish in the lower regions; then come vines, chestnuts, figs, and almonds, followed by spruce and larch in the highest region.
The word Valais (in German Wallis) is said to come from the Latin vallis, meaning valley. This region has the most characteristically Alpine character of the whole of Switzerland. All the other valleys from the Northern and Southern Alpine chains merge into the broad central valley through which flows the Rhône. It is in this region that the highest concentra-

Variation der Landschaften

Mit ihren 41287 Quadratkilometern zählt die Schweiz zu den kleinsten Ländern des Erdballs. Als wahre Drehscheibe Europas liegt sie auf halbem Weg zwischen Spanien und Russland, zwischen England und Griechenland. Sie ist das höchstgelegene Gebiet Zentraleuropas. Folgt man, von welchem Punkt auch immer, der natürlichen Steigung aufwärts, gelangt man unvermeidlich in die Schweiz. Man kann von Lyon, Köln, Wien oder Cremona losziehen und irgendeinen der grossen Flüsse hinaufwandern. Immer bleibt das Ergebnis gleich, und der Reisende kommt zwangsläufig in die Alpenregion.

Man staunt über die ungeheure Vielfalt der Schweizer Landschaften. Das Gebiet lässt sich in drei natürliche Einheiten unterteilen, die von Süd-West nach Nord-Ost verlaufen und weit über die Landesgrenzen hinausreichen.

Der Jura, diese herrliche mittelhohe Kalksteinkette, bildet die Grenze zwischen der Schweiz und Frankreich. Er überzieht zehn Prozent der gesamten Landesfläche.

Das Mittelland verdient ganz und gar nicht den Namen „Plateau", den man ihm verliehen hat und der lange Zeit in allen Atlanten auftauchte. In Wirklichkeit handelt es sich um eine ziemlich wellige Landschaft, in der Ebenen selten sind und einige, besonders steil ansteigende Hügel eine doch schon recht ansehnliche Höhe von 1000 m erreichen.

Der Alpensaum gibt ein unglaubliches Mosaik von Landschaften ab; er verläuft zwischen dem Mittelland und dem eigentlichen Gebirge. Die Gräben, der Talgrund also, sind mit weicher Molasse ausgelegt, während die Höhen, die Eggen, aus stark erodiertem Sediment-Kalkgestein bestehen. Sie zeigen zerklüftete Silhouetten als Türme, Warten, Zacken und Mauern. Hier sind Seen im Überfluss vorhanden; wie die im Mittelland sind sie eiszeitlichen Ursprungs. Sie erleichtern

La variété des paysages

Avec ses 41287 km², la Suisse est l'un des plus petits pays de la planète. Véritable plaque tournante de l'Europe, elle se trouve à mi-distance entre l'Espagne et la Russie, entre l'Angleterre et la Grèce. Elle est le territoire le plus élevé de l'Europe centrale. Si l'on suit la pente naturelle et quel que soit le point de départ, on arrive fatalement en Suisse. On peut tout aussi bien partir de Lyon, de Cologne, de Vienne ou de Crémone et remonter l'un ou l'autre des grands fleuves. Le résultat sera le même et le voyageur aboutira obligatoirement dans la région alpine. Le territoire de la Suisse étonne par l'extrême variété de ses paysages. Il se divise en trois unités naturelles, orientées du sud-ouest au nord-est, qui se prolongent bien au-delà des frontières du pays.

Le Jura, splendide chaîne calcaire d'altitude moyenne, marque la frontière entre la Suisse et la France. Il occupe 10 pour-cent de la superficie totale du pays.

Le Moyen Pays ne mérite nullement le nom de «plateau» qui lui fut donné et qui figura, pendant longtemps, sur tour les atlas. Il s'agit, en réalité, d'une région assez mouvementée où les plaines sont rares et où certaines collines, particulièrement abruptes, atteignent une altitude de 1000 m, ce qui est déjà très respectable.

La bordure alpine est une incroyable mosaïque de régions; elle s'intercale entre le Moyen Pays et les Alpes proprement dites. Le fond des vallées, les Graben, est tapissé de molasse tendre, alors que les reliefs, les Egg, sont en calcaires sédimentaires ravagés par l'érosion. Ils ont des silhouettes tourmentées en forme de tours, de donjons et de murailles crénelées. Les lacs y abondent; à l'exemple de ceux du Moyen Pays, ils sont d'origine glaciaire. Ils facilitent l'accès aux Alpes orientales, car ils pénètrent profondément dans le massif montagneux. De somptueuses forêts de feuillus montent à l'assaut des cimes. Elles alternent

tion of four thousand metre high (13,200 ft) mountains are to be found, composed of crystalline slate. The highest of them, Monte Rosa, rises to 15,200 ft. Despite the large concentration of high mountains in a relatively small area, the traveller never feels oppressed, or overpowered by them. This is due to the strong sunlight, typical of the region, the pure air, and a southern atmosphere similar to that of Ticino, which goes hand in hand with luxuriant vegetation. When the poet Rainer-Maria Rilke was in Valais he had the feeling that he was in the Provence or Spain. He was strongly impressed by the close geographical and cultural resemblance between these three European regions.

The slopes are broken up by pastureland covered with flowers, tempering the roughness of the mountain scenery, and giving it an idyllic appearance. A drought would have catastrophic consequences: but the glaciers are an insurance against such a disaster. They provide a permanent source of water which is regulated and piped throughout the area, even to the steepest slopes. Not a single square metre of usable soil has been neglected or overlooked in Valais. The vegetation is very varied. The tropical flora in the valley gradually changes to almost arctic or Siberian varieties in the heights. There is an abundance of wood, which is used for building the sun-bleached houses.

den Zugang zu den Ostalpen, kerben sie sich doch tief ins Bergmassiv ein. Üppige Buschwälder steigen hinauf, die Gipfel zu erobern. Sie wechseln mit weiten Weideflächen, die ihre Schönheit einer fruchtbaren Erde und den häufigen Niederschlägen verdanken. Von überall her stürzen Wasserfälle und Wildbäche hinab und beleben die Landschaft.
Allmählich gelangt man über einen immer steiler werdenden Hang aus der abgerundeten Hügelwelt zur Stufe der Felsen. In Alpennähe überziehen die Weiden Hangterrassen, während die Wälder so hoch, wie es ihnen das Bodengefälle erlaubt, hinaufklettern. Sie wählen dabei enge Durchstiche, kämpfen gegen Geröll und Schotter und schützen abgelegene Höfe und die an ihrem Fusse gebauten Dörfer.
Das Bergrelief wird schroffer, und der Blick trifft auf nahezu unüberwindliche Wände. Die Gipfel sind in Nebel gehüllt. Ihre von Verwitterung zerrissenen Flanken weisen Steinschichtungen auf, die zum Studium wie geschaffen sind und die Geologen mit Freude erfüllen. Licht- und Schattenspiele führen zu recht überraschenden Wirkungen. Manchmal spiegelt sich der blaue Himmel auf dem Schnee, den Gletschern und den Felsen. Der Sonnenuntergang lässt die Alpen erglühen. Der ganze Berg steht in Flammen. Doch dauert der Brand nicht lange. Rot geht in Violett über, und schon flackern nacheinander die Sterne auf, während sich der Wind legt und die Stille langsam auf das Tal niedersinkt.
Die Rätischen Alpen zeigen eine äusserst vielgestaltige Morphologie. Nirgends sonst sind Täler und Bergketten so ungeordnet; im Gegensatz zur Anordnung des Gewässersystems. Die weit auseinandergezogenen Massive sind niedriger als im Zentrum des Landes. Jede Hauptkette spaltet sich in Nebenketten, aus diesen wiederum entstehen neue Ketten, was schließlich zu einer Zerstückelung führt, die in der Alpengeografie

avec de vastes pâturages qui doivent leur bel aspect à la fertilité de la terre et à la fréquence des précipitations. Le flysh argileux du sol est imperméable. L'eau coule de partout en cascades et en torrents impétueux qui animent le paysage.
On passe graduellement d'un monde de collines arrondies à un étage de rochers, suivant une pente qui est de plus en plus accentué. Au voisinage des Alpes, les pâturages occupent des terrasses suspendues, alors que les forêts grimpent aussi haut que le leur permet la déclivité du terrain. Elles empruntent d'étroits couloirs, luttant contre les éboulis et les pierriers, protégeant les fermes isolées et les villages construits en contre-bas.
Le relief se fait plus agressif et le regard se heurte à des parois infranchissables. Les sommets sont envahis par la brume. Leurs flancs, déchiquetés par l'érosion, montrent une stratification qui se prête à l'étude et qui fait la joie des géologues. Les jeux d'ombre et de lumière aboutissent aux effets les plus surprenants. Parfois, le bleu du ciel se reflète sur la neige, sur les glaciers et sur les rochers.
Au couchant, c'est l'embrasement. La montagne toute entière est en feu. Mais l'incendie ne dure jamais longtemps. Le rouge passe au violet et, déjà, les étoiles s'allument les unes après les autres, alors que le vent faiblit et que le silence s'empare peu à peu de la vallée.
Les Alpes rhétiques présentent une morphologie d'une extrême complexité. Le désordre des vallées et des chaînes est à son comble. Il s'oppose à une ordonnance du système hydrographique. Les massifs, largement étalés, sont moins élevés que dans le centre du pays. Chaque chaîne principale se divise en chaînes secondaires, elles-mêmes donnant naissance à d'autres chaînes pour aboutir à un morcellement qui n'a pas son pareil dans la géographie alpine. La circulation des eaux de surface se fait par un nombre infini de ruisseaux, de torrents et de rivières qui n'épargnent aucune région des Grisons. Les lacs se

nicht ihresgleichen hat. Das Wasser fliesst an der Oberfläche in unzähligen Rinnsalen, Bergbächen und Flüsschen, von denen kein Zipfel Graubündens ausgenommen wird. Man findet Hunderte von Seen. Es sind natürliche Spiegel, aus denen das Bild verschneiter Bergmassive zurückgeworfen wird. Jeder hat seine eigene Farbe und Persönlichkeit. In den Rätischen Alpen kennt man eigentlich nur zwei Jahreszeiten: einen trockenen, eher milden, sonnigen Winter und einen oft regnerischen Sommer. Mitte August kann Schnee fallen. Dann bricht die Sonne wieder durch und verwandelt das Gebirge von neuem in eine Zauberlandschaft.
Das Tessin mit seinen Tälern und Ebenen ist das Land des Lichts. Hier herrscht eine wohltuende südliche Stimmung. Die Alpen überragen das Gebiet und stemmen sich entschlossen den aus Nordeuropa einströmenden Kaltluftmassen entgegen. Die Felswände ragen fast senkrecht auf, und die Hänge fallen beeindruckend steil ab. Die engen, tiefen Täler werden von dicken, herabgestürzten Felsbrocken gesäumt. Man ist in einer Welt aus Granit, Gneis und Schiefer, die da in der Sonne glänzen. Rasch wechselt die Vegetation von einer Stufe zur anderen. Eukalyptus, Agaven, Magnolien und Mimosen gedeihen in der Ebene, wenig später werden sie von Reben, Kastanien, Feigen- und Mandelbäumen abgelöst, während sich ganz oben Tannen- und Lärchenwälder hinziehen.
Das Wort Wallis soll von „Tal“ (lat. vallis) kommen. Schon dieses Wort bringt genau die Topografie des Kantons zum Ausdruck; in der ganzen Schweiz ist es der mit dem ausgeprägtesten Alpencharakter. Das weitgeöffnete Zentraltal wird von der Rhone durchflossen; es ist die Nährmutter der ganzen Gegend, denn es nimmt alle anderen aus den nördlichen und südlichen Alpenketten sich öffnenden Täler auf. Hier ragt auch die Mehrzahl der in kristallinen Schiefer gehauenen Viertausender empor. Der höchste unter

comptent par dizaines. Ils sont autant de miroirs naturels où se reflètent les massifs enneigés. Chacun d'eux a sa couleur et sa personnalité. Les Alpes rhétiques ne connaissent que deux saisons : un hiver sec, plutôt doux et ensoleillé, et un été qui est parfois pluvieux. Des chutes de neige peuvent se produire au milieu du mois d'août. Puis le soleil revient et la féerie, une fois de plus, s'empare de la montagne.
Le Tessin des vallées et des plaines est le pays de la lumière. Il y règne une atmosphère méridionale bienfaisante. Les Alpes dominent la région et s'opposent farouchement au passage des masses d'air froid qui proviennent du nord de l'Europe. Les parois rocheuses sont presque verticales et la pente accuse une déclivité impressionnante. Les vallées, étroites et profondes, sont jonchées de gros blocs tombés des cimes. Monde de granite, de gneiss et d'ardoise qui brillent au soleil. La végétation change rapidement d'un étage à l'autre. Les eucalyptus, les agaves, les magnolias et les mimosas croissent dans la plaine, remplacés à peu de distance de là par la vigne, le figuier, l'amandier et le châtaignier alors que, tout en haut, s'étendent les forêts de sapins et de mélèzes.
Le mot Valais viendrait de vallée. Il résume, à lui seul, l'exacte topographie de ce canton qui est le plus alpestre de la Suisse. La vallée centrale, largement ouverte, empruntée par le Rhône, est le ventre nourricier de la région. Elle accueille toutes les autres vallées originaires des chaînes septentrionales et méridionales des Alpes. C'est là que se dressent la grande majorité des 4000, taillés dans des schistes cristallins. Le plus haut d'entre eux, la Pointe Dufour, plafonne à 4638 m. Cette concentration de géants, sur un espace relativement restreint, s'explique en partie par l'étroitesse des vallées. Mais, nulle part en Valais, on se sent angoissé, étouffé, écrasé par la montagne. Le bien-être que l'on éprouve vient de l'ensoleillement qui est intense, de

ihnen, die Dufourspitze, reicht bis in 4638 m. Die Häufung von Bergriesen auf einem verhältnismässig begrenzten Fleck geht teilweise mit der Enge der Täler einher. Doch fühlt man sich nirgends im Wallis des Gebirges wegen bang, beklommen oder erdrückt. Das Wohlbehagen rührt von der starken Sonneneinstrahlung, der reinen Luft und jener schon im Tessin begegneten südländischen Umgebung, die eine üppige Vegetation hervorbringt. Als der Dichter Rainer Maria Rilke im Wallis weilte, glaubte er hier die Provence und Spanien wiederzuerkennen. Er war stark davon beeindruckt, wie eng diese drei europäischen Gebiete geografisch und kulturell miteinander verwandt sind.
Weiden zerschneiden die Hänge und sind von Blumen übersät, welche die Gebirgssilhouette mildern und ein lieblicheres Aussehen verleihen. Trockenheit könnte katastrophale Folgen haben. Aber es sind ja die Gletscher da. Freizügig sichern sie die Versorgung mit Wasser, das gefasst und überall hingeleitet wird, selbst zu Feldern an den steilsten Hängen. Im Wallis ging kein Quadratmeter fruchtbaren Bodens verloren oder wurde übersehen.
Die Vegetation ist sehr abwechslungsreich. Aus einer tropischen Flora in der Ebene gelangt man auf den Höhen in eine geradezu arktische oder sibirische Pflanzenwelt. Das Holz überwiegt. Es dient zum Bau der von der Sonne gebeizten Häuser.

la grande pureté de l'air et de cette ambiance méditerranéenne déjà recontrée au Tessin, qui permet à une riche végétation de se développer. Le poète Rainer Maria Rilke, qui séjourna au Valais, croyait y reconnaître la Provence et l'Espagne. Il avait été frappé par les parentés géographique et culturelle que partagent ces trois régions de notre continent.
Les pentes sont entrecoupées de pâturages semés de fleurs qui modifient la silhouette de la montagne et qui lui donnent une apparence plus aimable. La sécheresse pourrait être catastrophique. Mais les glaciers sont là. Ils assurent, avec prodigalité, une alimentation en eau qui, irriguée, est distribuée partout, même aux cultures aménagées sur les escarpements. En Valais, aucun mètre carré de terre fertile n'a été ni perdu ni oublié.
La végétation est très diversifiée. On passe d'une flore tropicale dans la plaine à une flore nettement arctique ou sibérienne sur les hauteurs. Le bois domine. Il a servi à la construction de maisons qui sont brûlées par le soleil.

Die Alpen und ihre Menschen

Les Alpes et les Hommes

The Alps and their People

Was ist ein Bergbewohner?

Kann man wirklich von einem Bergbauern ein ganz objektives Bild entwerfen, das gleichermassen einen Walliser, Appenzeller oder Tessiner kennzeichnet?
Kann man im gleichen Zusammenhang das Bild eines typischen Durchschnittsschweizers zeichnen, das gleich passend auf einen Genfer, einen Zürcher oder einen Jurabewohner übertragen werden kann? In beiden Fällen wäre ein derartiges Unterfangen zum Scheitern verurteilt.
Von den sechs Millionen Bürgern der Schweizer Konföderation sprechen 70 Prozent schweizerdeutsch – das Schwyzerdütsch –, 20 Prozent französisch, 9 Prozent italienisch und 1 Prozent rätoromanisch.
Die Alemannen drücken sich in einer Vielzahl von Dialekten aus, denen sie um so mehr verbunden sind, als sie keineswegs für Deutsche gehalten werden wollen. Dennoch beherrschen sie zum grössten Teil die Sprache Goethes. Doch benützen sie diese nur bei aussergewöhnlichen Anlässen, bevorzugen sonst ihre Dialekte, selbst wenn sie dafür von den Ausländern gehänselt werden, für die das Schwyzerdütsch wie eine Sprache von Wilden klingt.
Die Sprache der Westschweizer ist mit Wörtern gespickt, die in Paris oder Bordeaux unbekannt sind. Auch ihre Sprechweise, also Tonfall und Rhythmus, wandelt sich beträchtlich, je nachdem ob man in Genf, Lausanne oder Neuenburg ist. Eine offensichtliche sprachliche Einheit in der französischen Schweiz schließt die Existenz kerniger lokaler Dialekte, die man heutzutage noch in den Kantonen Freiburg und Wallis hören kann, nicht aus; sie sind Bestandteile einer eigenständigen regionalen Kultur. Die Deutsch-Schweizer blicken – überspitzt gesagt – eher nach den Vereinigten Staaten als zur Bundesrepublik, sind also keine Deutschen. Die Welschschweizer hängen zwar mit ganzem

Qu'est-ce qu'un Montagnard?

Peut-on, en toute objectivité, faire le portrait d'un paysan de montagne qui serait valable aussi bien pour un Valaisan, qu'un Appenzellois et qu'un Tessinois?
Mais peut-on, dans le même ordre d'idées, faire le portrait d'un Suisse moyen typique qui puisse être appliqué, avec un égal bonheur, à un Genevois, à un Jurassien, à un Bernois et à un Zürichois?
Une telle tentative, dans un cas comme dans l'autre, se heurterait inmanquablement à un échec.
Sur les six millions de citoyens de la Confédération helvétique, 70 pour-cent parlent le Suisse allemand – le Schwyzerdutch –, 20 pour-cent le Suisse romand, 9 pour-cent l'italien et 1 pour-cent le rhéto-romanche.
Les Alémaniques pratiquent une multitude de dialectes auxquels ils sont d'autant plus attachés qu'ils ne voudraient pas être pris pour des Allemands. Dans leur grande majorité, ils savent pourtant la langue de Goethe. Mais ils ne l'utilisent que dans des circonstances exceptionelles, préférant leurs dialectes, quitte à encourir les moqueries des étrangers pour qui, à tort ou à raison, le Schwyzerdutch est une langue de sauvages...
Les Suisses romands parlent un français truffé de mots et d'expressions inconnus à Paris ou à Bordeaux. Ils ont également une façon de parler, concernant l'accent et le rythme, qui diffèrent sensiblement selon que l'on se trouve à Genève, à Lausanne ou à Neuchâtel. L'apparente unité linguistique des Romands n'exclut pas l'existence de patois savoureux que l'on peut entendre, de nos jours encore, dans les cantons de Fribourg et du Valais, et qui sont les éléments d'une culture régionale d'une grande originalité.
Les Suisses alémaniques, qui regardent davantage vers les Etats-Unis que vers la République fédérale, ne sont donc pas des Allemands. Les Suisses romands, qui adhèrent de tout

What is a mountain dweller?

Is it really possible to draw an objective picture of a mountain farmer which applies equally well to a man from Valais, Appenzell, and Ticino?
Similarly, is it possible to portray a typical, average Swiss who could equally well come from Geneva, Zurich, or from the Jura Mountains? No: any attempt to perform either of these feats would be doomed to failure.
Of the six million citizens of the Swiss Confederation, 70 per cent speak Swiss German, or Schwyzerdütsch, 20 per cent speak French, 9 per cent Italian, and 1 per cent Romansh, or Rhaeto-Romanic.
The German-Swiss speak a wide variety of dialects which they preserve for various reasons, one of which being that they do not wish to be taken for German. Most of them can speak the language of Goethe, but they only use it on special occasions, preferring their dialects even though they are teased about them by foreigners to many of whom *Schwyzerdütsch* sounds barbaric.
The language of the French-speaking West Swiss is garnished with words unknown in Paris or Bordeaux. Their mode of speech – intonation and rhythm – varies considerably, depending on whether they come from Geneva, Lausanne, or Neuchâtel. An apparent linguistic unity in French Switzerland does not mean that there are not vigorous local dialects such as can be heard in the Cantons of Freiburg and Valais: they are all part of an independent regional culture. The German-speaking Swiss look more towards the United States than towards West Germany, so they cannot really be classified as German. The French-speaking Swiss are devoted to French culture, but are nevertheless not French. They share a philosophy of life with their German-speaking countrymen which is different from those prevailing in France and Germany.
The language "frontier" cuts Switzerland into

Herzen an der französischen Kultur, dennoch sind sie keine Franzosen. Mit ihren alemannischen Landsleuten teilen sie eine Weltanschauung, die sich nicht mit jener der beiden Anliegerstaaten deckt.
Die Sprachgrenze zerschneidet die Schweiz in zwei Teile, doch verläuft sie nicht überall starr. In einem Teil des Kantons Freiburg und im Oberwallis spricht man deutsch. Die Bieler sind zweisprachig; während die Bewohner im Nordteil des Berner Jura französisch sprechen. Sprachliche Gründe, nicht nur konfessionelle und wirtschaftliche, haben die Jurabewohner dazu veranlasst, schon seit langem ihre Autonomie zu fordern. Am 24. September 1978 stimmte das Schweizervolk mit grosser Mehrheit dem dreiundzwanzigsten Kanton Jura zu.
Die Deutsch-Schweizer sind fleissig, methodisch, diszipliniert und unternehmend. Sie verzeichnen staunenswerte Erfolge im Handel, den Finanzen und der Industrie. Sie sind äusserst beweglich, arbeiten ohne Zögern auch in der französischen Schweiz - wo man sie nicht gerade liebt - und bilden hier eine stetig wachsende Gruppe. Die Antipathie der Genfer und Waadtländer den Deutsch-Schweizern gegenüber empfinden diese wiederum für die Westschweizer, die sie nicht ernstnehmen und mit einer gewissen Herablassung betrachten. Das hindert sie indes nicht daran, sich hier niederzulassen, wo es ihnen trotz allem die Bewohner mit ihrer Sorglosigkeit, Zwanglosigkeit und ihrem Lebensoptimismus angetan haben. Die Tessiner andererseits befinden sich in einer undankbaren Lage. Sie sind von Italien abgeschnitten, aber wegen des Alpenwalls auch von der Schweiz. Sie leiden unter allen Wehen und Komplexen einer Minderheit. Trotzdem verteidigen sie mutig ihre Italianità, vor allem seit dem Einfall der alemannischen Massen, die das Tessin zu ihrer Lieblingsregion erkoren haben, angelockt von einem prachtvollen Klima und der Freundlichkeit seiner Bewohner.
Auch die Rätoromanen befinden sich in einer

cœur à la culture française, ne sont pas pour autant des Français. A l'exemple des précédents ils partagent, avec les membres de leur groupe, une vision du monde, une «Weltanschauung» qui n'est pas celle des habitants de l'un ou de l'autre de ces deux pays limitrophes.
La frontière linguistique, qui coupe la Suisse en deux, n'est pas partout rigoureuse. L'allemand est parlé dans une partie du canton de Fribourg et dans le Haut-Valais. A Bienne, les citoyens sont bilingues alors que dans le nord du Jura bernois les habitants parlent le français. Ce sont des raisons linguistiques, et non seulement confessionnelles et économiques, qui ont poussé les Jurassiens à réclamer, depuis longtemps, leur autonomie. Le 24 septembre 1978, le peuple suisse approuva à une large majorité la création du canton du Jura, vingt-troisième canton suisse.
Les Suisses alémaniques sont travailleurs, méthodiques, disciplinés et entreprenants. Ils réussissent admirablement bien dans le commerce, dans la finance et dans l'industrie. Ils sont d'une grande mobilité et n'hésitent pas à venir travailler en Suisse romande où ils ne sont guère aimés, y formant une communauté qui ne cesse de croître. L'antipathie que les Genevois et que les Vaudois éprouvent pour les Suisses alémaniques, ceux-ci la ressentent également pour les Suisses romands qu'ils ne prennent pas au sérieux et qu'ils regardent avec une certaine condescendance. Cela ne les empêche pas de s'installer en Romandie où ils sont certains de fairc de bonnes affaires et dont les habitants les séduisent, malgré tout, par leur insouciance, leur laisser-aller et leur manière de prendre la vie du bon côté.
Les Tessinois occupent une situation ingrate. Coupés de l'Italie, ils le sont aussi de la Suisse à cause de la barrière des Alpes. Ils souffrent de tous les maux et de tous les complexes propres à une minorité. Mais ils n'ent défendent pas moins avec courage leur italianité, surtout depuis l'arrivée en masse des Alémaniques qui ont fait du Tessin leur région de

two parts, but is by no means clear-cut. German is spoken in one part of the Canton of Fribourg and in the Upper Valais although the rest is French-speaking. The people of Biel are bilingual, while French is spoken in the northern part of the Bernese Jura. Linguistic reasons, coupled with religious and economic factors, are behind the demand for autonomy made by et people of the Jura. On september 24th, the swiss people approved, with a great majority, the creation of the canton of Jura, the twenty third swiss canton.
The German-speaking Swiss are industrious, methodical, disciplined, and entrepeneurial. They are amazingly successful in trade, finance, and industry. They are extremely flexible, and do not hesitate to work in French-Switzerland, where they form a constantly expanding, but not very popular minority. The antipathy of the people of Geneva and Vaud for their German-speaking compatriots is mutual - the German-Swiss do not take the West-Swiss seriously, and tend to treat them with a certain degree of condescension. This does not prevent them from settling in these areas, however, as, despite everything, they are rather taken by the carefree, informal, and optimistic way of life of the French-speaking population. The people of Ticino, on the other hand are in a thankless position. They are cut off from Italy, and, by the Alps, from Switzerland. They suffer from all the disadvantages of a minority. But they gallantly defend their Italianate ways, especially since the invasion of the Teutonic hordes attracted by Ticino's marvellous climate and its friendly inhabitants.
The Romansh-speaking people are also in a difficult situation. Their language, officially recognized as the 4th language of Switzerland in 1937, consists of the Surselvic spoken in the Rhine Valley and the Ladin spoken in the Engadine area. Italian is spoken in some of the south-facing areas, like the Misox, Bergell, Puschlav, and Calanca Valleys. The inhabitants

wenig angenehmen Lage. Ihre 1938 offiziell anerkannte Sprache besteht aus dem im Rheintal gesprochenen Surselvischen und dem Ladinischen des Engadingebiets. In einigen südlich verlaufenden Tälern wird italienisch gesprochen. Es sind dies das Misox, das Bergell, das Puschlav und das Calancatal. Ihre Bewohner haben eine eigene Kultur entwickelt und sind stolz auf ihre Italianità. Die Zürcher fahren gerne nach Graubünden. Sie haben da, wie im Tessin, Häuser gebaut und üben einen gewissen Einfluss auf die Lebensgewohnheiten der Bewohner aus.
Dieser sprachlichen Vielfalt entspricht eine konfessionelle, was zwischenmenschliche Beziehungen noch schwieriger gestaltet. Während die Mehrzahl der Franzosen katholisch ist, findet man in der französischen Schweiz protestantische Kantone, dafür sind manche Deutsch-Schweizer katholisch. In den meisten mittelländischen Industrie- und Handelsstädten der deutschen Schweiz sind Protestanten stärker vertreten als Katholiken. Wie die Sprachgrenze ist auch die konfessionelle reichlich verschwommen; sie decken sich fast nie.
Dennoch kann man wohl insgesamt sagen, dass es in der Schweiz in allen Bereichen des öffentlichen Lebens friedlich zugeht. Das ist auf ein Bedürfnis nach Stabilität zurückzuführen, das Bemühen um Ordnung und eine starke Heimatliebe.
Und wie sieht es nun bei den Bergbauern aus? Wie ihre Mitbürger sind auch sie dem Gesetz sprachlicher, kultureller und konfessioneller Gegensätze unterworfen, wie sie auch den landschaftlichen, geografischen Unterschieden ausgesetzt sind. Dennoch teilen sie alle, ob Katholiken oder Protestanten, Deutsch- oder Welschschweizer, dieselben Schwierigkeiten, Probleme und auch Hoffnungen. Allen ist eine treue Erdverbundenheit gemein, so dass sie fast klaglos die härtesten Bürden auf sich laden. Erteilen die Bergbewohner den Menschen aus der Ebene,

prédilection, attirés en ces lieux par l'excellence du climat, par la lumière et par la gentillesse des habitants.
Les Romanches, eux aussi, se trouvent dans une situation inconfortable. Leur langue, reconnue officiellement en 1938, comprend le surselien qui est parlé dans la vallée du Rhin, et le ladin qui est répandu dans toute l'Engadine. Dans quelques vallées s'étendant vers le sud, on parle l'italien; en particulier dans les vallées de Misox, de Bergell, de Poschiavo et de Calanca. Leurs habitants ont formé et développé leur propre culture, et ils sont fiers de leur italianité. Les Zürichois aiment à se rendre aux Grisons. Comme au Tessin, ils y ont acheté des maisons et exercent une certaine influence sur le mode de vie des habitants.
A cette pluralité linguistique correspond une diversité confessionnelle, ce qui complique encore le problème des relations entre les hommes. Alors que la grande majorité des Français sont catholiques, on trouve en Suisse romande des cantons protestants et d'autres, germanisés, qui sont entièrement catholiques. En Suisse alémanique, le protestantisme l'emporte sur le catholicisme dans la plupart des villes industrielles et commerciales du Moyen Pays. La frontière des confessions, comme celle des langues est assez floue; les limites des parlers et des religions ne se recouvrent presque jamais.
Cependant, d'une manière générale, on peut dire que la paix règne en Suisse, dans tous les domaines de la vie publique. Elle est conditionnée par un besoin de stabilité, un souci de l'ordre et un grand amour du sol natal.
Et les montagnards, que deviennent-ils dans tout cela? A l'exemple des autres citoyens, ils n'échappent pas à la règle des différences linguistiques, culturelles et confessionnelles ni aux lois imposées par la diversité géographique des régions. Néanmoins, qu'ils soient catholiques ou protestants, Suisses allemands

have developed a culture of their own, and are proud of their *italianatà*. Zurich people like visiting the Grisons. They have built houses there, as in the Ticino, and influence the way of life of the inhabitants to a certain extent.
This linguistic variety is matched by religious variety, which makes inter-relationships even more complicated. While the majority of the French is Catholic, there are Protestant cantons in French-Switzerland, while some German-Swiss are Catholics. In most of the industrial and commercial towns of the Central Plateau there are more Protestants than Catholics. The sectarian "frontier" is no more clear-cut than the linguistic, and they rarely conform with one another.
Nevertheless, it can be said that peace reigns in all areas of public life in Switzerland. This is due to a desire for stability and order, and a strong feeling of patriotism.
And what about the Alpine farmers? They are also subject to linguistic, cultural, religious, topographical and geographical differences, of course, just like the rest of the Swiss. Nevertheless, whether Catholic or Protestant, German-Swiss or French-Swiss, they share the same kind of difficulties, problems, and hopes. They are all so strongly attached to the soil that they accept the heaviest burdens rather than relinquish their way of life. One often feels that the lowlanders, comparatively rich and nevertheless unhappy, could learn something about modesty and contentment from these indefatigable mountain people.
For them, the soil embodies the past. It represents a link between the living and their forbears. The farmer's work is part of a tradition which demands respect and deserves to be defended. The mountain people are sustained by the fact that they are part of a community which is strongly orientated on the family, the true nucleus of the farming community.
Life in the villages is not anonymous. People know, help, and visit one another. Work is a

die mit Gütern gesegnet und dennoch unglücklich sind, nicht fortwährend eine bemerkenswerte Lektion darüber, wie man, trotz aller Widrigkeiten, genügsam und zufrieden sein kann?
Der Boden verkörpert für den Bergbewohner die Vergangenheit. Er stellt das Bindeglied zwischen den Lebenden und den Vorfahren dar. Die Tätigkeit des Bauern ist Bestandteil einer Tradition, die es wert ist, geachtet und verteidigt zu werden. Der Gebirgler steht dabei übrigens nicht allein. Er ist Glied einer Gemeinschaft, die sehr stark auf die Familie, die eigentliche Zelle des Bauerntums, bezogen ist.
Im Dorf verläuft das Leben nicht anonym. Man kennt sich, hilft und besucht sich. Die gemeinsame Arbeit verstärkt noch Verwandtschafts- oder Freundschaftsbande, von denen die verschiedenen Mitglieder des Gemeinwesens zusammengehalten werden. Sie fördern Zusammengehörigkeitsgefühl, Dialog und Meinungsaustausch. Jeder vermeidet nach besten Kräften alles, was Gleichgewicht und Einvernehmen innerhalb der Gruppe stören könnte. In der Gemeinschaft der Bergbewohner sind alle Mitglieder zu eingeschränkter und stetiger Teilnahme aufgerufen. Nur ein unerschütterlicher Glauben macht das Bergbauernleben erträglich. Die mitten im Dorf aufragende katholische oder protestantische Kirche hält die Hoffnung aufrecht, selbst wenn die Riten bisweilen von einer gewissen Förmlichkeit, einem Hang zum Theatralischen durchzogen sind und dem Bemühen, sich vom Aberglauben zu lösen, einem Erbe aus der Religion der Ureinwohner. So wie die Familie, die Sprache und die gemeinsame Arbeit fördert auch das religiöse Leben den Gruppenzusammenhalt. Der Gemeinschaft verleiht es Lebenskraft, Stärke und Unternehmungslust. Doch bedarf es zu seiner Entfaltung geistiger Führer, seien es Katholiken oder Protestanten, die sich ihrer wirklichen Verantwortung bewusst sind.

ou Suisses romands, ils partagent les mêmes difficultés, les mêmes problèmes et les mêmes espoirs. Ils ont également en commun un fidèle attachement à la terre, à ce point qu'ils en acceptent, sans trop se plaindre, les plus dures exigences.
Savoir se contenter de peu, être satisfait en dépit de toutes les épreuves, n'est-ce pas la merveilleuse leçon que les peuples montagnards ne cessent de donner à tous ceux de la plaine qui, quoique matériellement comblés, ne sont pas heureux?
La terre, pour le montagnard, symbolise le passé. Elle est le trait d'union entre les vivants et les ancêtres. La besogne du paysan s'inscrit dans le cadre d'une tradition qui doit être respectée et défendue. Le montagnard n'est d'ailleurs pas seul à lutter. Il appartient à une communauté qui s'appuie sur la famille, cellule même de la société paysanne.
La vie, dans un village, n'est pas anonyme. On se connaît, on s'entraide, on se rend visite. Le travail communautaire renforce les liens de parenté et d'amitié qui unissent entre eux les différents membres de la collectivité. Ils favorisent la communion, le dialogue et les échanges. Chacun fait son possible afin d'éviter tout ce qui pourrait porter atteinte à l'équilibre et à la bonne entente du groupe. La société montagnarde fait appel à la pleine et constante participation de l'ensemble des représentants de la collectivité.
La vie rude du montagnard est supportable autant qu'elle soit également soutenue par une foi inébranlable. L'église ou le temple, qui se dresse au centre du village, entretient l'espérance même si, dans les rites, se mêlent parfois un certain formalisme, un certain goût pour le spectacle, une volonté d'échapper à des superstitions qui sont un héritage de la religion des premiers habitants. La vie religieuse, à l'exemple de la famille, de la langue et du travail en commun, favorise la cohésion du groupe. Elle assure à la collectivité sa vitalité, sa force et son dynamisme. Mais elle

common denominator that helps to strenghten the ties of family and friendship which interweave the community and give it cohesion. They promote a sense of common purpose, dialogue, and the exchange of opinions. Everyone does his best to avoid anything that could disturb the balance and harmony within the group. In the community of the mountain people all are committed to the common cause.
The life of the farmer is made acceptable only by unshakeable faith. The church - be it Catholic or Protestant - rising in the centre of the village keeps hopes alive, even if the rituals are sometimes characterized by a certain formalism, a tendency towards the theatrical, and lingering superstition. Religion, like family, language, and work, is a cohesive factor in the group. It is a source of vitality, strength, and enterprise. But, to be effective, it calls for spiritual leaders, be they Catholic or Protestant, who are conscious of their true responsibility. Ideally, they should themselves be mountain-dwellers for this gives them greater insight and a sounder grip on the community's problems than if they have been "imported" from the lowlands.

Various kinds of settlements

The siting of human settlements is largely determined by geographical conditions. This is particularly the case in the mountains. The rugged landscape often does not afford sufficient space for villages, but favours the solitary farm. A wide valley, on the other hand, is ideal for villages. In such locations, villages and small towns of several hundred inhabitants are often found. They have developed into thoroughgoing mountain towns in recent years, thanks to tourism.
Villages take on two forms. The more common of these is the clustered village. The houses, built close to one another, are grouped round

Gehören sie zur Bergbevölkerung, ist ihnen der Erfolg gewiss, denn besser als jemand aus der Ebene vermögen sie die tatsächlichen Gegebenheiten zu verstehen.

Verschiedenartige Siedlungen

Die menschliche Siedlung hängt vor allem von der örtlichen Topografie ab. In den Bergen hat dieses Gesetz besondere Gültigkeit. Das zerrissene Relief lässt oftmals grosse Dörfer gar nicht zu; es erfordert im Gegenteil den Bau von Einzelhöfen. Ein weit geöffnetes Tal bietet sich für geschlossene Siedlungsformen geradezu an. Dort findet man dann bedeutende Ortschaften mit mehreren hundert Einwohnern. Durch den Tourismus haben sie sich in den letzten Jahren zu richtigen Bergstädten entwickelt.
Die geschlossene Ansiedlung kennt zwei Erscheinungsformen. Am verbreitetsten ist das Haufendorf. Die enggedrängten Häuser sind um einen Platz angeordnet und lassen nur wenig Raum für Gassen. Im Reihendorf folgen die Häuser einer Hauptstrasse. Auf den Hängen liegen noch verstreute Siedlungen; sie ergänzen diese Dörfer und erlauben eine rationelle Nutzung des dem Ackerbau und der Viehwirtschaft vorbehaltenen Gemeindelandes.
Eine Besonderheit finden wir im Bündnerland, wo sowohl dichtgedrängte Haufendörfer romanischen Ursprungs als auch - meist höher gelegene - weit zerstreute Walsersiedlungen anzutreffen sind.
Auf den Weiden begegnet man noch Häusern aus mörtellosen Bruchsteinen oder ungefügen Alphütten. Sie bieten den Sennen einen zeitweiligen Schutz, wenn sie die Sommermonate in dieser Bergeinsamkeit verbringen und sich die Alpen von ihrer Schneeschicht befreit haben, von der sie das restliche Jahr überdeckt werden.
Die Gebirgler haben eine angeborene Angst

a besoin, pour se développer, de guides spirituels, catholiques ou protestants, qui soient conscients de leur véritable responsabilité.
Le succès que peuvent remporter ces derniers est garanti s'ils appartiennent au milieu montagnard car ils sont capables d'en comprendre, mieux que ceux de la plaine, toutes les réalités.

La diversité de l'habitat

L'habitat de l'homme dépend, avant tout, de la topographie des lieux. Cette loi est particulièrement valable en milieu montagnard. Le relief tourmenté s'oppose à un nombre élevé de villages; en revanche, il favorise la construction de fermes isolées. La répartition de l'habitat dans les Grisons présente une particularité : on y trouve aussi bien des villages massés d'origine romane, que des habitations dispersées situées en général plus dans les hauteurs.
Par contre, une vallée largement ouverte se prête admirablement bien à l'habitat concentré. On y trouve des agglomérations importantes dans lesquelles vivent des centaines de personnes. Sous la pression du tourisme elles sont devenues, au cours de ces dernières années, de véritables villes de montagne.
L'habitat concentré se présente sous deux formes. Le type de village massé est le plus répandu. Les maisons, serrées les unes contre les autres, sont groupées autour d'une place et n'accordent que très peu d'espace aux ruelles. Dans le village linéaire, les maisons s'échelonnent le long d'une rue principale.
Chacune de ces localités est complétée par un habitat dispersé, qui occupe le sommet de la pente, ce qui permet une utilisation rationnelle des terrains communaux réservés à l'agriculture et à l'élevage.
Sur les pâturages, on rencontre encore des maisons en pierres sèches ou des chalets assez grossièrement bâtis. Ils servent d'abris tempo-

a square, and leave little room for streets. In the Franconian form of settlement, the houses line either side of a main road. Other, dispersed settlements have been established on the slopes; they supplement the villages, and permit a rational use of the common land reserved for arable and dairy farming. In Grisons we find a mixture of clustered villages of Romanesque origin and - usually in the higher areas - dispersed settlements founded by the Wals people (see page 166).
Up in the mountain pastures you can still sometimes find houses built of coarse stone without mortar, or clumsily built Alpine huts. They offer temporary accomodation for dairymen who spend their summers in the loneliness of the high mountains, and clear the alpine pastures of the snow that covers them for the rest of the year.
Mountain people have an inborn fear of landslides and floods. If possible, they avoid building villages next to a watercourse because of the danger of floods.
In the low country, conical moraines have proved popular for settlements because they rise above the surrounding countryside.
Mountain people love the sun, their source of life and joy. Southern slopes that are exposed to prolonged periods of sunshine are popular for settlements. In the winter, when the days are very short, they enjoy a more favourable climate than northern slopes which, like the valleys, are in the shade for longer periods and suffer from the full effects of the rough weather. The people go to great lengths to get as much sunshine as possible. In some cluster villages the houses climb the steep slopes in stages, the doors of the higher house being at the same level as the roof of the house below.
Villages built along roads also exhibit the same hunger for the sun. The houses are placed so that none of them obscures the sun for the others, so that each gets its full share of light and warmth.
No matter what form the settlements take they

vor Erdrutschen und Überschwemmungen. Gestatten es die äusseren Umstände, so vermeiden sie es, ihre Dörfer an einen Wasserlauf zu bauen; launenhaft wie er ist, kann er verheerende Hochwasser bescheren. In der Ebene eignen sich die Schuttkegel sehr gut für Siedlungen, da ihnen die höhere Lage zunutze kommt.
Der Gebirgler liebt die Sonne, sie ist ihm Lebens- und Freudenquell. Die einer längerwährenden Sonneneinstrahlung ausgesetzten Hänge werden geschätzt und für dauernde Siedlungen genützt. Wenn im Winter die Tage sehr kurz sind, geniessen sie den Vorteil eines günstigen Klimas, während Nordhänge und -täler im Schatten bleiben und damit unter der ganzen Strenge der ungastlichen Jahreszeit zu leiden haben. Die Bewohner unternehmen alles, um möglichst viel Sonne zu erhaschen. In einigen Haufendörfern steigen die Häuser etagenförmig und übereinandergeschichtet einen steilen Hang hinan; die Tür zum einen befindet sich auf derselben Ebene wie das Dach des darunterliegenden. Auch das breitangelegte Dorf entspricht diesem Sonnenhunger. Die Häuser verlaufen in einer Waagerechten, keines steht dem anderen im Wege, so dass alle ihren Anteil an Licht und Wärme abbekommen.
Welche Siedlungsformen die Bergbewohner auch immer gewählt haben mögen, überall erkennt man die vollkommene Anpassung an die Umwelt. Oft werden die Häuser zeilenförmig, alle auf gleicher Ebene gebaut, während die Scheunen im oberen Teil des Dorfes stehen, wo der Hang steiler wird.
Das Bergdorf ist Ausdruck einer wirtschaftlich autarken Einheit, die sich in gewisser Weise mit dem, was ihr Landwirtschaft und Handwerk bieten, begnügt. Seine Struktur ist ziemlich einfach. Kirche, Schule, Gemeindehaus. Lädchen und ein einfaches Gasthaus, in dem man sich trifft, bilden seinen Kern. Seit etlichen Jahren jedoch haben die Gebirgsdörfer unter äusseren Einflüssen tiefgreifende

raires à des pâtres qui passent, dans ces solitudes, les mois de l'été, alors que les alpages sont momentanément débarrassés de la couche de neige qui les recouvre durant le reste de l'année.
Naturellement, les habitants de la montagne ont une peur ancestrale des éboulements et des inondations. Si les circonstances le permettent, ils évitent autant que possible de construire leurs villages à proximité d'un cours d'eau toujours susceptible, par ses auts d'humeur, de provoquer des crues dévastatrices. En plaine, les cônes de déjection se prêtent bien à l'habitat, car ils bénéficient d'une position surélevée.
Le montagnard aime le soleil qui est source de vie et de joie. Les pentes exposées à une insolation prolongée sont très recherchées et sont utilisées pour un habitat permanent. En hiver, alors que les jours sont très courts, elles jouissent d'un climat favorable, alors que les vallons et les versants orientés vers le nord demeurent à l'abri des rayons du soleil et subissent toutes les rigueurs de la mauvaise saison. Les habitants cherchent à profiter au maximum du soleil. Dans certains villages concentrés, les maisons sont étagées sur une très forte pente, les unes au-dessus des autres, l'entrée se trouvant au même niveau que le toit de la maison en dessous. Le village étalé répond, lui aussi, à ce besoin de soleil. Son horizontalité fait que chaque maison, qui n'est gênée par aucune autre, reçoit sa part entière de lumière et de chaleur.
Quelle que soit l'urbanisation des habitants de montagne, force est de constater qu'il existe partout une admirable adaptation au milieu. Les maisons ont été construites en files, chacune d'elles sur la même courbe de niveau, les granges occupant la partie supérieure de la localité, là où la pente est plus accentuée.
Le village montagnard représente une unité économique qui vit en autarcie et qui se contente, dans une certaine mesure, de ses propres ressources agricoles et artisanales. Sa structure est très simple. Le noyau de l'habitat

all adapt themselves perfectly to the environment. The houses are often built in rows all on the same level, while the barns are in the upper part of the village, where the gradient is steeper.
The mountain village is the expression of an economic, autarchic unit, which, to a certain extent at least, is satisfied with the fruits of agriculture and associated trades. Its structure is fairly simple: church, school, village hall, shops, and a simple inn form the core. But for some years now, the mountain villages have been undergoing fundamental changes due to external influences. They are turning more and more towards the lowlands in order to satisfy the steadily increasing demands of the inhabitants.
Farmhouse architecture changes from one Alpine region to another, although there are some elements of style common to all. The building material is always chosen from what is available in abundance locally. This naturally influences the building style.
Despite a certain uniformity of style in one and the same ethnic group, farmhouse architecture leaves plenty of room for variation. Let us take the wooden houses of Valais, for example. Although all these buildings conform to a certain pattern, they nevertheless vary considerably, depending on whether they are of two or three storeys with a stone substructure, cowsheds, granaries or storehouses for bread, cheese, and meat etc. The steep roof covered with shingles has very long eaves, protecting the main entrance and the firewood which is stacked against the side walls. The roof beams are cut in such a way as to ensure natural ventilation. Granaries and storehouses usually rest on wooden posts, with slabs of stone between the tops of the posts and the building itself to keep out rats and mice.
The magnificent stone houses of the Engadine are quite different. Dwelling, cowshed, and barn are all under one roof. There are two large rounded portals – the upper one leading

Veränderungen durchgemacht. Sie wenden sich verstärkt der Ebene zu, und sei es nur, um den ständig zunehmenden Ansprüchen ihrer Bewohner gerecht werden zu können.
Die Architektur des Bauernhauses wechselt von einer Alpenregion zur anderen, auch wenn einige Stilformen weit verbreitet sind. Als Baumaterialien verwendet man, was am Ort im Überfluss vorhanden ist. Dadurch wird auch die Bauart bedingt.
Die Einheit bäuerlicher Architektur in ein und derselben ethnischen Gruppe lässt dennoch einen grossen Formenreichtum zu. Betrachten wir zum Beispiel die Walliser Holzhäuser. Obwohl sich all diese Bauten nach einem gemeinsamen Schema richten, unterscheiden sie sich recht merklich, je nachdem ob es sich um ein zwei- oder dreistöckiges Wohnhaus auf gemauertem Unterbau, eine Scheune mit Stall, einen Stadel als Getreidelager oder einen Speicher handelt, in dem besonders Brot, Käse und Fleisch aufbewahrt werden. Das stark geneigte Schindeldach überragt weit die Hauswände und schützt den Haupteingang sowie die Brennholzvorräte, die an den Seitenwänden aufgestapelt sind. Die Dachbalken sind so gezimmert, dass sie die natürliche Belüftung erleichtern. Die Stadel und Speicher sind in der Regel auf Holzpfähle gebaut; darauf liegen dann Steinplatten, durch die Nagetiere am Hochklettern gehindert und die Vorräte geschützt werden.
Die prächtigen Steinhäuser im Engadin sehen ganz anders aus. Ein und dasselbe Gebäude beherbergt Wohnräume, Stall und Scheune. Man betritt es durch zwei grosse Torbogeneingänge; der tieferliegende führt zum Stall, der höhere zum Wohntrakt. Diese stattlichen Häuser – einige stammen aus dem 16. Jahrhundert – haben beeindruckende Ausmasse. Ornamente, die Sgraffiti, schmücken ihre Aussenwände; man benötigt dazu einen grauen Fassadenputz, auf den eine dicke Kalkschicht aufgetragen wird. In diesen feuch-

comprend l'église, l'école, la maison communale, des magasins et des cafés qui sont des lieux de réunion. Depuis quelques années, en raison des influences extérieures, les localités de montagne ont subi de profondes modifications. Elles se tournent de plus en plus vers la plaine, ne serait-ce déjà que pour pouvoir répondre aux besoins toujours accrus de leurs habitants.
L'architecture de la maison du paysan varie d'un région alpestre à l'autre, même si certains styles se rencontrent dans un vaste rayon.
Les matériaux employés sont ceux que l'on trouve en abondance dans la contrée; ils conditionnent le type des constructions.
Cette unité de l'architecture paysanne à l'intérieur d'un même groupe ethnique ne s'oppose pas à une grande diversité de formes. Prenons par exemple le cas des chalets en bois du Valais. Quoique toutes ces constructions répondent à un schéma commun, elles diffèrent sensiblement les unes des autres selon qu'il s'agisse d'une maison d'habitation à deux ou trois étages, élevée sur une base en maçonnerie, d'une grange-écurie, d'un «raccard» dans lequel on entrepose le blé, ou encore d'un grenier réservé plus spécialement à la conservation du pain, des fromages et de la viande. Le toit de lattes, fortement en pente, dépasse largement les parois, abritant l'entrée principale et les réserves de bois de chauffage qui sont aménagées sur les côtés du chalet. Les poutres des toits sont ajustées de telle manière qu'elles facilitent une aération naturelle de la construction. «Raccards» et greniers sont généralement bâtis sur des pilotis en bois pourvus, à la partie supérieure, de dalles qui empêchent les rongeurs de grimper et de s'attaquer aux provisions.
Les splendides maisons en pierre de l'Engadine ont un aspect fort différent. Le même édifice abrite l'habitation, l'étable et la grange. On y accède par deux larges entrées voûtées, l'une en contre-bas s'ouvrant sur l'étable, l'autre légèrement surélevée conduisant à la

to the house, the lower one to the barn and cowshed. These beautiful houses – some of them dating back to the 16th century – are of impressive dimensions. The outside walls are decorated with floral or geometric designs by the process called sgraffito. For this, a rough layer of grey plaster is applied to the wall, and this is covered with a thick layer of limewash. While the top layer is still moist, figures are scraped into it, revealing the grey of the lower layer. The ornamentation often covers a large part of the facade, framing the doors and windows. Although it is peasant art, it displays a sure feeling for taste, and lends the houses a certain elegance.
The Ticino house, made of unfaced stone, is not decorated, but may be plastered. Arcading and outside staircases give it a picturesque appearance. The animals are housed on the ground floor, the dwelling is on the first floor, and the barn on top. The gently sloping roof is covered with shingles or slabs of stone, which glint in the sun. The very small amount of arable land available forces the farmers to adopt a system combining pergolas and terraces. These intricate structures extend from the house, and consist of granite or gneiss posts with joists of chestnut wood. The pergolas arc covered with vines, while below grow various crops like wheat, maize, and vegetables.

Traditions and popular beliefs

The mountain communities were cut off from the world at large for centuries, and were entirely self-reliant. Each member of the community had a precisely defined function. Some tilled the fields to provide the necessary food, others made implements needed in the house and in the fields. Life was hard and frugal. In one of the rooms in each house treadle looms were set up on which the women wove thick cloths for protection

ten Überzug kratzt der Künstler nun Figuren, die grau auf hellem Grund auftauchen. Diese Verzierungen können geometrische Formen aufweisen, Blumen und Rankenwerke. Sie bedecken einen großen Teil der Fassade, wobei sie auch noch Türen und Fenster einrahmen. Zwar ist es bäuerliche Kunst, doch zeugt sie von einem sehr sicheren Geschmack und verleiht diesen wohnlichen Häusern eine gewisse Eleganz.
Das aus aneinandergefügten Bruchsteinen gebaute Tessiner Haus ist schmucklos, ob mit oder ohne Verputz. Dennoch zieren es Bogengänge und Aussentreppen. Im Erdgeschoss ist das Vieh untergebracht. Der Wohnteil liegt im ersten, die Scheune im zweiten Stock. Das schwachgeneigte Dach blinkt in der Sonne und ist mit Platten oder Schiefer gedeckt. Das sehr knapp bemessene bebaubare Land zwingt die Bewohner zu einem auf Terrassen gebauten Pergolasystem. Diese kniffligen Bauwerke grenzen an das Wohnhaus an und bestehen aus Granit- oder Gneispfeilern sowie Querbalken aus Kastanienholz. An ihnen klammert sich die Weinrebe fest, und darunter wächst Getreide, Mais und Gemüse.

Überlieferungen und Volksglaube

Die Gebirgsgemeinschaften lebten jahrhundertelang völlig abgeschlossen und verliessen sich nur auf sich selbst. Jedem Mitglied fiel eine genau festgelegte Aufgabe zu. Bestellten die einen die Felder, um die Mitbewohner mit den nötigen Nahrungsmitteln zu versorgen, so übernahmen die anderen die Herstellung von Gebrauchsgegenständen, die in den Familien verwendet wurden. Dieses von der Härte des Gebirgslebens geprägte Handwerk war stets sehr nüchtern. In einem Raum des Hauses hatten die Frauen Tretwebstühle aufgestellt und woben dicke, feste Stoffe, welche den Bauern gegen die Witterungsunbilden einen wirksamen Schutz bie-

partie habitée du logis. Ces maisons de rêve, dont certaines datent du 16ème siècle, sont de dimensions impressionnantes. Leurs parois extérieures sont couvertes d'ornementations, les sgraffiti, obtenus par un crépi de couleur grise de la façade que l'on recouvre d'une couche épaisse de chaux. L'artiste gratte ensuite cet enduit humide, tout en traçant des figures qui apparaissent en gris sur un fond clair. Ces décorations représentent des motifs géométriques, des fleurs et des branchages; elles couvrent une grande partie de la façade, encadrant encore les portes et les fenêtres.
Il s'agit d'un art rustique qui témoigne néanmoins d'un goût très sûr et qui confère une certaine élégance à ces confortables maisons.
L'habitat en pierres sèches du Tessin, avec ou sans crépi, est austère. Pourtant, il est agrémenté de galeries à arcades et d'escaliers d'accès extérieurs. Le rez-de-chaussée est occupé par le bétail. Le premier étage sert d'habitation et le deuxième de grange. Le toit, à faible pente, est recouvert de tuiles ou d'ardoises qui brillent au soleil.
La surface extrêmement réduite des champs de cultures pousse les habitants à utiliser le système de pergolas sur terrasses. Ces constructions délicates, qui jouxtent la maison d'habitation, sont faites de piliers en granite ou en gneiss et de traverses en bois de châtaignier. La vigne s'y accroche alors que, dessous, croissent le blé, le maïs et les légumes.

Les Traditions et les Croyances

Les communautés montagnardes ont vécu, pendant des siècles, en vase clos, ne comptant que sur leurs propres ressources. Chaque représentant du groupe avait une fonction bien déterminée. Si les uns cultivaient la terre afin de pourvoir les habitants des aliments nécessaires, les autres se consacraient à la confection d'objets utilitaires qui étaient employés

against the inclement weather. The cloths were decorated with delicate embroidery and other ornaments for women's wear. These varied from valley to valley so that the Alpine area as a whole had a wide range of style and ornament.
The tradesmen made peasant cupboards, shutters, chests, tables, and benches of indestructible solidity; they were decorated with painted or carved floral or geometrical patterns. All the other things for daily use, like spoons and dishes for the kitchen, bronze or brass oil lamps, mortars, and millstones were locally made. These functional but beautiful objects now belong to the past. Collectors and lovers of antiques have combed the Alps to buy up the best pieces. They had allies in the latest products of the glass, aluminium, and plastics industry, which spread into the remotest regions and quickly displaced the traditional forms.
The Alpine world has lost a lot of its original character, although certain elements have survived, like the extravagant celebrations that mark births, baptisms, and marriages. Corpus Christi processions are still attended by large numbers of pious followers. Cow-fights which end with the herd choosing its own "queen", still attract large numbers of spectators. Yodelling and other forms of folk music are still part of the mountain people's social life. Typical Swiss Alpine instruments are the well-known alphorn and a small portable organ. The strange masks of Lötschental, representing evil spirits, are much sought after by connoisseurs as faithful replicas of the masks that peasants used to wear on various festive occasions.
A flourishing trade in *kitsch* souvenirs has developed in recent years in the large tourist centres. But, for the discerning tourist, there is also a wide range of genuine hand-made products in textiles and wood available via the many shops specializing in arts and crafts. The traditional wood-carving skills of Brienz have

ten konnten. Für die Frauen wurden diese Kleidungsstücke indessen mit feinen Stickereien und Verzierungen geschmückt. Sie unterschieden sich von einem Tal zum anderen und machten den Reichtum in der Tracht der Alpenbevölkerungen aus.
Die Handwerker stellten bäuerliche Schränke, Laden, Truhen, Tische und Bänke von unverwüstlicher Gediegenheit her; sie wurden mit Blumen, Ranken oder geometrischen Figuren bemalt oder beschnitzt. Auch fertigten sie Löffel und Schüsseln für die Küche neben hübschen Öllampen aus Bronze oder Messing, Mörsern und Mühlsteinen.
Diese schönen Dinge gehören jetzt der Vergangenheit an. Sammler und Liebhaber von Antiquitäten haben die Alpen in allen Richtungen durchstreift, um die besten Stücke zu ergattern. Sie machten sich dabei zunutze, dass die neuesten Schöpfungen der Glas-, Aluminium- und Kunststoffindustrie in die Alpenwelt vordrangen, wo sie rasch die traditionelle Volkskunst verdrängten.
Die Gebirgskultur hat viel von ihrer Ursprünglichkeit eingebüsst. Gewiss leben in den Dörfern sehr aufwendig begangene Feierlichkeiten fort, wie zum Beispiel Geburten, Taufen und Hochzeiten. Mit Hingabe folgt eine grosse Zahl von Gläubigen den Fronleichnamsprozessionen. Kuhkämpfe, vor allem der Eringer Kühe, an deren Ende die Herde selbst ihre Königin bestimmt, ziehen immer noch viele Schaulustige an. Jodeln und Ländlermusik gehören zum geselligen Leben der Bergbewohner. Als typische Instrumente der Schweizer Alpen kennen wir das Handörgeli und das Alphorn.
Die wunderlichen Holzmasken aus dem Lötschental sind bei Kennern sehr begehrt, sind sie doch getreue Wiedergaben der Masken, die früher von den Bauern zu bestimmten Anlässen getragen wurden und die Mächte des Bösen darstellen sollten.
An den grossen Fremdenverkehrsplätzen hat sich leider in den vergangenen Jahren ein

dans les familles. Cet artisanat, marqué par la rudesse de l'existence en montagne, fut toujours d'une très grande sobriété. Sur leurs métiers à pédales, installées dans une pièce de la maison, les femmes tissaient des étoffes épaisses et résistantes, capables d'assurer aux paysans une protection efficace contre les intempéries. Mais ces vêtements, chez les femmes, étaient agrémentés de délicates broderies et de décorations. Ils variaient beaucoup d'une vallée à l'autre, faisant la richesse vestimentaire des populations alpestres.
Les artisans confectionnaient des armoires, des bahuts, des coffres, des tables et des bancs rustiques, d'une solidité à toute épreuve, décorés de peintures ou de gravures en forme de fleurs, de branchages ou de figures géométriques. Ils taillaient également des cuillères et des plats, employés à la cuisine, ainsi que de charmantes lampes à huile en bronze ou en laiton, des mortiers et des pierres de meule.
Ces beaux articles appartiennent désormais au passé. Les collectionneurs et les amateurs d'antiquité ont parcouru les Alpes en tous sens, à la recherche souvent désespérée du bel objet. Ils profitèrent de l'introduction, dans le monde alpestre, des dernières créations de l'industrie du verre, de l'aluminium et du plastique, qui remplacèrent très rapidement celles de l'art populaire traditionnel.
La culture montagnarde a beaucoup perdu de son originalité. Certes existe-t-il encore, dans les villages, des cérémonies qui sont célébrées avec éclat, qu'il s'agisse d'une naissance, d'un baptème ou d'un mariage. Les processions de la fête – Dieu sont suivies avec ferveur par une foule de croyants. Les combats de vaches, qui aboutissent à l'élection, par les animaux eux-mêmes, de la reine du troupeau, attirent toujours une multitude de curieux. Le «jodle» et la musique folklorique font partie de la vie communautaire des montagnards. Leurs instruments de musique préférés sont le cor des Alpes et le «Handoergeli» qui est un genre d'accordéon.

been supplemented for many years by expert training.
The mountains have produced countless sagas and superstitious tales featuring devils, will-o'-the-wisps, or ghosts. The deep, narrow clefts and gorges, huge piles of glacial rubble, glacial crevasses, caves, and gloomy forests are ideal haunts for mischievous spirits. Anyone travelling in foggy weather or during a storm, or crossing a pass or pastureland, frequently sees strange things. Even hardened mountain guides claim to have experienced things which can only be explained in supernatural terms.
Not so long ago, when the peasant women of Evolène (Val d'Hèrens) wanted to harm one of their neighbours, they hammered nails or pins into a roughly made wooden doll. Nature healers treated the sick with herbal remedies made of plants gathered in the mountains.
The people faithfully (though secretly) revered certain erratic boulders whose strange shapes stimulated the imagination. Some of these blocks were used for "brushing past". The ritual was attended by one or several persons. The aim was always the same: as they brushed past the stone, the girls prayed for a husband, the lads for a wife, and infertile women for a child. Other stones were revered because they were marked with what looked like footprints. Legend has it that they show that the Virgin Mary, or some local saint, has been there. Then there are stones with hollows connected by furrows; they are said to have been used to collect the blood of sacrifices. Many erratic blocks in the Alpine valleys are called "martyr stones". Rocks can be found on the Alpine pasturelands which are covered with strange cross-shaped or circular scratches, sometimes with hollows chiselled into the surface. These figures are said to be solar symbols of prehistoric origin, perhaps of the Bronze Age, traces of which have been found in the Alps. The cross sign is said to symbolize the human figure, and dates back to Neolithic times.

üppiger Souvenirkitsch breitgemacht. Man darf aber auch feststellen, dass viele echte und eigenständige Produkte angeboten werden, sowohl in Textilien wie in Holz, nicht zuletzt in den überall vorhandenen Heimatwerkläden. Die traditionelle Brienzer Schnitzkunst wird seit Jahren durch eine künstlerische Schulung hochgehalten.
Das Gebirge hat Sagen und Geschichten voll Aberglauben entstehen lassen, in denen Teufel, Irrlichter oder Gespenster auftauchen. Die engen und tiefen Schründe, eingeschnittene Schluchten, riesige Geröllhalden, Felsrisse, Gletscherspalten, Höhlen und finstere Wälder sind bevorzugte Zufluchtsorte von unheilbringenden, die Menschen bedrohenden Geistern. Wer nachts, im Nebel oder Gewitter von einem Ort zum anderen gehen, einen Pass oder eine Weide überqueren muss, begegnet häufig Erscheinungen. Selbst weitgereiste Bergführer behaupten, Zeugen nur durch Hexenkunst erklärlicher Visionen gewesen zu sein.
Wenn vor noch nicht allzu langer Zeit die Bäuerinnen aus Evolène im Eringertal (Val d'Hérens) eine ihrer Nachbarinnen ärgern wollten, schlugen sie Nägel oder Nadeln in eine unförmige Holzpuppe. Die Wunderdoktoren verarzteten ihre Kranken mit Heilpflanzen, die sie selbst auf den Bergen pflückten. Die Bewohner huldigten treu, wenn auch im geheimen, bestimmten erratischen Steinen ungewöhnlicher Formgebung, die in den Tälern lagen. Einige dieser Blöcke dienten zum „Streichen". Eine, zwei oder mehrere Personen des gleichen oder verschiedenen Geschlechts nahmen am Ritus teil. Die Absicht war immer dieselbe. Indem sie am Stein vorbeistrichen, erbaten sich die Mädchen einen Mann, die Burschen eine Frau, Paare ein Kind und unfruchtbare Frauen das Ende ihres Kummers. Andere Steine wurden tief verehrt, da sie Fusseindrücke trugen. Will man der Sage Glauben schenken, belegen sie die Anwesenheit der Jungfrau Maria oder

Les très curieux masques en bois du Loetschental sont recherchés des spécialistes, car ils demeurent les copies fidèles de ceux qui, portés autrefois par les paysans en certaines circonstances, symbolisaient les forces du mal.
Dans les localités très touristiques, le commerce d'articles-souvenirs de très mauvais goût s'est malheureusement développé au cours de ces dernières années. Cependant, il faut tout de même constater que de nombreuses productions artisanales en bois ou en tissu relevant des traditions ancestrales peuvent être trouvées dans les boutiques d'artisanat régional. Par exemple, les techniques traditionnelles de sculpture sur bois de la région de Brienz sont transmises depuis des années par une formation artistique de qualité.
La montagne a favorisé la naissance de légendes et de superstitions où il est question du Diable, de feux follets et de fantômes. Les gorges étroites et profondes, les combes encaissées, les énormes éboulis, les fissures de rochers, les crevasses des glaciers, les grottes et les sombres forêts, sont les refuges favoris d'esprits maléfiques qui menacent les habitants. Les apparitions sont fréquentes pour ceux qui, de nuit, dans le brouillard et sous l'orage, doivent se rendre d'un endroit à l'autre, franchir un col ou traverser un pâturage. Même des guides connus, qui ont beaucoup voyagé, prétendent avoir été les témoins de phénomènes inexplicables qui, pour eux, ressortent de la pure sorcellerie.
Il n'y a pas très longtemps que les paysannes d'Evolène, dans le val d'Hérens, qui voulaient porter préjudice à l'une de leurs voisines, enfonçaient des clous ou des aiguilles dans une grossière poupée en bois. Les guérisseurs soignaient leurs malades au moyen de plantes médicinales qu'ils allaient cueillir eux-mêmes dans les alpages.
Les habitants rendaient un culte discret mais non moins fidèle à certains blocs erratiques, de forme insolite, qui gisaient au fond des

The artist and the mountains

Mountains have always both attracted and frightened man. The mountain cult is age-old. It is still common in many parts of the world today.
For our ancestors of long ago, the mountains were always the seat of the gods. For this reason, the Sumerians built impressive, multistoreyed towers, which had to be climbed like mountan peaks. Right at the top was a temple in which secret rites were performed. Mons Azens in Chaldaea was worshipped as a holy mountain, and the highest peak in the country was looked upon as the embodiment of the god Enlil. The Greeks also revered the mountains as the realm of the gods. The choice of the mighty Acropolis as the site of the Parthmon was certainly not arbitrary.
The Romans considered that the mountains were inhabited by mischievous and dangerous spirits, and were therefore less inclined to look upon them as holy. In order to ward off possible harm they built little temples in the Alpine passes. The Gauls suffered from the same fear. Their god, Penn – the same as the Greek Zeus and the Roman Jupiter – dwellt on a mountain peak.
With the emergence of Chistianity, these ideas changed, and the mountains came to be looked upon as a link between heaven and earth. Moses ascended the Mount of God to receive the Ten Commandments. Noah's Ark ran aground at Mount Ararat with its valuable human and animal freight after forty days adrift. Nowadays, numerous peaks are crowned with crosses, or statues of the Virgin Mary or saints.
The Middle Ages was the period of castles; for defensive reasons, they were built in high, commanding positions. It was also the age of monasteries, convents, and hostels, frequently built near the mountain passes used by so many travellers. Rome had in the meantime become the Holy City, and the many pilgrims

irgendeines Heiligen in der Gegend. Wieder andere Felsen weisen kleine Aushöhlungen, Näpfchen auf, die durch Rinnen untereinander verbunden sind; in ihnen soll das Blut aus Sühneopfern aufgefangen worden sein. Zahlreiche erratische Blöcke sind in den Alpentälern unter dem Namen „Märtyrersteine" bekannt. Auf den Weiden findet man auch Felsbrocken, die von seltsamen kreuz- und kreisförmigen Einritzungen überzogen sind, zum Teil mit Aushöhlungen. Diese Figuren seien Sonnensymbole aus grauer Vorzeit, vielleicht sogar aus der Bronzezeit, deren Spuren man im alpinen Raum festgestellt hat. Das Kreuzzeichen versinnbildliche die menschliche Gestalt und gehe bis ins Neolithikum zurück.

Die Künstler im Angesicht der Berge

Das Gebirge lockte und schreckte seit jeher die Menschen. Bis in graue Vorzeit geht der Bergkult zurück. Heutzutage noch pflegen ihn zahlreiche Völker unserer fünf Kontinente. Für unsere fernen Vorfahren aus der Urzeit waren die Berge der Lieblingsort ihrer Gottheiten. Aus dieser Überzeugung bauten die Sumerer eindrucksvolle mehrstöckige Türme, die man gleich einer Bergspitze besteigen musste. Ganz oben stand ein kleiner Tempel, in dem sich undurchsichtige, geheime Riten abspielten. In Chaldäa war der Mons Azens ein heiliger Berg, und Gott Enlil verkörperte den höchsten Gipfel des Landes. Auch bei den Griechen wurde das Gebirge verehrt, war es doch Zufluchtsstätte der Götter. Zweifellos erhebt sich der Parthenon nicht rein zufällig auf der Akropolis von Athen, einem mächtigen Hügel.
Die Römer glaubten das Gebirge von unheilbringenden und gefährlichen Geistern bevölkert und wurden weniger als die Griechen in seinen Bann gezogen. Um etwaiges Unheil abzuwenden, bauten sie kleine Tempel auf die

vallées. Quelques-unes de ces pierres servaient à la glissade. Une, deux ou plusieurs personnes de même sexe ou de sexe différent participaient au rite. Mais le but demeurait invariable. A la pierre, en se glissant, les jeunes filles demandaient un mari, les jeunes gens une épouse, les couples un enfant et les femmes stériles la fin de leurs tourments. D'autres pierres, qui portaient des empreintes en forme de pieds, étaient profondément vénérées. A en croire la légende, elles marquaient le passage, dans la région, de la Vierge ou de quelque saint. D'autres pierres encore, couvertes de petits creux, les cupules, reliés entre eux par des rigoles, auraient servi à recueillir le sang de victimes offertes en holocauste. Nombreux sont les blocs erratiques des vallées alpestres connus dans le pays sous le nom de «Pierre des Martyrs». On trouve aussi, dans les pâturages, des blocs couverts de très curieuses gravures en forme de croix et de cercles, associées ou non à des cupules. Ces figures seraient des symboles solaires datant de la plus haute antiquité, peut-être même de l'âge du Bronze dont on a relevé les traces dans le domaine alpin. Le signe cruciforme serait la stylisation de la silhouette humaine et remonterait à l'époque néolithique.

Les artistes face à la montagne

De tout temps, la montagne a séduit ou effrayé les hommes. Le culte des hauteurs remonte à la plus haute antiquité. Il est partagé, de nos jours encore, par les représentants de nombreuses ethnies des cinq continents. Pour nos lointains ancêtres des débuts de l'histoire, la montagne était le séjour favori des divinités. C'est dans cet ordre d'idées que les Sumériens construisirent des tours impressionnantes, de plusieurs étages, qu'il fallait gravir à la manière d'une cime. Au sommet se dressait une chapelle dans laquelle se dérou-

coming from the north had to cross the Alps. Then, in 1291, when the first step was taken towards the formation of the Swiss Confederation, the mountain region entered the stage of history.
The poets of the Middle Ages and their successors in the Renaissance period sang the praises of the Alpine world in rather muted tones. Dante was an exception, for in his "Divine Comedy" the mountains are often mentioned. The same applied to François Rabelais and Michael Montaigne in the diary in his travels: they prepared the way for the mountain motif in French literature.
The Italian primitive painters frequently displayed their religious figures in mountainous landscapes. But the scenery was painted with a lot of naive imagination and artistic freedom, so that the landscapes cannot be identified.
It was not until the 15th century, or even later, that recognizable landscapes began to appear in the artistic productions of a Titian or his pupils.
Leonardo da Vinci openly displayed his admiration of the mountains. Distant, snow-capped mountains can be made out in the background behind "Mona Lisa". Albrecht Dürer was also a mountain enthusiast. He was a genuine forerunner of mountain painting, which he handled with incomparable mastery. From his time on, European artists no longer considered the Alps as a threatening, dangerous world. On the contrary, they now tried to discover and reveal their veiled magic and their overwhelming beauty. This aim is reflected in the works of all the founders of the great schools of the 17th and 18th centuries. We only need to think of Nicolas Poussin, Antoine Watteau, and J. R. Cozens, an English watercolourist who painted some marvellous Alpine landscapes.
The situation in literature is different. For some incomprehensible reason the Alps were no longer considered idyllic, but, as in earlier times, were treated as desolate, inhuman, and

Alpenpässe. Die Gallier empfanden dieselbe Angst. Ihr Gott Penn - niemand anderes als Zeus bei den Griechen und Jupiter bei den Römern - bewohnte einen Berggipfel.
Mit dem aufkommenden Christentum änderten sich diese Vorstellungen, und das Gebirge wurde jetzt zum Bindeglied zwischen Himmel und Erde. Erhielt Moses nicht auf einem Berg von Gott die Gesetzestafeln? Lief die Arche Noah nicht am Berge Ararat nach vierzigtägiger Seefahrt auf Land mit ihrer wertvollen Fracht an Menschen und Tieren? Heute stehen auf zahlreichen Gipfeln Kreuze, Marien- oder Heiligenstatuen.
Das Mittelalter ist die Epoche der Burgen; aus Sicherheitsgründen wurden sie auf beherrschende und hochgelegene Orte gebaut, die man leicht verteidigen konnte. Es ist auch die Epoche der Klöster und Hospize, die sich an den von vielen Reisenden benutzten Gebirgspässen erhoben. Rom war in der Zwischenzeit zur Heiligen Stadt geworden. Die zahlreichen aus dem Norden kommenden Pilger müssen die Alpenkette übersteigen. Und im Jahre 1291 hält das Gebirge mit dem Zusammenschluss der drei Bergkantone - dem ersten Schritt zur Entstehung der Schweizer Eidgenossenschaft - seinen Einzug in die grossen Epen europäischer Geschichte.
Die Dichter des Mittelalters und ihre Nachfolger in der Renaissance besingen die Alpenwelt nur in sehr verhaltenem Ton. Dante stellt hier eine Ausnahme dar, denn in seiner „Göttlichen Komödie" ist häufig von den Bergen die Rede. Ähnlich bei François Rabelais und bei Michel Montaigne in seinem Reisetagebuch. Beide öffnen die französische Literatur dem Bergmotiv.
Die Primitiven der italienischen Malerei stellen ihre religiösen Gestalten in Gebirgsgegenden. Doch geschieht das mit viel naiver Phantasie, so dass diese Landschaften nicht genau auszumachen sind. Es dauert bis zum 15. Jahrhundert oder noch etwas länger, bis man im künstlerischen Werk eines Tizian und

laient des rites complexes et secrets. En Chaldée, le Mons Azens, l'Agie, était une montagne sacrée et le dieu Enlil symbolisait le plus haut sommet du pays. Chez les Grecs, la montagne était également vénérée pour être le refuge des dieux. Et ce n'est sans doute pas par hasard que le Parthénon se dresse sur l'Acropole, qui est une vaste colline.
Les Romains furent moins attirés que les Grecs par la montagne qu'ils croyaient peuplée d'esprits maléfiques et dangereux. Afin de conjurer le mauvais sort, ils édifièrent, sur le passage des cols alpestres, de petits temples. Les Gaulois éprouvaient la même angoisse. Leur dieu Penn - qui n'est rien d'autre que le Zeus des Grecs et le Jupiter des Romains - avait élu domicile sur la cime d'une montagne.
Avec l'avènement du christianisme, ces sentiments changèrent radicalement et la montagne devint désormais le trait d'union entre le ciel et la terre. N'est-ce pas au sommet de l'une d'elles que Moïse reçut, de l'Eternel, les tables de la loi? N'est-ce pas sur le mont Ararat que l'arche de Noé se posa, après quarante jours de navigation, avec sa précieuse charge d'hommes et d'animaux? De nos jours, d'innombrables cimes sont surmontées d'une croix, d'une statue de la Vierge ou d'un saint.
Le Moyen Age est le temps des châteaux que l'on a construit, pour des raisons de sécurité, dans des lieux dominants et montagneux, faciles à défendre et à protéger. C'est aussi le temps des monastères et des hospices qui se trouvent au voisinage des cols empruntés par une multitude de voyageurs. D'ailleurs, Rome est devenue une ville sainte, à l'échelle d'un continent. Les pélerins s'y rendent en nombre, venus des contrées du nord, devant traverser la chaîne des Alpes. La réunion, en 1291, de trois cantons montagnards, première étape de la formation de la Confédération suisse, fait entrer la montagne dans l'histoire des grandes épopées européennes.
Les écrivains du Moyen Age et leurs succes-

even terrifying. Although Marc Lescarton, a French traveller, simply describes the eternal snows of Switzerland, Jacques Begine Bossuet, in his funeral oration on Louis de Bourbon, refers to the Alps as "terrible mountains". The Marquise de Sévigné considered mountains to be "astounding", but as he does not elucidate any further it is impossible to judge whether this adjective is meant to be disparaging or not. François de Sales, Bishop of Geneva, was certainly familiar with the area around Chamonix and Mont Blanc, and yet dubs the Alps "cursed mountains".
But some years later a great number of literary works appeared which praise the mountains in terms that herald the Romantic Age. The writers of this period exhibited such genius that they are easily forgiven for sometimes sacrificing the truth in favour of rapturous lyricism. Why did such a change take place? Were these writers motivated by an urge towards idealism, a longing for purity, as an escape from the over-worldly yet artificial attitude typical of their period? The 18th century belonged to Nature and to Woman. The two were frequently juxtaposed and treated as equals. The Zurich scientist Johann Jakob Scheuchzer extolled the glories of the Alps. With his extensive medical, botanical, physical, and hydrographic studies he prepared the way for the writer-scholars whose unquestionably greatest representative was Horace-Bénédictine de Saussure. Albrecht von Haller, a Bernese, was another universal scholar who distinguished himself equally in medicine and botany. He was the author of the remarkable "Helvetic Flora", and in 1732 published a comprehensive didactic poem called "Die Alpen", in which he describes the easy-going, idyllic pastoral life. This sensitive work, which betrays the influence of Virgil and Theocritus, is a precursor of the back-to-nature movement, whose most outstanding protagonist was Jean-Jacques Rousseau. Born in Geneva, the author of "Les Confessions"

seiner Schüler eine vertraute Landschaft erkennen kann.
Leonardo da Vinci zeigt offen seine Bewunderung für das Gebirge. Hinter der Mona Lisa erkennt man ferne schneebedeckte Hügel. Auch Albrecht Dürer schwärmt von der Alpenwelt. Er ist dabei ein echter Kämpfer, denn mit unvergleichlicher Meisterschaft handelt er das Bergthema ab. Von nun an betrachten die europäischen Künstler die Alpen nicht mehr als eine drohende, feindliche Welt. Sie versuchen im Gegenteil, ihren verborgenen Zauber und ihre überwältigende Schönheit zu entdecken. Diese Absicht spiegelt sich im Schaffen aller Begründer der grossen Schulen des 17. und 18. Jahrhunderts wider. Denken wir dabei nur an Nicolas Poussin, Antoine Watteau und J. R. Cozens, einen englischen Maler, dem wir wunderbare Alpenbilder verdanken.
Bei den Dichtern hingegen verhält es sich anders. Aus unerfindlichen Gründen sind die Alpen plötzlich nicht mehr freundlich und werden wieder, wie in der Vergangenheit, zu einer trostlosen, unmenschlichen, ja sogar furchterregenden Welt. Wenn auch Marc Lescarton, ein französischer Reisender, den ewigen Schnee der Schweiz beschreibt, so schildert Jacques Begnine Bossuet in seiner Trauerrede für Louis de Bourbon die „entsetzlichen Berge“ nach dem Vorbild der Hügel aus dem Rheintal. Die Marquise de Sévigné findet die Berge „erstaunlich“, doch nicht mehr; so vermögen wir auch nicht zu entscheiden, ob diesem Adjektiv eine positive oder negative Bedeutung beigemessen werden soll. François de Sales, Bischof von Genf, kennt zwar sehr wohl die Gegend um Chamonix und den Montblanc, charakterisiert die Alpen indessen mit dem Ausdruck „fluchbeladene Berge“.
Doch einige Jahre später erleben wir, wie eine Vielzahl literarischer Werke erscheinen, die im Gegensatz zu den eben genannten das Gebirge in einer Sprache verherrlichen,

seurs de la Renaissance ne font que des allusions très discrètes au milieu alpestre. Dante est une exception à la règle car, dans sa «Divine comédie», il parle abondamment des montagnes. Il en va de même de François Rabelais dans son «Pantagruel» et de Michel Montaigne dans ses relations de «Voyages». Tous deux introduisent l'élément montagnard dans la littérature française.
Pour leur part, les peintres primitifs italiens accompagnent leurs personnages religieux d'un décor de hautes collines. Mais ils le font avec beaucoup de fantaisie et de naïveté, de sorte qu'il n'est pas possible de rattacher ces paysages à des lieux précis. Il faudra attendre jusqu'au 15ème siècle – et même un peu plus tard – pour être en mesure de reconnaître, dans la production artistique du Titien et de ses disciples, un paysage familier.
Leonardo da Vinci ne cache pas son admiration pour la montagne. Derrière «La Joconde» on distingue, dans le lointain, des collines couvertes de neige. Albrecht Dürer, lui aussi, est émerveillé par le monde alpestre. Il fait même figure de précurseur, car la montagne est un thème qu'il traite avec une incomparable maîtrise. Dès lors, les artistes européens cessent de regarder les Alpes comme un monde hostile et menaçant. Ils cherchent, bien au contraire, à en découvrir le charme secret et la beauté grandiose. Cette démarche marque toute la production des fondateurs des grandes écoles des 17ème et 18ème siècles. Qu'il suffise d'évoquer, à ce sujet, un Nicolas Poussin, un Antoine Watteau et un J. R. Cozens, peintre anglais à qui nous devons d'admirables paysages alpestres.
En revanche, chez les écrivains, la situation est toute différente. Pour des raisons difficiles à comprendre, les montagnes cessent tout à coup d'être aimables et redeviennent ce qu'elles étaient dans le passé, à savoir un monde triste, inhumain et même redoutable. Si Marc Lescarbon, voyageur français, évoque les neiges éternelles de la Suisse, Jacques

and “Emile” did not only found the myth of the noble, happy savage: he was a truly great friend of nature. His profound convictions on the virtues of the Alps, which soon all his contemporaries were to share, made the Alps fashionable, thus refuting Georges Louis Buffon, to whom the mountains were simply “imperfections of nature”. Jean-Jacques Rousseau was a direct follower of great nature writers like Gessner, Scheuchzer, and Haller. The Alps formed the background for his novel “La nouvelle Héloise”, and their praises are sung in many passages.
The English have also produced writers and poets who admired nature. Thomas Gray, for example, was quite overwhelmed during a crossing of the Alps. He was convinced that every rockface, every gorge, every waterfall, and every mountain stream had a religious aura.
Goethe knew Switzerland and the Swiss quite well. He travelled to Switzerland three times, in 1775, 1779, and 1997. On his first journey, at the age of twenty-six, he was so fascinated by the mountains that when he returned on his second visit he went sight-seeing to the Rhône Valley, crossed the Furka Pass and the Gothard, descended into the Reuss Valley, and crossed Lake Lucerne. On his third visit he stayed at Clarens on the shore of Lake Geneva not far from the famous Castle of Chillon and facing the Grammont and the Dents du Midi. The incomparable majesty of this landscape, famous throughout the world, affected him so strongly that he “shed hot tears”. When he crossed the Gothard in 1775 he had tried to sketch the panorama streched out before him. But he gave up the attempt when he saw that the result fell far short of his expectations. Goethe humbly admitted: “I feel helpless before such a picture.”
Schiller was no less an admirer of the mountains, although, unlike Goethe, his contemporary, he did not have the opportunity to travel and never saw the Alps. Nevertheless,

welche bereits die Romantik ankündigt. Die Vertreter dieser Literatur sind Dichter von Genie, denen man gerne verzeiht, daß sie die Wahrheit einer überschwenglichen Lyrik geopfert haben, denn man ist ganz einfach von der Kunst ihrer Werke hingerissen. Worin liegt dieser Umschwung nun begründet? Kann man bei diesen Dichtern einen Drang zum Idealen, ein Verlangen nach Reinheit vermuten, für sie der einzige Ausweg aus einem weltbezogenen, doch gekünstelten Leben, das für ihre Zeit so typisch war? Das 18. Jahrhundert gehört der Natur und der Frau. Beide werden häufig in Verbindung gebracht und gleichrangig behandelt. Schon der Zürcher Johann Jakob Scheuchzer hatte die Alpen verherrlicht. Mit seinem ausgedehnten medizinischen, botanischen, physikalischen und hydrografischen Wissen hatte er den Dichter-Gelehrten den Weg bereitet; ihr fraglos grösster Vertreter war Horace-Bénédicte de Saussure. Albrecht von Haller stammt aus Bern und ist ebenfalls ein Universalgelehrter, der sich gleichermassen in der Medizin wie in der Botanik hervortut. Er ist Autor einer bemerkenswerten „Helvetischen Flora“. Im Jahre 1732 veröffentlicht der Dichter ein umfassendes Lehrgedicht „Die Alpen“; darin beschreibt er das gemächliche und idyllische bäuerliche Leben. Dieses von Vergil und Theokrit beeinflusste Werk kündet in seiner feinfühligen Zartheit bereits jene Sänger der Natur an, deren unbestrittener Meister Jean-Jacques Rousseau ist. Der Genfer, Autor der „Bekenntnisse“ und des „Emil“, hat nicht nur den Mythos vom guten Wilden begründet; er ist zudem ein großer Naturfreund. Mit einer tiefen Überzeugung, die bald alle Zeitgenossen teilen sollten, bringt er die Alpen in Mode und widerlegt damit nachdrücklich Georges Louis Buffon, für den die Berge nur „Unvollkommenheiten der Natur“ sind. Jean-Jacques Rousseau ist ein direkter Nachfahre großer Naturdichter wie Gessner, Scheuchzer und Haller. Die Alpen bieten den

Begnine Bossuet, dans son «Oraison funèbre à Louis de Bourbon» décrit les «affreuses montagnes» en se servant, comme modèle, des collines de la vallée du Rhin. La marquise de Sévigné trouve les montagnes «étonnantes» mais sans en dire davantage; d'où l'impossibilité, pour nous, de décider si cet adjectif doit être pris dans un sens positif ou, au contraire, péjoratif. François de Sales, évêque de Genève, qui connaît bien la région de Chamonix et le Mont-Blanc, emploie l'expression de «montagnes maudites» pour décrire les Alpes. Cependant, quelques années plus tard, on assiste à la publication d'une multitude d'œuvres littéraires qui, contrairement aux précédentes, font l'apologie de la montagne en des termes qui annoncent déjà le romantisme. Il est vrai que cette littérature est défendue par des écrivains de génie auxquels on pardonne volontiers d'avoir souvent sacrifié la vérité au bénéfice d'un lyrisme débordant, car on ne peut pas ne pas être séduit par la très haute qualité de leurs œuvres. A quelle cause faut-il attribuer cette réaction? Peut-on admettre, chez ces écrivains, une soif d'idéal et un besoin de pureté, seule issue possible à la vie mondaine et artificielle qui marque leur époque?
Le 18ème siècle est celui de la nature et de la femme. L'une et l'autre sont souvent associées et traitées sur le même plan. Déjà le Zürichois Jean-Jacob Scheuchzer avait célébré les Alpes. Par ses connaissances étendues en médecine, en botanique, en physique et en hydrographie, il avait préparé la voie à d'autres savants-poètes qui trouveront leur véritable maître en la personne de Horace-Bénédicte de Saussure. Albert de Haller, originaire du canton de Berne, est lui aussi un savant complet, qui excelle autant en médecine qu'en botanique. Il est l'auteur d'une remarquable «Flore helvétique». En tant qu'écrivain, il publie, en 1732, une fresque poétique «Die Alpen» où il décrit la vie tranquille et idyllique des paysans. Cette œuvre délicate et sensible, influen-

for the writer of "Die Räuber" and "Don Carlos", the mountains were a symbol of freedom. It is not surprising that he made Wilhelm Tell the subject of a play, written in 1804, in which he recounts the story of the Swiss hero who symbolizes the defence of human rights and national independence. The Swiss owe the idealized portrait of their national hero to a German - and then, somewhat later, to an Italian, Gioacchino Rossini, who made him into the leading character of his wonderful opera based on Schiller's play. The artist is the most reliable witness of his age. The 19th century saw the beginnings of tourism through a pair of romantic, rose-tinted spectacles. Everyone was overcome by the desire to travel, to investigate, to go in search of adventure. Queen Hortense of Holland visited Savoy in 1810. Empress Josephine was carried up into the Montenvers in a sedan chair, accompanied by seventy guides. Marie-Luise, Napoleon's second wife, visited Chamonix in 1814. Observatories were built on the peaks, especially on the Pic du Midi and Mont Blanc. Tunnels, dug through the Southern Alps facilitated north-south communications. Travellers who took the highest pass roads found comfortable lodgings in the hostels. In this way the Great St. Bernard attracted many people who never failed to cast a frightened look at the morgue, and stroke the great dogs who had rescued the lives of countless mountaineers.
Alpine romanticism had its effect on literary works of the period, although the writers were not always of one opinion about the mountains. Victor Hugo's "La Légende des siècles" was a paean of praise to Switzerland. In a piece devoted entirely to the highest summit of the Bernese Oberland, Alfred du Musset gave full reign to his admiration of the Jungfrau. Jules Michelet followed his lead, and wrote in a book called "The Mountains": "The Lakes are Switzerland's eyes, and the sky lends them their azure colour". Alphonse de Lamar-

Hintergrund für seinen 1761 veröffentlichten Roman „La nouvelle Héloïse“ und werden dort an vielen Stellen besungen.
Auch bei den Engländern findet man Schriftsteller und Dichter, denen es die Natur angetan hat. Th. Gray ist anlässlich einer Alpenüberquerung völlig aufgewühlt. Für ihn gibt es keine Felswand, keine Klamm, keinen Wasserfall, auch keinen Gebirgsbach, aus dem nicht ein religiöses Gefühl spricht.
Auch Johann Wolfgang von Goethe kennt die Schweiz und ihre Einwohner recht gut. In den Jahren 1775, 1779 und schliesslich 1797 unternimmt er drei Reisen in dieses Land. Während der ersten, die er im Alter von sechsundzwanzig Jahren in Angriff nimmt, ist er vom Gebirge gebannt. Daher besucht er auf der zweiten das Rhonetal, überquert die Furka, anschließend den Gotthard, steigt ins Tal der Reuss hinab und fährt über den Vierwaldstättersee. Anlässlich der dritten Reise macht er in Clarens an den Ufern des Genfersees halt, unweit des berühmten Schlosses von Chillon und im Angesicht des Grammont und der Dents du Midi. Diese in aller Welt bekannte Landschaft bringt ihn in ihrer unvergleichlichen Grösse dazu, „heisse Zähren zu vergiessen“. Als er 1775 über den Gotthard zog, hatte er versucht, das vor ihm liegende Panorama zu zeichnen. Doch musste er dieses Unterfangen abbrechen, denn das Ergebnis entsprach nicht im geringsten seinen Erwartungen. Demütig gestand Goethe: „Ich fühle mich ohnmächtig vor einem solchen Bild.“
Friedrich von Schiller steht keineswegs zurück. Zwar hat er nicht das Glück wie sein Zeitgenosse Goethe zu reisen und die Alpenwelt persönlich zu erleben. Doch bleibt das Gebirge für den Verfasser der „Räuber“ und des „Don Carlos“ Sinnbild der Freiheit. Es nimmt nicht wunder, dass er 1804 den „Wilhelm Tell“ schreibt, sich also mit der Gestalt befasst, die als überzeugter Verteidiger der Menschenrechte sowie der nationalen Unabhängigkeit gilt. Die Schweizer verdanken

cée par Virgile et Théocrite, annonce les chantres de la nature dont le maître est, sans conteste, Jean-Jacques Rousseau. L'auteur genevois des «Confessions» et de «l'Emile» n'est pas seulement le créateur du mythe du bon sauvage; il est aussi un amant de la nature. Avec une conviction profonde, qui sera bientôt partagée par tous ses contemporains, il met les Alpes au goût du jour, opposant un sérieux démenti à Georges Louis Buffon pour qui les montagnes sont des «imperfections de la nature». Jean-Jacques Rousseau est l'héritier direct de la grande lignée des poètes naturalistes parmi lesquels figurent Gessner, Scheuchzer et de Haller. Les Alpes, souvent évoquées, servent de toile de fond à son roman «La nouvelle Héloïse», publiée en 1761.
Les Anglais ont des écrivains et des poètes qui, à leur tour, sont séduits par la nature. Th. Gray, qui a traversé les Alpes, est bouleversé. Pour lui, il n'y a pas une paroi rocheuse, pas un abîme, pas une cascade, pas un torrent qui ne soit pas pénétré de religion.
Johann Wolfgang von Goethe connaît bien la Suisse et ses habitants. Il fait, dans ce pays, trois voyages, successivement en 1775, en 1779 et, le dernier, en 1797. Au cours du premier, qu'il entreprend à l'âge de 26 ans, il se sent fasciné par la montagne. C'est la raison pour laquelle, durant le deuxième, il visite la vallée du Rhône, franchit la Furka puis le Gothard, pour redescendre la vallée de la Reuss et traverser le lac des Quatre-Cantons. Dans le troisième voyage, il s'arrête sur les bords du lac Léman, à Clarens, non loin du fameux château de Chillon, face au Grammont et aux Dents-du-Midi, paysage mondialement connu, d'une incomparable grandeur, qui lui fera «verser des larmes bruyantes». En 1775, de passage au Gothard, il avait essayé de dessiner le panorama qui s'offrait à ses yeux. Mais il dut renoncer à cette entreprise, car le résultat fut loin de répondre à ce qu'il en attendait. Et Goethe d'avouer humblement: «Je me sens impuissant devant un tel tableau!»

tine retained indelible memories of his visit to Savoy and the shores of Lake Geneva. François-René de Chateaubriand, on the other hand, was anything but enthusiastic about his four journeys to Switzerland. He dubbed the mountains “clumsy masses”. He needed space and infinity, preferring the sea to the Alps, which in his eyes were an unsurmountable obstacle. Alphonse Daudet took a different view. Without either praising or denigrating the Alps, he wrote some merciless lines which rubbed many Swiss up the wrong way. His adventure story 'Tartarin sur les Alpes', published in 1881, is charming and witty. It is basically an Alpine comedy which is humorous rather than cutting. When Daudet wrote that Switzerland was disfigured and falsified he was issuing a warning to all those who at that time were beginning to tamper with the hitherto intact environment. His warning was unfortunately ignored. Humour is the main element in the works of Rodolphe Toepffer. Many generations have enjoyed reading his richly illustrated 'Voyages en zig-zag', published in 1843.
Englishmen were among the first Alpine enthusiasts and pioneers, and some of them distinguished themselves as mountaineers. John Ruskin loved Switzerland, especially the area round Lake Geneva, the Rhône Valley, and the Matterhorn, “Europe's most noble peak”, although he spoke very critically of the Alps. Byron was a Romantic who left England in 1816 to settle in Switzerland. In the same year he wrote “Manfred” here, and later some of his best poetry.
French writers also soon joined in the chorus of praise. In a few concentrated lines, Charles Baudelaire conjures up the spirit of the mountains:

> “Listening to an inward voice, the mountains,
> in dignified repose,
> can hear sublime secrets
> that man will never grasp.“

Verlaine expresses himself more graphically:

das idealistische Bild ihres Nationalhelden einem Deutschen; und wenig später einem Italiener, Gioacchino Rossini, der ihn zur Hauptperson eines wunderbaren Musikdramas machte.
Der Künstler ist der zuverlässigste Zeuge seiner Zeit. Das 19. Jahrhundert erlebt den aufkommenden Tourismus in romantischer Verbrämung. Ein jeder, vom Einfachsten bis zum Reichsten, wird von der Lust ergriffen, selbst zu forschen, zu reisen und Abenteuer zu erleben. Königin Hortense stattet 1810 Savoyen einen Besuch ab. Kaiserin Josephine lässt sich von siebzig Führern geleitet in der Sänfte den Montenvers hinauftragen. Marie-Luise weilt 1814 in Chamonix. Auf den Gipfeln, insbesondere auf dem Pic du Midi und dem Montblanc, baut man Observatorien. Durch die Südalpenkette gegrabene Tunnels ermöglichen eine schnelle Nord-Süd-Verbindung. Den Reisenden, die die höchsten Pässe überwinden, bieten Hospize grosszügig Unterkunft und Verpflegung. Der Grosse Sankt Bernhard lockt auf diese Weise Menschen an, die auf der Durchreise auch einen raschen angsterfüllten Blick auf das Leichenhaus werfen, um dann die mächtigen Hunde zu streicheln, denen zahlreiche Bergwanderer ihr Leben verdanken.
Die Alpenromatik schlägt sich in den literarischen Werken jener Zeit nieder. Doch nicht alle Dichter teilen dieselbe Meinung über das Gebirge. In seiner „Sage von den Jahrhunderten" singt Victor Hugo ein Loblied auf die Schweiz. In einem Stück, das er ausschliesslich dem schönsten Gipfel des Berner Oberlandes widmet, lässt Alfred de Musset seiner überschwenglichen Bewunderung für die Jungfrau freien Lauf. Jules Michelet tut es ihm nach und schreibt in einem Buch mit dem Titel „Das Gebirge": „Die Seen sind die Augen der Schweiz, und der Himmel verleiht ihnen das azurne Blau." Alphonse de Lamartine behält von seinem Aufenthalt in Savoyen und an den Ufern des Genfersees ein un-

Friedrich von Schiller ne reste pas en arrière. Il n'a pas le privilège, comme son contemporain Goethe, de voyager et de prendre personnellement contact avec le monde alpestre. Mais, pour l'auteur des «Brigands» et de «Don Carlos», la montagne reste le symbole de la liberté. On ne s'étonnera donc pas de le voir écrire, en 1804, un «Guillaume Tell», qui est le défenseur convaincu des droits de l'homme et de l'indépendance d'un peuple.
Les Suisses doivent à un Allemand d'avoir fait le portrait idéal de leur héros national, comme ils devront, un peu plus tard, à un Italien, Gioacchino Rossini, d'en faire le personnage central d'un drame musical admirable.
L'artiste est le témoin le plus fidèle de son époque. Au 19ème siècle, on assiste à la naissance du tourisme, placé alors sous le signe du romantisme. L'envie d'étudier, le goût du voyage et de l'aventure s'empare de chacun, du plus humble au plus fortuné. La reine Hortense visite la Savoie en 1810. L'impératrice Joséphine, en chaise à porteurs, accompagnée de soixante-dix guides, gravit le Montenvers. Marie-Louise est à Chamonix en 1814. Des observatoires sont construits sur les sommets, notamment au Pic du Midi et au Mont-Blanc. Des tunnels, percés sous la chaîne méridionale des Alpes, permettent des communications rapides entre le nord et le sud du continent. Des hospices offrent généreusement le logement et la nourriture aux voyageurs qui franchissent les cols plus élevés. Celui du Grand Saint-Bernard attire les gens qui ne manquent pas, en passant, de jeter un coup d'œil à la fois appeuré et fasciné à la morgue et de caresser les énormes chiens auxquels de nombreux voyageurs doivent la vie.
Le romantisme alpestre marque les œuvres littéraires de ce temps. Mais tous les écrivains n'ont pas la même opinion sur les montagnes. Victor Hugo fait l'éloge de la Suisse dans sa «Légende des siècles». Alfred de Musset laisse libre cours à sa verve admirative pour la

"Hard-hearted humans!
Miserable, loathsome life on earth!
O, if only, after death,
far from the kisses and strife,
I could spend a little time in the mountains!"

At the end of this incomplete list of writers who loved or hated the mountains, is a lonely genius, a man from Vaud: Charles-Ferdinand Ramuz. He was born and died on the shores of Lake Geneva. Despite a formative twelve-year stay in Paris, he remained faithful to his homeland. His love of the mountains, a love that goes deeper than Romantic admiration, grows out of an immutable, inner integrity: for him, the proud and mighty silhouette of the Grammont was "the Swiss Olympus".
With Charles-Ferdinand Ramuz, we return to the origins of our culture, to the time when the gods still occasionally descended to human level, and chose the mountains as their refuge.
Can the Alps inspire painters? This is a controversial question, but the truth is that the painters of the 18th and 19th centuries and the modern masters scarcely ever chose the mountains as their theme. Despite certain qualities, the paintings by François Diday and Auguste Baud-Bovy from Geneva, and Alexandre Calama from Vaud, seem rather uninspired.
Another painter of Alpine landscapes was Giovanni Segantini; Austrian by birth, he died in tragic circumstances in Switzerland in 1894. He used a technique not unlike Impressionism to gain his effects. Many of his paintings were created under difficult circumstances, as the artist often spent days on a mountain peak in all kinds of weather – a habit that was to have serious effects on his health.
Ferdinand Hodler, who died in 1918, has been called the Emile Zola of painting. This Bernese artist succeeds in disconcerting the spectator. He created a powerful style of his own, often using unusual, somewhat exaggerated, but very stimulating colours. Some of his paintings, vast frescoes, are hymns of praise to Swiss history and the immensity of

auslöschliches Andenken. François-René de Chateaubriand hingegen bringt von seinen vier Reisen durch die Schweiz ausgesprochen negative Eindrücke mit nach Hause. Er vergleicht die ungeliebten Berge mit „schwerfälligen Massen". Er braucht Raum und die Unendlichkeit. Er zieht das Meer vor, während die Alpen einen für das Auge unbezwingbaren Wall darstellen.
Alphonse Daudet gewinnt den Dingen eine gute Seite ab. Er entscheidet sich weder dafür noch dagegen, verfasst einige schonungslose Zeilen, die den Schweizern nicht immer gefallen haben. Die 1881 erschienenen Abenteuer des „Tartarin in den Alpen" sind reizvoll und witzig. Es ist im Grunde ein lustiges Alpenstück, das durchaus nicht bösartig, sondern sehr humorvoll geschrieben ist. Wenn Daudet behauptet, die Schweiz sei entstellt und verfälscht, richtet er eine eindringliche Warnung an all jene, welche schon seinerzeit dabei waren, die einheitlich geschlossene Umwelt anzutasten. Leider wurde dieser Warnruf nicht vernommen. Auch in den Werken des Genfers Rodolphe Toepffer steht der Humor im Vordergrund. Viele Lesergenerationen haben sich an seinen reich bebilderten, 1843 veröffentlichten „Voyages en zig-zag" ergötzt und erfreut.
Auch Engländer waren unter den ersten Alpenfreunden und den Pionieren, die sich bei der sportlichen Eroberung einiger der höchsten Alpengipfel auszeichneten. John Ruskin liebt die Schweiz, besonders die Gegend um den Genfersee, das Rhonetal und das Matterhorn, den „erhabensten Gipfel Europas". Sehr kritisch spricht er von den Alpen, doch kommen weder Lyrik noch Poesie zu kurz. Auch George Gordon Byron gehört zu den Romantikern. 1816 verlässt er England, um in der Schweiz sesshaft zu werden. Noch im gleichen Jahr schreibt er den „Manfred" und später noch einige seiner besten Gedichte.
Auch französische Dichter haben alsbald in

Jungfrau dans une pièce qu'il consacre entièrement au plus haut sommet de l'Oberland bernois. Jules Michelet lui emboîte le pas et il écrit, dans son ouvrage intitulé «La montagne»: «Les lacs sont les yeux de la Suisse dont l'azur lui donne le ciel.» Alphonse de Lamartine conserve de son séjour en Savoie et sur les bords du lac Léman un souvenir inoubliable. En revanche, François René de Chateaubriand rapporte, de ses quatre voyages à travers la Suisse, des impressions tout à fait négatives. Il compare les montagnes qu'il n'aime pas à de «lourdes masses». Il est vrai que l'homme a besoin d'espace et d'infini. La mer lui plaira bien davantage, alors que les Alpes sont, pour lui, une barrière infranchissable contre laquelle se heurte impitoyablement le regard.
Alphonse Daudet prend les choses du bon côté. Sans être ni pour ni contre, il écrit cependant des pages assez dures que les Suisses n'ont pas toujours su apprécier. Les aventures de «Tartarin sur les Alpes», publiées en 1881, sont charmantes et cocasses. Il s'agit, en fait, d'une fantaisie alpestre, composée sans aucune méchanceté mais avec beaucoup d'humour. Lorsque Daudet écrit que «la Suisse est machinée et truquée», il adresse un sérieux avertissement à tous ceux qui, à cette époque déjà, portent atteinte à l'intégrité du milieu naturel. On peut regretter que ce cri d'alarme n'ait pas été entendu. L'humour domine également dans les œuvres du genevois Rodolphe Toepffer, dont les «Voyages en zig-zag», édités en 1843 et ornés de gravures, ont distrait et amusé des générations de lecteurs.
Les Anglais ont été parmi les premiers à aimer les Alpes et, dans le domaine du sport, à s'illustrer par la conquête de quelques-uns des plus hauts sommets. John Ruskin aime la Suisse, principalement la région lémanique, la vallée du Rhône et le Cervin qui est «la plus noble cime de l'Europe». Il parle des Alpes avec un sens critique très développé qui, cependant, n'exclut ni le lyrisme ni la poésie.

the Alps. His landscapes are bathed in light, brilliant, and of remarkable simplicity. These works cannot be assigned to a particular school, but they are very Germanic in feeling – one reason for the success that Ferdinand Hodler had in Germany. A prophet has no honour in his own country, especially in Switzerland, where geniuses are looked upon with considerable scepticism.

The conquest of the heights

The Alps have always represented a challenge to mountain climbers. The beginnings were rather modest, as for a long time the Alps were objects of fear and superstition, which kept ambitions in check.
It is known that the poet and humanist Petrach climbed Mont Ventoux (6,270 ft) in the Provence towards the end of the 13th century. At about the same time, King Peter of Aragon climbed the Canigou (9,150 ft) when touring the Pyrenees. These two peaks are of no more than average height, so that climbing them was certainly not too difficult. In 1358 a villager from Asti, Bonifacius Rotarius, climbed Montemelon (11,667 ft) in the Mont Cenis Massif. This feat caused considerable interest, especially as Rotarius carried a heavy bronze triptychon depicting the Virgin with Jesus, and set it up on the peak: a particularly graphic demonstration of the mountain cult.
A few years later, six priests from Lucerne Canton decided to climb Mount Pilatus (6,993 ft). But they landed in prison, as the authorities accused them of breaking a law forbidding local inhabitants to approach that particular mountain. In 1555 the Zurich scholar and writer Conrad Gessner, climbed Pilatus without paying the same penalty. Centuries passed without any notable reports of mountain climbing except for one incident in 1703 when an Englishman died in the Bernina Massif (the Grisons).

den Lobgesang eingestimmt. In einigen sehr inhaltsreichen Versen beschwört Charles Baudelaire die Alpenwelt:

„In sich gekehrt lauschen diese Berge,
ernst und verhalten,
einem göttlichen Geheimnis,
das der Mensch nicht vernimmt.“

Mit dem gleichen dichterischen Schwung drückt sich auch Verlaine aus:

„Hartherzige Menschen!
Abscheuliches, elendes Erdenleben!
Ach, könnte ich nach dem Tode,
fern von Küssen und Streit,
noch etwas auf den Bergen verbleiben.“

Am Ende dieser übrigens lückenhaften Aufzählung von Dichtern, die das Gebirge geliebt oder verabscheut haben, steht ein einsames Genie, ein Waadtländer, nämlich Charles-Ferdinand Ramuz. Er wurde an den Ufern des Genfersees geboren, wo er auch starb. Trotz eines zwölfjährigen Aufenthalts in Paris, bei dem er sich seiner Persönlichkeit erst richtig bewusst wurde, blieb er seiner Heimat treu. Seine Bewunderung für die Berge, eine Bewunderung, welche tiefer geht als die reine romantische Beschaulichkeit, erklärt sich aus einer felsenfesten inneren Wahrhaftigkeit. Sah er nicht in der mächtigen und stolzen Silhouette des Grammont „den Olymp der Schweiz“? Mit Charles-Ferdinand Ramuz kehren wir zu den Ursprüngen unserer Kultur zurück, in die Zeit, als die Götter bisweilen zu den Menschen herabstiegen und das Gebirge zu ihrem bevorzugten Zufluchtsort erkoren hatten.

Können die Alpen auch die Maler inspirieren? Die einen sagen ja; nein, behaupten die anderen. Wem soll man nun glauben? Urteilt man ganz objektiv, muss man wohl zugeben, dass die Künstler des 18. und 19. Jahrhunderts sowie die Meister der grossen Richtungen in der modernen Malerei – von wenigen Ausnahmen abgesehen – fast nie das Gebirge zum Thema ihres Schaffens gewählt haben. Die Werke der beiden Genfer François Diday

George Gordon Byron appartient aussi à la génération des romantiques. Il quitte l'Angleterre en 1816 pour se fixer en Suisse. L'année même de son installation, il écrit «Manfred» puis, par la suite, quelques-uns de ses meilleurs poèmes.

Les écrivains français font bientôt entendre leurs voix dans ce concert de louanges. Charles Baudelaire, évoquant le monde alpestre, compose quelques vers d'une grande profondeur :

«... ces monts
Ecoutent, recueillis, dans leur grave attitude
Un mystère divin que l'homme n'entend
pas.»

A son tour, et sur la même lancée, c'est Paul Verlaine qui s'exprime :

«Hommes durs!
Vie atroce et laide d'ici-bas!
Ah! que de mourir loin des
baisers et des combats
Quelque chose demeure un peu sur
la montagne.»

Tout au bout de cette liste, d'ailleurs incomplète, d'écrivains qui ont aimé ou détesté la montagne, se trouve un génie solitaire, un Vaudois, Charles-Ferdinand Ramuz, né et décédé sur les rives du lac Léman. Malgré un séjour de douze ans à Paris, où il devait prendre conscience de sa véritable personnalité, Ramuz est resté fidèle à sa terre natale. Son authenticité a la solidité du roc, ce qui explique son admiration pour la montagne, mais une admiration qui va au-delà de la simple contemplation romantique. N'est-ce pas lui qui voyait, dans la silhouette imposante et superbe du Grammont «l'Olympe de la Suisse»? Avec Charles-Ferdinand Ramuz, nous retournons aux origines de notre civilisation, à cette époque où les dieux rendaient parfois visite aux hommes et où ils avaient fait des montagnes, leur lieu de retraite préféré.

Les Alpes sont-elles susceptibles d'inspirer les peintres? Certes, disent les uns; non, affirment les autres. Mais, qui croire? En toute

The real history of Alpinism started in the second half of the 18th century in a spectacular manner at the same time as the back-to-nature movement found expression in literature and the mountain landscape was becoming more and more appreciated. Two courageous Alpine enthusiasts from Chamonix, Dr. Paccard and Jacques Balmat became the first to climb Mont Blanc in Juli 1786. This conquest of the highest mountain in Europe (if you exclude the Caucasus) attracted widespread attention.

Horace-Bénédicte de Saussure of Geneva was a well-known geologist and mineralogist.

He was of aristocratic origins, and was a man of great moral as well as scientific stature.

He married a woman from bourgeois circles called Albertine Boissier – who achieved the distinction of receiving Napoleon in her house in 1800 just before he crossed the Alps via the Great St. Bernard Pass.

De Saussure was a passionate mountain enthusiast. He had climbed Etna in 1773, and since then had dreamed of tackling the Alps. He turned to Jacques Balmat, and with him planned to climb Mont Blanc. Accompanied by seventeen guides, they reached the peak on 3rd August 1787. The climb was coupled with scientific objectives, for, like most of his contemporaries, Saussure considered that Alpinism was only justified if the sporting aspect was supplemented by comprehensive scientific observation of the environment; geology, flora, fauna, or meteorological conditions were all acceptable fields of study. Horace-Bénédicte's luggage included a copy of Horace's “Odes”, of which he was a great admirer. He also took measuring equipment with him which he used at various stages of the climb. In 1798 he published a magnificent, four-volume work called “Voyages dans les Alpes”; it was a milestone of scientific Alpine literature, and impresses by its graphic descriptions, literary vitality, and accurate observations.

und Auguste Baud-Bovy sowie des Waadtländers Alexandre Calame bleiben bei allen Vorzügen doch recht bieder.
Österreicher von Geburt, doch im Herzen Schweizer ist der 1894 unter tragischen Umständen gestorbene Giovanni Segantini. In ihm äussert sich ein ungewöhnliches, dem Impressionismus verwandtes Temperament. Viele seiner Gemälde entstanden unter schwierigen Umständen, schreckte der Künstler doch nicht davor zurück, oft mehrere Tage lang, bei Wind und Wetter, auf einem Berggipfel auszuharren, was übrigens unheilvolle Auswirkungen auf seine Gesundheit haben sollte.
Man behauptet von dem 1918 gestorbenen Ferdinand Hodler, er sei der Emile Zola der Malerei. Diesem Berner gelingt es, den Betrachter aus der Fassung zu bringen. Er schuf einen ihm eigenen harten, kraftvollen künstlerischen Stil, griff zu manchmal ausgefallenen, etwas überzogenen, doch besonders phantasieanregenden Farben. Einige seiner Gemälde, riesige Fresken, preisen die Schweizer Geschichte und die Unermesslichkeit der Alpen. Alles ist voll Licht, strahlend, von bemerkenswerter Schlichtheit. Diese Gemälde lassen sich keiner Schule zuordnen, doch spiegeln sie eine deutlich germanische Auffassung wider; daher rührt sicher der Erfolg, den Ferdinand Hodler in Deutschland haben sollte. Doch niemand ist Prophet im eigenen Land, schon gar nicht in der Schweiz, wo man von Genies nicht allzuviel hält.

Die Eroberung der Berge

Die Anziehungskraft des Gebirges führt zum Bergsteigen. Die Anfänge verlaufen recht bescheiden, denn lange Zeit flössten die Alpen dem Menschen Aberglauben und Angst ein, was einem Aufschwung dieses Sports im Wege steht.
Bekanntlich bestieg der Dichter und Huma-

objectivité, il faut bien constater que les artistes des 18ème et 19ème siècles et les maîtres des grands mouvements de la peinture moderne, à quelques exceptions près, n'ont pas choisi la montagne comme thème de leurs créations. Les œuvres d'un François Diday, d'un Auguste Baud-Bovy, tous deux Genevois, et d'un Alexandre Calama, Vaudois, en dépit de leurs qualités, demeurent très conventionnelles.
Giovanni Segantini, Autrichien de naissance mais Suisse de cœur qui, en 1894, eut une fin tragique, fait preuve d'un talent exceptionnel, proche de l'impressionnisme. Nombre de ses toiles ont été peintes dans des conditions pénibles, l'artiste n'hésitant pas à s'installer, pendant des jours, par n'importe quel temps, au sommet d'une montagne, ce qui d'ailleurs fut fatal pour son état de santé.
On a dit de Ferdinand Hodler, décédé en 1918, qu'il était l'Emile Zola de la peinture. L'homme, né à Berne, est déconcertant. Il a créé un art à lui, rude, vigoureux, utilisant des couleurs parfois extravagantes et peu raffinées mais particulièrement suggestives. Quelques-unes de ses toiles, qui sont des fresques immenses, exaltent l'histoire de la Suisse et l'immensité des Alpes. Tout y est lumineux, éclatant, d'un remarquable dépouillement. Ces peintures ne se rattachent à aucune école, mais elles sont d'une conception nettement germanique ; d'où le succès que Ferdinand Hodler devait connaître en Allemagne. Il est vrai que nul n'est prophète en son pays, et en Suisse où l'on n'aime pas trop les génies, peut-être davantage encore qu'ailleurs . . .

A la conquête de la montagne

L'attrait de la montagne est à l'origine de l'alpinisme qui a eu des débuts très modestes car le développement de ce sport a été contrecarré, pendant longtemps, par la crainte et les superstitions que les Alpes suscitaient parmi les hommes.

From this time on, compass, thermometer, and geologist's hammer were standard equipment for mountain climbers. At the beginning of the 19th century the Swiss began to make a determined effort to conquer the Alps, distinguishing themselves by their sporting and scientific attitude – certainly a heritage of their famous forerunner. Two naturalists, called Louis Agassiz de Morat and his faithful secretary Eduard Desor from Frankfurt on the Main settled in the Bernese Oberland. In 1842 they climbed the Jungfrau (13,642 ft) – the Meyer brothers had made the first ascent in 1811 – and subsequently set up a proper laboratory on the Unteraar Glacier. With the aid of other scientists, they carried out an extensive survey of the whole region.
Mountaineering was experiencing a boom, and a new kind of profession arose: the mountain guide. These men, tough, intrepid, and upright, have also made a large if anonymous contribution towards our knowledge of the Alps.
From about the middle of the 19th century the British took over from the Swiss, and claimed a whole series of first ascents. Like their Swiss predecessors, most of them were of scientific leanings, and made use of their magnificent ascents for scientific observation.
On 1st August 1855 Grenville Smyth and Christopher Smyth conquered the highest peak in the Swiss Alps, Pic Dufour in the Monte Rosa Massif (15,204 ft).
The journalist, biographer and critic, Sir Leslie Stephen, made first ascents of a number of peaks in the Cantons of Berne and Valais in 1859.
In 1861, John Tyndall, a famous physicist, climbed the awesome Weisshorn (14,792 ft), and then turned his attentions to the mountains in the Bernese, Vaud, and Grisons regions. In the same year the British became the first to blaze a trail between Chamonix and Zermatt, pioneering what has since become a famous route, the high-level road

nist Petrarca gegen Ende des 13. Jahrhunderts den 1912 m hohen Mont Ventoux in der Provence. Etwa zur gleichen Zeit erkletterte König Peter von Aragon, als er die Pyrenäen bereiste, den Canigou (2785 Meter). Die genannten Gipfel sind nur von durchschnittlicher Höhe, so dass ihre Bezwingung sicher nicht mit viel Schwierigkeiten verbunden war. Im Jahre 1358 wagte sich ein Dorfbewohner aus Asti, Bonifacius Rotarius, an den im Mont-Cenis-Massiv gelegenen Montemelon (3557 m). Diese Leistung erregte Aufsehen, denn der Mann trug ein schweres bronzenes Triptychon, auf dem Maria und das Kind dargestellt waren, und stellte es auf der Bergspitze auf. Das war noch eine besonders überzeugende Veranschaulichung des Bergkultes.
Einige Jahre später beschlossen sechs Priester aus dem Kanton Luzern, den 2132 m hohen Pilatus zu erklimmen. Doch landeten sie im Gefängnis, da ihnen die Obrigkeit vorwarf, gegen ein Gesetz verstossen zu haben, demzufolge es den Bewohnern jener Gegend verboten war, sich diesem Berg zu nähern.
Der Zürcher Gelehrte und Schriftsteller Conrad Gessner bestieg 1555 den Pilatus, ohne dieselbe Schmach wie seine Landsleute zu erleiden.
Jahrhunderte vergingen. Man hört nichts mehr von den Bergsteigern, ausser dass ein Engländer 1703 im Bernina-Massiv (Graubünden) ums Leben kam.
Die wirkliche Geschichte des Alpinismus setzt in der zweiten Hälfte des 18. Jahrhunderts auf geradezu spektakuläre Weise ein, und zwar zur gleichen Zeit, als die Literatur von einer Rückbesinnung auf die Natur und einer immer einhelligeren Bewunderung für die Berglandschaften geprägt wurde.
Zwei mutige Alpenkenner und Einwohner aus Chamonix, nämlich Dr. Paccard und Jacques Balmat, führen im Juli 1786 die Erstbesteigung des Montblanc durch. Diese bemerkenswerte Leistung bedeutet gleichzeitig der Eroberung des höchsten europäischen Gipfels durch

Nous savons que, vers la fin du 13ème siècle, le poète et humaniste italien Pétrarque, qui se trouvait en Provence, gravit le Mont Ventoux (1912 m). A peu près à la même époque, le roi Pierre d'Aragon, alors en voyage dans les Pyrénées, escalada le Canigou (2785 m). Les sommets concernés étaient d'altitude moyenne et leur ascension dut se faire sans trop de difficultés. En 1358, un habitant du village d'Asti, Bonifacius Rotarius, se hasarda sur le Montemelon (3557 m) qui se situe dans le massif du Mont-Cenis. Cet exploit retient l'attention, car l'homme emporta avec lui un lourd tryptique en bronze représentant la Vierge et l'Enfant qu'il plaça au sommet de la montagne. Le culte des hauteurs trouve ici une illustration particulièrement convaincante.
Quelques années plus tard, six prêtres du canton de Lucerne décidèrent de gravir le Pilate (2132 m). Mais cette aventure se termina très mal pour eux. Ils furent jetés en prison, les autorités leur reprochant d'avoir enfreint une loi qui interdisait aux habitants de la région de s'approcher de cette montagne.
Conrad Gessner, l'écrivainet savant zürichois fit l'ascension du Pilate en 1555, sans encourir l'opprobe de ses concitoyens.
Des siècles passent. Les alpinistes ne font plus parler d'eux. Tout au plus apprend-on qu'un Anglais perdit la vie, en 1703, alors qu'il se trouvait dans le massif de la Bernina, aux Grisons.
La véritable histoire de l'alpinisme commence dans la deuxième moitié du 18ème siècle d'une façon réellement spectaculaire. Elle se situe à une époque marquée, en littérature, par un retour à la nature et une admiration de plus en plus unanime pour les paysages de montagne.
Deux courageux habitants de la région de Chamonix, le docteur Paccard et Jacques Balmat, qui connaissent bien les Alpes, gravissent pour la première fois le Mont-Blanc en juillet 1786. Cet exploit remarquable, qui marque la conquête, par l'homme, du plus haut sommet de l'Europe, soulève un intérêt général.

across the passes and the high Alpine valleys.
Edward Whymper witnessed with horror the first sensational mountaineering accident. On 14th July 1865 he climbed the Matterhorn (14,688 ft). This mountain had already attracted John Tyndall, who had made a first ascent of one of the peaks of this magnificent mountain. As Whymper descended with his team, four of them crashed to their deaths. This drama caused a public outcry and Whymper was the subject of severe criticism. But he was not discouraged: he continued his brilliant mountaineering career, and later climbed a number of peaks in the Ecuadorean Andes (first ascent of Chimborazo, 1880). He wrote a number of standard works, one of which, "Scrambles Among the Alps", published in 1871, has become a Classic.
The increasing number of mountain enthusiasts led to the foundation of national Alpine clubs. The Alpine Club was founded in London in 1857, followed by the Austrian Alpenverein in 1862, the Swiss Alpenverein in 1863, the Club Alpino Italiano in 1864, and the French Club Alpin in 1874. Alpine huts were built everywhere. They provide shelter and are the starting point for unbelievably beautiful tours: they have been set in surroundings so magnificent that man appears to shrink to the size of an insect.
Alpine journals of various kinds were founded. They kept the Alpinists informed on routes, dangers, and improvements in rock-climbing techniques. From now on mountaineers became increasingly daring. The age of competetive mountain climbing, of north-face ascents, and of attempts on peaks hitherto considered impossible to climb began. Equipment became increasingly refined, more comprehensive, and dearer. How long ago seems the age of a Horace-Bénédicte de Saussure, when montaineers used simple wooden ladders and long wooden poles for overcoming obstacles. The question remains as to whether this

den Menschen und ruft allgemeine Aufmerksamkeit hervor.
Der Genfer Horace-Bénédicte de Saussure ist ein weitbekannter Geologe und Mineraloge. Er entstammt einer Adelsfamilie und beeindruckt sowohl durch seine ethische wie wissenschaftliche Grösse. Er heiratete eine Bürgerliche, Albertine Boissier, die 1800 Bonaparte empfing, als er sich gerade anschickte, die Alpen am Grossen Sankt Bernhard zu überqueren.
De Saussure ist ein leidenschaftlicher Bergfreund. Er bezwang 1773 den Ätna, und seit jener Zeit träumt er davon, auch die Alpengipfel in Angriff zu nehmen. Er wendet sich an Jacques Balmat, mit dem zusammen er dann die Besteigung des Montblanc plant. Sie werden von siebzehn Bergführern begleitet. Am 3. August 1787 stehen sie siegreich auf dem Gipfel. Diese Tat wird gleichzeitig einem wissenschaftlichen Auftrag gerecht, denn für de Saussure, wie für die meisten seiner Zeitgenossen, hat der Alpinismus nur dann eine Berechtigung, wenn er neben der sportlichen Leistung eine umfassende Untersuchung der betreffenden Umwelt einschliesst; dabei kann es sich um Geologie, Flora, Fauna oder meteorologische Erscheinungen handeln. In sein Gepäck steckt Horace-Bénédicte de Saussure eine Ausgabe der „Oden" von Horaz, die er tief bewundert. Außerdem trägt er Messinstrumente bei sich, welche er während des Aufstiegs einsetzt. 1796 veröffentlicht er dann ein grossartiges vierbändiges Werk, die „Alpenreisen"; es setzt ein historisches Datum in der wissenschaftlichen Alpenliteratur. Das Werk besticht durch seine kraftvollen Darstellungen, seinen dichterischen Schwung und die genauen Beschreibungen.
Von nun an pflegen die Bergsteiger mit Kompass, Thermometer und Geologenhammer zu wandern. Mit dem beginnenden 19. Jahrhundert machen sich die Schweizer entschlossen an die Eroberung der Alpen, wobei sie sich bei ihren Besteigungen durch sportliche und

Horace-Bénédice de Saussure, citoyen genevois, est un géologue et un minéralogiste de renom. Fils d'une famille aristocratique, l'homme séduit par ses qualités à la fois morales et scientifiques. Il a épousé une femme de la bourgeoisie, Albertine Boissier, qui reçut chez elle, en 1800, Bonaparte alors que ce dernier s'apprêtait à franchir les Alpes en passant par le col du Grand Saint-Bernard.
De Saussure est un passionné de la montagne. Il a gravi le volcan Etna en 1773 et, depuis lors, il rêve de s'attaquer aux géants des Alpes. Il s'adresse à Jacques Balmat avec lequel il organise l'ascension du Mont-Blanc. Dix-sept guides l'accompagnent. Le sommet est atteint victorieusement le 3 août 1787. Cette performance se double d'une mission scientifique car, pour de Saussure comme pour la majorité de ses contemporains, l'alpinisme n'a de raison d'être que s'il implique, en même temps que l'exploit sportif, une étude complète du milieu, qu'il s'agisse de la géologie, de la flore, de la faune ou des phénomènes météorologiques. Dans son sac à dos, Horace-Bénédicte de Saussure a glissé un exemplaire des «Odes» d'Horace pour lesquelles il éprouve une très vive admiration. Il n'a pas oublié d'emporter également des instruments de mesure qu'il utilise au fur et à mesure de son ascension. En 1796, il publie un ouvrage monumental en quatre tomes «Voyages dans les Alpes» qui marque une date dans l'histoire de la littérature scientifique alpestre. L'œuvre plaît par sa puissance d'évocation, son élan poétique et par la justesse de ses descriptions.
Dès lors, les alpinistes prennent l'habitude de voyager avec une boussole, un thermomètre et un marteau de géologue. Au début du 19ème siècle, les Suisses partent résolument à la conquête des Alpes et se distinguent dans des ascensions qu'ils entreprennent avec un esprit à la fois sportif et scientifique, hérité de leur illustre prédécesseur. Deux naturalistes, Louis Agassiz de Morat et son fidèle et dévoué

development has done any good to Alpinism. Are there many sportsmen today who occupy themselves with research, or useful scientific observation? Does the team spirit and an almost mystical peak-cult leave any room for pure, burning admiration of the mountains? Has not the competitive spirit done more harm than good?

Defence

From ancient right up to modern times, mountains have provided their inhabitants with one outstanding advantage – the natural protection of their property and the inviolability of their country. At the same time, however, they have also always tempted avaricious neighbours to try and capture the country from its inhabitants because of its strategic importance.
Medieval Switzerland provided a good example of this. The Alps were the backbone of Swiss defence. Thanks to the mountains, the Confederates were able to beat back attack after attack by their enemies. Thanks to the mountains, they were also able to found a state, which, despite extremely varied geographical conditions, was held together by the common philosophy of its inhabitants, based on a love of the soil.
At one time, the valleys were dominated by castles and fortresses. They enabled complete control to be kept over population movements and served to pin down any foreign armies foolish enough to enter the region. As the number of cantons increased, so did the number of fortresses, called Latzi. The castle also played an important role in offensive wars which the Swiss successfully waged against the Habsburgs and the Burgundians. Morgarten, Laupen, Grandson, and Morat – to name just a few historical battles – are symbols of a fighting spirit and strategic talent which inevitably led to victory.

wissenschaftliche Haltung hervortun, sicher ein Erbe ihres berühmten Vorgängers. Zwei Naturforscher, nämlich Louis Agassiz de Morat und sein treuer und ergebener Sekretär Eduard Desor aus Frankfurt am Main, lassen sich im Berner Oberland nieder. 1842 bezwingen sie die Jungfrau (4166 m) und richten in der Folge ein regelrechtes Laboratorium auf dem Unteraargletscher ein. Unter Mithilfe anderer Wissenschaftler stellen sie ausgedehnte Studien über die ganze Region an.
Die Bergsteigerei nimmt einen immer stärkeren Aufschwung und lässt einen neuen Beruf entstehen: den Bergführer. Es sind dies unerschrockene, ausdauernde und aufrechte Männer, die ihren Beruf lieben und gleichfalls, wenn auch oft anonym, zu einer genaueren Kenntnis der Alpen beitragen.
Die Engländer lösen die Schweizer ab und haben ihren Auftritt um die Mitte des 19. Jahrhunderts. Die meisten fühlen sich der Wissenschaft verpflichtet und nützen ihre grossartigen Besteigungen, um zahlreiche Forschungen durchzuführen.
Am 1. August 1855 erobern Grenville Smyth und Christopher Smyth den höchsten Gipfel der Schweizer Alpen, die Dufourspitze im Monte-Rosa-Massiv.
Der Dichter, Historiker und Schriftsteller Leslie Stephen bezwingt 1859 mehrere Gipfel in den Kantonen Bern und Wallis.
1861 erklimmt John Tyndall, ein berühmter Physiker, das furchterregende Weisshorn (4506 m), wendet sich dann aber dem Berner, Waadtländer und Graubündner Gebirge zu. Im gleichen Jahr stellen die Engländer eine erste Verbindung zwischen Chamonix und Zermatt her; sie schlagen dabei eine berühmt gewordene Route ein, die High-level-road (Höhenweg), die über Pässe und Hochalpentäler verläuft.
Edward Whymper wird zum entsetzten Zeugen der ersten grossen Bergtragödie. Am 14. Juli 1865 unternimmt er den Aufstieg zum Matterhorn (4478 m). Dieser Bergriese hatte schon John Tyndall angelockt, der dann

secrétaire, Edouard Desor originaire de Francfort-sur-le-Main, s'installent dans l'Oberland bernois. Ils gravissent la Jungfrau (4166 m) en 1842, puis aménagent un véritable laboratoire sur le glacier de l'Unteraar. Aidés d'autres savants, ils entreprennent une étude très poussée de toute la région.
L'alpinisme se développe de plus en plus et voit apparaître une nouvelle profession : celle de guides de montagne. Ce sont des hommes intrépides, endurants et d'une grande probité, qui aiment leur métier et qui contribuent, eux aussi, souvent dans l'anonymat, à une meilleure connaissance du domaine alpin.
Les Anglais prennent la relève des Suisses et font leur entrée en scène vers le milieu du 19ème siècle. La plupart d'entre eux sont également attirés par la science et profitent de leurs remarquables ascensions pour réaliser de nombreux travaux de recherches.
Le 1er août 1855, James Grenville Smyth et Christopher Smyth conquièrent la Pointe Dufour dans le massif du Mont-Rose, le plus haut sommet des Alpes helvétiques.
Leslie Stephen, poète, historien et écrivain, gravit, en 1859, plusieurs sommets des cantons de Berne et du Valais.
En 1861, John Tyndall, physicien réputé, escalade le terrible Weisshorn (4506 m) pour se tourner ensuite vers les montagnes bernoises, vaudoises et grisonnes. C'est de cette même année que date la première liaison tentée par les Anglais entre Chamonix et Zermatt, suivant un parcours devenu célèbre, la Haute Route (High level road) qui emprunte les cols et le cours supérieur des vallées alpestres.
Edouard Whymper est le témoin horrifié de la première grande tragédie de la montagne.
Le 14 juillet 1865 il fait l'ascension du Cervin (4478 m). Ce géant avait déjà séduit John Tyndall qui, trois ans auparavant, avait escaladé l'un des sommets de cette cime splendide. Au retour, quatre compagnons de cordée de Whymper font une chute malheureuse et se tuent. Ce drame bouleverse l'opinion

Safely ensconsed in their mountains, the Swiss feared no one. Even the shattering defeat at Marignan failed to dent the optimism of the military leaders, for although it was an exceedingly painful experience, it was in no way connected with the traditional system of defence which the Swiss had developed.
The Swiss Confederation was founded in 1848. The country has powerful neighbours with which it has had friendly relations since it proclaimed its neutrality.
Conventional warfare, which depends equally on human beings and on barbaric technical inventions, has at no time challenged the effectiveness of a defence system based on the mountains, the natural bulwarks of the Confederation. The concept "national refuge", as it has been understood by generations of professional soldiers, derives its importance from the country's neutrality and the politico-military situation at the end of the 19th century. The medieval castles are glorious remnants of a past age. Their role has been taken over by underground fortifications and bases built into the sides of the Alps under hundreds or even thousands of feet of solid rock. Their exact positions are a closely guarded secret, tourists and photographers being kept well clear of them.
The strategic guidelines for military commanders define the incalculable value of the mountains in terms of their ability to hold up enemy troop movements. The advancing enemy is forced to use roads or paths which are easy to protect. In the 13th century the Swiss levered huge rocks off the sides of the mountains and sent them crashing down on enemy forces. Today, modern weaponry would enable a storm of steel and fire to be let loose on invading troops if they attempted to use the natural routes leading to the mountain refuge. Furthermore, the mountains force an enemy to carry out frontal attacks, as outflanking movements that might be possible on flat ground encounter immense problems in the

auch, drei Jahre zuvor, eine der Spitzen dieses herrlichen Gipfels bezwungen hatte. Auf dem Abstieg stürzen vier Kameraden aus der Seilschaft Whympers unglücklich zu Tode. Dieses Drama wühlt die Weltmeinung auf und trägt dem Engländer herbe Vorwürfe ein. Doch davon lässt sich Edward Whymper nicht entmutigen; er setzt seine glanzvolle Bergsteigerkarriere fort und besteigt mehrere Gipfel der Nordanden. Wir verdanken ihm einige Standardwerke, von denen das 1871 veröffentlichte „Scrambles among the Alpes“ zu einem Klassiker geworden ist.
Angesichts einer ständig wachsenden Zahl von Bergbesessenen erweist sich die Gründung von nationalen Alpinistenvereinigungen als dringend erforderlich. 1857 entsteht so The Alpine Club in London, 1862 der Österreichische Alpenverein, 1863 der Schweizer Alpen-Club; der Italienische Alpenverein wird 1864 gegründet und zehn Jahre später der französische Club Alpin. Überall im Gebirge werden Berghütten gebaut. Sie bieten Zuflucht und sind Ausgangspunkt unglaublich schöner Begehungen; sie liegen an grossartigen Stellen, an denen der Mensch auf Insektengrösse zusammenschrumpft.
Zeitschriften entstehen. Sie unterrichten den Alpinisten über Routen, Gefahren und die Weiterentwicklung von Klettertechniken. Die Verwegenheit der Sportler kennt von nun an keine Grenzen mehr. Es beginnt das Zeitalter der Haken, der Wettkämpfe, der Eroberung der Nordwände und der bisher für unbezwingbar gehaltenen Gipfel. Die Ausrüstung wird zunehmend verfeinert, umfangreicher und teurer. Wie weit liegen die Zeiten eines Horace-Bénédicte de Saussure zurück, als sich die Bergsteiger mit einfachen Leitern und langen Holzstangen begnügten, wenn sie etwaige Hindernisse bezwingen wollten.
Bleibt noch die Frage, ob diese Entwicklung dem Alpinismus gut getan hat. Gibt es heutzutage eigentlich noch viele Sportler, die sich mit fesselnden Untersuchungen, nützlichen

publique mondiale et vaut, à l’anglais, d’amères critiques. Mais Edouard Whymper ne se laissera pas décourager et poursuivra sa brillante carrière d’alpiniste en gravissant quelques-uns des géants de la cordillère des Andes équatoriennes. On lui doit des ouvrages et des travaux qui font autorité, parmi lesquels figure son «Scrambles among the Alpes», publié en 1871, qui est un classique du genre.
Devant le nombre croissant des fanatiques de la montagne, la création de sociétés groupant les alpinistes de chaque pays s’avère de plus en plus nécessaire. The Alpine Club de Londres voit le jour en 1857, le Club alpin autrichien en 1862, le Club alpin suisse en 1863, le Club alpin italien en 1864 et, dix ans plus tard, le Club alpin français. Des cabanes sont construites un peu partout dans les montagnes. Lieux de refuge et points de départ de fantastiques itinéraires, elles se trouvent dans des sites grandioses où l’homme se sent réduit aux dimensions d’un insecte.
Des revues sont fondées. Elles renseignent les alpinistes sur les itinéraires, les dangers et l’évolution des techniques d’ascension.
L’audace des sportifs n’a désormais plus de limites. On entre dans l’ère des pitons, des compétitions, de la conquête des faces nord et des sommets qui passèrent, pendant des siècles, pour être inaccessibles. L’équipement est de plus en plus sophistiqué, complexe et coûteux. Que nous sommes loin de l’époque d’un Horace-Bénédicte de Saussure, alors que les alpinistes se contentaient, pour vaincre les obstacles, de simples échelles et de longs bâtons en bois!
Reste à savoir si l’alpinisme a profité de cette évolution. Sont-ils nombreux les sportifs qui, aujourd’hui, se livrent encore à de passionnantes recherches, à d’utiles observations scientifiques? L’esprit de camaraderie et la vénération quasi mystique des cimes habitent-ils toujours l’âme des fervents de la montagne? La compétition n’a-t-elle pas fait perdre à l’alpinisme sa véritable vocation?

Alps. Enemy airforces would also run into difficulty in the mountains, partly because of tricky weather conditions, and partly because the geographical structures present a whole host of problems for the flier.
The Swiss frontier runs through mountain regions for 900 miles (300 of them in the Jura), and this enables the approaches to be guarded fairly effectively. The impact of attacking infantry, heavily laden with equipment, is considerably reduced in the mountains. Furthermore, infantry is subject to all the rigours of the climate, which tends to sap endurance and fighting spirit.
The idea of an Alpine fortress experienced a notable revival during the second world war. In 1949 the Supreme Commander of the Army, General Guisan, announced a completely new defence concept, the “Réduit”, according to which in case of war the Jura and Central Plateau, would, if necessary, be abandoned, while the Alpine area would be defended to the utmost. Consequently, immense new defences, most of them subterranean, were built to supplement the already existing ones at St. Maurice, Gothard, and Monte Ceneri.
This clearly demonstrates that the Swiss continue to take the defence of their country very seriously. How the system would work out in practice is something we all hope will never be tested.

wissenschaftlichen Beobachtungen beschäftigen? Lässt Kameradschaftsgeist und ein fast mystischer Gipfelkult überhaupt noch Platz für die reinen und glühenden Bewunderer des Gebirges? Hat die Bergsteigerei über dem gegenseitigen Wettbewerb nicht ihren eigentlichen Sinn verloren?

Die Landesverteidigung

Von der Antike bis in unsere Zeit war das Gebirge für seine Bewohner von wesentlicher Bedeutung, nämlich als natürlicher Schutz ihrer Habe und der Unantastbarkeit ihres Landes. Gleichzeitig gab es jedoch Anlass für mancherlei dramatische Vorgänge, wurden doch dieselben Bewohner unaufhörlich von Neidern bedroht, die alles nur mögliche unternahmen, um diese bevorzugt gelegenen Gebiete zu besetzen.
In dieser Hinsicht ist das Beispiel der Schweiz im Mittelalter äusserst aufschlussreich. Die Alpen begründeten die gesamte Verteidigungskraft. Dank den Bergen konnten die Eidgenossen die wiederholten Angriffe ihrer erbittertsten Feinde abschlagen. Dank den Bergen auch gelang cs ihnen, die Grundlagen für einen Staat zu schaffen, der sich aus sehr unterschiedlichen Landstrichen zusammensetzt, dessen Bewohner jedoch ihren wahren Lebenssinn in einer gemeinsamen, überkommenen Erdverbundenheit erkannten.
In den Tälern ragten Schlösser und Burgen auf. Sie erlaubten eine unumschränkte Kontrolle jeder Bevölkerungsbewegung und ermöglichten im Notfall, feindliche Armeen aufzuhalten, die sich in diese Gegend gewagt hatten. Im gleichen Masse wie die Schweiz neue Kantone für die gemeinsame Sache gewann, nahm auch die Zahl der Befestigungsanlagen, Letzi genannt, zu. Eine wichtige Rolle spielten Schlösser und Burgen auch in Offensivkriegen, welche die Eidgenossen mit fliegenden Fahnen gegen die Habsburger und

La défense nationale

De l'antiquité à nos jours, la montagne a joué, pour ses habitants, un rôle fondamental dans la défense naturelle de leurs biens et de l'intégrité de leur territoire. Mais, en même temps, elle a fait le drame de ces mêmes habitants, constamment menacés par ceux qui les enviaient et qui tentèrent, par tous les moyens possibles, d'occuper ces lieux privilégiés.
L'exemple de la Suisse du Moyen Age est, à ce propos, des plus significatifs. Toute la force défensive de ce pays résida dans la présence des Alpes. C'est grâce aux montagnes que les Confédérés purent résister aux attaques répétées de leurs ennemis les plus acharnés. C'est également grâce aux montagnes qu'ils purent établir les bases d'un Etat composé de régions très différentes les unes des autres mais dont les habitants trouvaient, dans un attachement partagé au sol des ancêtres, leur véritable raison d'être.
Des châteaux et des forteresses se dressaient autrefois dans les vallées. Ils permettaient d'exercer un contrôle absolu sur les mouvements de populations et, le cas échéant, d'arrêter les armées ennemies qui s'étaient imprudemment aventurées dans la contrée.
Le nombre de ces ouvrages fortifiés, connus sous le nom de latzi, augmenta au fur et à mesure que la Suisse gagnait à sa cause de nouveaux cantons. Châteaux et forteresses servirent aussi dans les guerres offensives que les Confédérés menèrent, tambour battant, contre les Habsbourg et les comtes de Bourgogne. Morgarten, Laupen, Grandson et Morat - pour ne citer que quelques batailles historiques - illustrèrent un esprit combattif et une stratégie militaire qui débouchèrent obligatoirement sur la victoire.
Bien à l'abri dans leurs montagnes, les Suisses ne redoutaient personne. Même la cuisante défaite de Marignan ne parvint pas à entamer l'optimisme des chefs militaires, car cet événement, si douloureux fut-il, n'eut aucun rapport

die Grafen von Burgund führten. Morgarten, Laupen, Grandson und Murten - um nur einige historische Schlachten zu nennen - sind Symbole eines Kampfgeistes und einer militärischen Strategie, die unweigerlich zum Sieg führen mussten.
Wohlbehütet im Schutz ihres Gebirges fürchteten die Schweizer niemanden. Selbst die vernichtende Niederlage von Marignano vermochte den Optimismus der militärischen Führer nicht anzukratzen, denn dieses Ereignis war zwar sehr schmerzlich, doch stand es in keinerlei Zusammenhang mit dem herkömmlichen Verteidigungssystem, das die Schweizer entwickelt hatten.
Das Jahr 1848 ist durch die Gründung des Schweizer Bundesstaates gekennzeichnet. Das Land hat mächtige Nachbarn, mit denen es, seit der Verkündung seiner Neutralität, freundschaftliche Beziehungen unterhält.
Der klassische Krieg, der sich gleichermassen auf die Menschen wie auf barbarische technische Erfindungen stützt, hat zu keinem Zeitpunkt die Wirksamkeit eines Defensivsystems in Frage gestellt, das auf die Berge, natürliches Bollwerk des Bundesstaates, baut. Der Begriff vom „nationalen Unterschlupf“, so wie er von Generationen von Berufsoffizieren verstanden wurde, erhält seine Bedeutung aus der Neutralität des Landes und der politisch-militärischen Lage in Europa im ausgehenden 19. Jahrhundert. Die mittelalterlichen Schlösser sind glorreiche Überbleibsel einer vergangenen Zeit. An ihre Stelle traten unterirdische Befestigungsanlagen und Bollwerke, die man in den Alpen unter Hunderten von Metern Felsgestein ausgebaut hat. Diese geheimen Stellungen sind für Fotografen und Touristen verboten, und über ihren Standort bewahren die zuständigen Seiten tiefstes Stillschweigen.
In den für die militärisch Verantwortlichen bestimmten strategischen Leitfäden liest man, der unschätzbare Vorteil des Gebirges bestehe darin, dass es gegnerische Truppenbewegungen

avec le système défensif traditionnel que les Confédérés avaient mis au point.
L'année 1848 marque la création de la Confédération helvétique. Le pays a, pour voisins, des nations puissantes avec lesquelles, depuis l'affirmation de sa neutralité, il entretient des relations amicales.
La guerre classique, qui fait appel autant aux hommes qu'aux inventions les plus barbares de la technique, n'a jamais fait douter de l'efficacité d'un appareil défensif qui s'appuie sur les montagnes, bastion naturel de la Confédération. La notion du réduit national, acceptée par des générations d'officiers de carrière, a donc été définie en raison de la neutralité du pays et de la situation politico-militaire prévalant en Europe à la fin du 19ème siècle. Les châteaux du Moyen Age sont les glorieux vestiges d'un époque à jamais révolue. Ils ont été remplacés par des forteresses souterraines et des ouvrages aménagés dans les Alpes, sous des centaines de mètres de rochers. Ce sont des lieux secrets, interdits aux photographes et aux curieux, sur l'emplacement exact desquels les intéressés gardent le mutisme le plus total.
Des livres de stratégie, à l'usage des responsables de l'armée, font remarquer que la montagne présente l'énorme avantage de retarder les mouvements de l'ennemi. Celui-ci se voit obligé, pour progresser, d'utiliser des routes et des sentiers qu'il est facile de protéger. Les Suisses du 13ème siècle faisaient rouler d'énormes blocs de pierre sur ceux qui avaient eu l'imprudence de pénétrer dans leur domaine. Actuellement, un déluge de fer et de feu, venu des hauteurs, s'abattrait sur les malheureux qui s'obstineraient à forcer les portes naturelles du réduit. La montagne oblige également l'ennemi à attaquer de front, car tout mouvement qui consiste à tourner la défense, s'il est possible en plaine, se heurte dans les Alpes à de terribles obstacles. L'aviation, elle non plus, n'est pas à l'aise dans les montagnes à cause des intempéries et de l'insécurité du

aufhält. Der Feind sieht sich auf seinem Vormarsch gezwungen, leicht zu schützende Strassen und Pfade zu benützen. Im 13. Jahrhundert stürzten die Schweizer riesige Felsblöcke auf jene hinab, die so unvorsichtig waren, sich auf ihr Gebiet zu wagen. Heute ginge ein Eisen- und Feuerregen auf die Eindringlinge nieder, sollten sie sich darauf versteifen, die natürlichen Tore zum Unterschlupf aufzubrechen. Ausserdem zwingt das Gebirge den Feind, frontal anzugreifen, denn Umgehungsmanöver sind zwar in der Ebene durchführbar, stossen hingegen in den Alpen auf ungeheure Hindernisse. Auch die Luftwaffe käme in den Bergen nicht zurecht, zum einen wegen der schwierigen Witterungsverhältnisse, dann auch, weil die geografischen Gegebenheiten den Flug zu unsicher machten.
Über 1500 Kilometer verläuft die Schweizer Grenze durchs Gebirge (davon 500 Kilometer im Jura), und das gewährleistet eine gewisse Sicherung der Zugangswege. Die Schlagkraft des angreifenden waffen- und munitionsbeladenen Infanteristen wird im Gebirge ziemlich gemindert. Ausserdem ist er allen Launen des Klimas ausgesetzt, was seine Widerstandsfähigkeit und Kampfkraft beträchtlich einschränkt.
Die Idee der Alpenfestung erfuhr während des Zweiten Weltkriegs eine bemerkenswerte Wiederbelebung. Im Jahre 1949 verkündete der Oberbefehlshaber der Armee, General Guisan – übrigens an einem Offiziersrapport auf der Rütliwiese – ein völlig neues Abwehrkonzept, die Idee des „Réduit“, nach welchem im Ernstfall Jura und Mittelland aufgegeben, die Alpen aber bis zum Äussersten verteidigt werden sollten. Nach dieser Idee wurden gewaltige, meist unterirdische Festungen erstellt, zusätzlich zu den bereits bestehenden bei St. Maurice, am Gotthard und am Monte Ceneri.
Daraus geht hervor, daß die Schweiz die Verteidigung ihrer Neutralität nach wie vor sehr ernst nimmt. Die Frage bleibt offen, wie sich dieser Verteidigungswille im Ernstfall bewähren würde.

vol dans une géographie qui ne ménage ni ses pièges ni ses dangers.
Mille cinq cents kilomètres de frontière suisse passent à travers les montagnes, dont cinq cents pour le Jura, ce qui garantit une certaine sécurité aux voies d'accès du pays. La mobilité d'un fantassin, chargé d'armes et de munitions, diminue considérablement en montagne. De plus, cet homme est soumis à tous les caprices du climat, ce qui amoindrit considérablement sa résistance et son efficacité au combat.
Durant la deuxième guerre mondiale, on s'est rendu compte que le principe des fortifications alpines mériterait d'être sérieusement pris en considération. En 1949, le général d'état-major de Forces Armées, le général Guisan, annonça la nouvelle stratégie défensive du pays – la petite histoire retiendra qu'il fit ce discours lors d'un rapport d'officiers sur la plaine du Grütli. Cette stratégie reposait sur l'idée du «réduit» qui consistait, dans les cas très graves, à abandonner le Jura et le Moyen Pays, mais à défendre les Alpes jusqu'à l'extrême. Aussi, appliquant cette idée, d'énormes fortifications souterraines ont eté construites, s'ajoutant à celles existant déjà près de St Maurice, au Gothard et au Monte Ceneri.
On peut donc constater que la Suisse prend plus que jamais la défense de sa neutralité très au sérieux.
Quant à savoir si cette volonté de défense se révélerait efficace en cas de conflit...

Die Alpen und die Wirtschaft

Les Alpes et l'Economie

The Alps and the Economy

Bestellung und Nutzung des Bodens

Das Leben eines Bauern war nie einfach, vor allem wenn man es mit dem eines Städters vergleicht; obwohl es dafür auch Entschädigungen gibt, die den Grossstädtern gänzlich unbekannt sind. Seit alters her hielt man die Bearbeitung des Bodens für etwas Erniedrigendes, und die Bauern galten im allgemeinen als ungehobelte, plumpe, ungebildete Menschen, deren alleinige Kenntnisse sich auf die alltäglichen Tätigkeiten erstreckten. Heute noch wird dieses vereinfachende Urteil von vielen geteilt, obwohl es bestimmt nicht gerade nobel ist. Es geht nämlich weder auf die wirkliche Berufung des Bauern noch auf seine Stellung in der Gesellschaft ein.
Was den Ackerbau betrifft, so ist die Schweiz bestimmt nicht bevorzugt. Zu einer eher mittelmässigen Bodenbeschaffenheit kommt ein häufig feuchtes und kaltes Klima, eng begrenzte Ebenen und das Gebirge, das sich weitflächigen landwirtschaftlichen Betrieben entgegenstellt.
Die Haustierzucht scheint bis in die graue Vorzeit zurückzugehen. Man betrieb sie gemeinsam mit dem Ackerbau, der vor 8000 Jahren im Mittleren Orient erfunden wurde. Für die Menschheit war diese Entdeckung wie auch das gleichzeitige Aufkommen der Töpferei, der Webkunst und der Korbflechterei eine regelrechte Revolution. Schon die Kelten erwähnen grosse sommerliche Herdenwanderungen. Später, während der alemannischen Besiedlung, erfährt das Hirtentum einen bemerkenswerten Aufschwung.
Viehwirtschaft ist in der Schweiz stärker vertreten als der Ackerbau, wird sie doch durch die Futtergewinnung begünstigt, die auf bergigem und häufig beregnetem Gelände möglich ist. Man gewinnt das Viehfutter auf Dauerweiden, die zwei- bis dreimal jährlich abgemäht werden. Die künstlich angelegten Wiesenflächen erstrecken sich auf dem Alpen-

Le travail de la terre

La vie du paysan n'a jamais été facile, surtout si on la compare à celle du citadin, encore qu'il y ait des compensations que l'habitant des grandes villes ignore complètement. De tout temps, le travail de la terre a été considéré comme dégradant et les paysans ont généralement passé pour être des hommes frustes, grossiers, incultes, ayant des connaissances limitées au seul domaine de leurs activités quotidiennes. Ce jugement simpliste, qui est partagé, de nos jours encore, par de nombreuses personnes, manque singulièrement de générosité. Il ne tient nullement compte de la véritable destinée du paysan ni de la situation de cet homme dans la société où, généralement, il occupe l'échelon le plus bas.
Sur le plan agricole, la Suisse n'est guère privilégiée. A une qualité plutôt médiocre des sols, il faut ajouter un climat le plus souvent humide et froid, la surface réduite des plaines et la présence de montagnes qui s'opposent à des exploitations agricoles étendues.
L'élevage des animaux domestiques semble remonter au plus lointain passé. Il a été pratiqué en même temps que l'agriculture, inventée il y a quelque 8000 ans au Moyen Orient. Cette découverte, accompagnée de l'apparition simultanée de la céramique, du tissage et de la vannerie signifia, pour l'humanité, une véritable révolution. Déjà les Celtes parlent de migrations estivales de grands troupeaux. Plus tard, durant la colonisation alamane du pays, la vie pastorale connaît un développement considérable.
En Suisse, l'élevage l'emporte de loin sur l'agriculture, car il est favorisé par la production fourragère, laquelle est possible en terrains accidentés et abondamment arrosés. Ces fourrages sont produits dans des prairies permanentes, fauchées deux ou trois fois par année. Les prairies artificielles, qui s'étendent sur le versant septentrional des Alpes, sont semées de trèfle et de luzerne. Elles permettent

How the land is used

A peasant's life has never been easy, especially compared with that of a townee, but it has some compensations which would mean nothing to a city dweller. Working the soil was always considered degrading, and peasants were generally looked upon as uncouth, clumsy, uneducated people whose knowledge was limited to everyday activities. This oversimplification is still accepted by many people today although it is certainly not very amiable. It takes into consideration neither the real vocation of the peasant or farmer nor his importance to society, where he is degraded to the lowest rung of the ladder.
Switzerland is certainly not blessed with much arable land. Soil of only moderate quality and a frequently damp and cold climate, are coupled with a very limited area of flatland, and mountains which prevent any kind of large-scale farming.
The beginnings of animal husbandry are lost in the mists of antiquity. It is known to have been practised together with arable farming, which began in the Middle East 8,000 years ago. The introduction of arable farming, and the simultaneous beginnings of pottery,weaving, and basket-work brought about a thoroughgoing revolution. Celtic literature mentions large summer livestock drives. Later, during the period of Alemannic settlement, pastoral farming became much more important.
Animal husbandry is more important in Switzerland than arable farming, thanks to the grass that can be grown on the steep and often very wet mountain slopes. The grass is grown on permanent pastures which are mown two or three times a year. Man-made meadows on the northern slopes are sown with clover and lucerne, which help to prevent exhaustion of the soil. The mountain farmers are immensely proud of their brown Swiss cows from Inner Switzerland and the Grisons, their red and white cows from the Simmel Valley, their

nordhang, werden mit Klee und Luzerne bepflanzt. Sie ermöglichen es, gegen ein Auslaugen des Bodens vorzugehen. Die braunen Kühe der Innerschweiz und Graubündens, die rotgefleckten aus dem Simmental, die schwarzfleckigen aus Freiburg und die grauen aus dem Eringertal sind der ganze Stolz der Bergbauern. Die Braunviehrasse und die Simmentaler Zuchttiere stellen einen bedeutenden Exportartikel der Schweiz dar.
Die bestellbaren Ackerflächen machen etwa eine Million Hektar aus, die Wälder eine weitere und die Weiden eine dritte Million Hektar der Landesfläche. Der Schweizer ist verwachsen mit seinem Boden, den er fest und ganz in Besitz genommen hat. Übrigens geniesst er auch eine ausgezeichnete berufliche Ausbildung. Die Durchführung landwirtschaftlicher Marktveranstaltungen, Bauernverbände und -vereinigungen sowie eine wohldurchdachte Agrargesetzgebung ermutigen die Landwirte und sind ihnen Ansporn, um trotz aller bestehenden Schwierigkeiten diesen schönen Beruf auszuüben. Nebenbei erleben wir seit einigen Jahren bei den Städtern einen gewissen Bewusstseinswandel, der von einem besseren Verständnis der ländlichen Probleme zeugt. Die Behörden ihrerseits gewähren den Gebirgsbevölkerungen eine verstärkte und umfassende Hilfe. Wie dem auch sei: die Bewohner der Alpenregionen haben aus topografischen und klimatischen Gründen gegen grosse Schwierigkeiten anzukämpfen, um eine Existenzgrundlage zu finden. Es gab eine Zeit, in der die Dörfer nur von den Erzeugnissen ihres Bodens, von der Haustierzucht und der Holzwirtschaft lebten. Doch bei den Bewohnern weckten Eisenbahn- und Strassenbau, das Aufkommen der weissen Kohle und vor allem der Tourismus neue Bedürfnisse, wodurch sie zu einer fühlbaren Veränderung ihrer Lebensweise gezwungen wurden. In vielen Fällen sahen sich die Bergbewohner oft ungewollt veranlasst, eine Wahl zu treffen. Ent-

de lutter contre l'épuisement des sols. Les vaches brunes de Schwyz, tachetées rouges du Simmental, tachetées noires de Fribourg et grises du val d'Hérens, font l'orgueil des paysants montagnards. Les animaux de la race brune et de la race rouge du Simmental sont d'importants produits d'exportation.
Les terres cultivables couvrent un million d'hectares, les forêts un autre million et les alpages un troisième million d'hectare du territoire national. Le Suisse est très attaché à une terre qu'il possède de plein droit. Il est vrai qu'il bénéficie d'une excellente formation professionnelle. L'organisation de marchés agricoles, l'existence d'associations, de ligues paysannes et d'une législation agraire très développée sont autant d'encouragements qui poussent les agriculteurs, malgré toutes les difficultés présentes, à exercer leur beau métier. D'ailleurs, on assiste, depuis quelques années, à une certaine prise de conscience des citadins qui témoignent d'une meilleure connaissance des problèmes de la campagne.
Pour leur part, les autorités gouvernementales accordent une aide accrue et substantielle aux populations montagnardes. Quoi qu'il en soit, les habitants des zones alpestres doivent, en raison des conditions topographiques et climatiques, mener un vrai combat pour arriver à vivre décemment. Il y eut une époque durant laquelle les villages de montagne vivaient sur les seuls produits du sol, sur l'élevage des animaux domestiques et sur l'exploitation des forêts. Mais la construction de routes et de voies ferrées, l'avènement de la houille blanche et, surtout, le tourisme ont créé, chez les habitants, de nouveaux besoins, les obligeant à modifier sensiblement leur mode de vie.
Dans de nombreux cas, les paysans de la montagne se virent contraints, souvent malgré eux, de faire un choix. Il s'agissait ou bien de rester sur place et d'accepter toutes les difficultés de l'existence en altitude, ou bien de quitter les lieux et d'aller gagner son pain quotidien ailleurs. C'est très souvent cette

black and white ones from Fribourg, and their grey cows from the Eringer Valley. The brown Swiss and Simmenthal breeds have become important "export articles".
Arable land takes up about a million hectares, woodland another million, and pastureland a third million. The Swiss peasants are close to and profoundly attached to the soil. They are given excellent professional training. Agricultural events, the activities of farmers' associations and unions, and far-sighted agricultural legislation encourage the farmers to continue in their vocation despite all the difficulties they have to contend with. In recent years there has been a certain change of attitude among townspeople which suggests a better understanding of rural problems. Mountain-dwellers are given considerable support by the authorities, but, if only for geographical and climatic reasons, Alpine farming is never easy. There was a time when the villages lived entirely off the products of the soil, animal husbandry, and forestry. But the construction of railways and roads, the development of water power, and above all, of tourism, created new needs among the rural population which has been forced to change its way of life to satisfy them. Many have been faced with the choice of staying in the mountains and accepting all the difficulties of living and working at such high altitudes, or of earning their daily bread elsewhere. They often chose the second course, so that there has been a massive flight from the land by the more ambitious, especially from communities furthest away from the mainstream of tourism. But this flight from the land does not mean that the mountain population has suffered a disquieting reduction in its numbers – on the contrary, the population is constantly increasing, although at a slower rate than in the lowlands. The population of Switzerland as a whole has doubled in the last hundred years whereas in the same period the population of the Alpine regions has increased by only one fifth.

weder konnten sie an Ort und Stelle bleiben und alle Beschwernisse einer Existenz in diesen Höhen auf sich nehmen, oder aber sie mussten ihr täglich Brot anderswo verdienen. Häufig entschieden sich die Betroffenen für diese zweite Lösung; daher rührt auch die massive Abwanderung der ehrgeizigsten Glieder einer Gemeinschaft, meist aus jenen Dörfern, die fernab des üblichen Touristenstroms liegen. Doch bedeutet diese Landflucht keineswegs, dass die Bergbevölkerung insgesamt gesehen eine beunruhigende Verminderung ihres Bestandes aufzuweisen hat; im Gegenteil! Sie nimmt ständig zu, jedoch in geringerem Umfang verglichen mit dem Zuwachs in der Ebene. Die Zahl der Schweizer hat sich in den letzten hundert Jahren verdoppelt, während in der gleichen Zeit die Bevölkerung der Alpengebiete nur um ein Fünftel angewachsen ist. Die Landwirtschaft im Gebirge ist vorwiegend auf Viehwirtschaft ausgerichtet, stösst dabei aber auf enorme Hindernisse. Die Böden sind weder fest noch tief und vom Regenwasser stark ausgewaschen. Das Klima ist rauh, und der Winter zieht sich bis in den Frühsommer hinein. Ausserdem fallen die Hänge steil ab und machen so die Bestellung der Felder zu einer mühsamen Arbeit.
Darüber hinaus ist noch die Verschiedenartigkeit der Regionen zu berücksichtigen, weshalb die Lage der Bergbauern nicht überall gleich ist. Dafür gibt das Wallis besonders aufschlussreiche Beispiele.
Dieser Kanton bildet eine echte kulturelle und wirtschaftliche Einheit. Kontakte über die Furka nach Graubünden hin sind ziemlich selten. Das Rhonetal wurde vom gleichnamigen Gletscher trogförmig ausgehobelt und ist fruchtbar. Es profitiert von einem Mittelmeerklima, da es von hohen Bergen eingerahmt ist. Man steht hier in einem riesigen, üppigen Garten. Auf den Südhängen wachsen Reben, die ob ihrer roten und weissen Weine berühmt sind. Auf den

deuxième solution que choisirent les personnes concernées ; d'où le départ massif des éléments les plus ambitieux des communautés, principalement des villages situés en dehors des zones fréquentées ordinairement par les touristes. Mais cet exode ne signifie nullement que la population montagnarde, prise dans son ensemble, enregistre actuellement une diminution alarmante de ses effectifs, au contraire ! Elle n'a cessé d'augmenter, mais dans des proportions inférieures à celle de la plaine.
Si le nombre des Suisses a doublé en l'espace de cent ans, pour le même laps de temps celui des habitants du domaine alpestre ne s'est accru que du cinquième seulement.
L'agriculture de montagne, orientée principalement vers la production de céréales, se heurte à de terribles obstacles. Les sols sont instables, peu épais et abondamment lessivés par les pluies. Le climat est rude et l'hiver se prolonge jusqu'aux portes de l'été. De plus, les pentes sont accentuées et rendent le travail dans les champs particulièrement pénible.
Encore convient-il de tenir compte de la diversité des régions qui font que la condition du paysan de montagne n'est pas forcément partout la même. Le cas du Valais est, à ce propos, particulièrement significatif.
Ce canton forme une véritable unité culturelle et économique. Les contacts avec les Grisons, qui peuvent se faire par la Furka, sont plutôt rares. La vallée du Rhône, creusée en auge par le glacier du même nom, est fertile. Elle bénéficie d'un climat méditerranéen qu'elle doit à son encadrement montagneux. C'est, en fait, un immense jardin où les cultures maraîchères sont prospères. Sur le versant exposé au sud croît la vigne qui donne des vins rouges et blancs réputés. Sur le versant opposé s'étendent des vergers qui, au printemps, alors que les arbres sont couverts de fleurs, animent le paysage.
La vallée du Rhône est très peuplée et le nombre de ses habitants ne cesse d'augmenter. Ce phénomène est la conséquence non seule-

Agriculture in the mountains concentrates primarily on animal husbandry, but is faced with enormous problems even on this sector. The soil is neither firm nor deep, and is often washed out by heavy rain. The climate is rough, with the winter extending right into early summer. Furthermore, the slopes are very steep, making the land very difficult to work. The position of the mountain farmer varies from region to region, of course, depending on local conditions. The Canton of Valais provides a good example of this.
This Canton forms a genuine cultural and economic unit. Contacts across the Furka Pass to the Grisons are relatively rare. The trough-like shape of the fertile Rhône Valley is the result of glacial erosion. Surrounded by high mountains, it enjoys a Mediterranean climate. It is like a huge, luxuriant garden. Vines grow on the southern slopes, producing famous white and red wines. The opposite slopes are covered with orchards which transform the landscape into a sea of blossom in the spring. The Rhône Valley is heavily populated, a result not only of the favourable agricultural conditions, but also of industrial development. But this development has meant that the rich farming land is constantly being reduced to make way for housing. The land is being parcelled up to a disquieting degree, and many families now own only one or two hectares of farming land.
The contrast between this rich area and all the side valleys running off it into the northern and southern Alpine chains is very striking. The farmers from the main valley at the same time own land higher up in the mountains, where they practise arable and livestock farming. There is a complex system of "bisses", or irrigation channels. The word "bisse" is supposed to derive from the German "Bett" - bed - and was perhaps at one time used to describe a watercourse. In Valais it is now used to describe wooden channels sunk into the naked rock or in the soft pastureland.

gegenüberliegenden Hängen ziehen sich Obstgärten hin, die mit ihren im Frühjahr blühenden Bäumen die Landschaft beleben.
Das Rhonetal ist dicht besiedelt, und die Einwohnerzahl nimmt ständig zu. Diese Erscheinung ist nicht nur eine Folge der landwirtschaftlichen, sondern auch der industriellen Entwicklung. Doch wird durch dieses stetige Anwachsen der Boden in immer stärkerem Masse vom Menschen in Anspruch genommen. Die Zerstückelung des Ackerlandes nimmt beunruhigende Formen an, und zahlreiche Familien besitzen lediglich einen oder zwei Hektar an anbaufähigem Land.
Der Gegensatz zwischen diesem gesegneten Tal und all den aus den nördlichen und südlichen Alpenketten hinabführenden Nebentälern ist auffallend. Die Bauern in den Tälern haben gleichzeitig Besitzungen auf den Anhöhen, wo sie sich mit Viehzucht beschäftigen. Ein verzweigtes Netz von „Bisses" ermöglicht die Bewässerung aller Kulturen. Das Wort „Bisse" soll vom deutschen „Bett" herrühren und ist vielleicht früher zur Bezeichnung eines Wasserlaufs verwandt worden. Im Wallis bezeichnet es hölzerne Bewässerungskanäle, die zuvor in den nackten Fels gehauen oder aber in den weichen Weideboden eingegraben worden waren.
Zu Beginn des Frühjahrs steigt das Hausvieh auf. Dieser Alpauftrieb, bei dem Tausende Stück Vieh beteiligt sind, ist ein richtiges Fest. Der Aufstieg ist ein bedeutsamer Augenblick im Leben der Bergbevölkerung, den die Schweizer Bauernmaler in ihren rührend naiven Werken festgehalten haben.
Das Leben verläuft nach einem jährlich regelmässig wiederkehrenden Kalender. Es ist von der ausserordentlichen Beweglichkeit der Bewohner geprägt, die, wie ihre Haustiere, jahreszeitlich bedingte Wanderungen unternehmen. Im Laufe des Monats April verlassen diese Gebirgsnomaden ihre Häuser. Zunächst ziehen sie zu den „Maiensässen", dies ist die erste Etappe auf dem langen Weg zur Alp-

ment du développement de l'agriculture, mais aussi de celui de l'industrie. Mais cet accroissement constant de la population a été accompagné d'une pression de plus en plus grande de l'homme sur la terre. Le morcellement des champs de cultures atteint des proportions alarmantes et nombreuses sont les familles qui ne possèdent qu'un ou deux hectares de terres cultivables.
Le contraste est frappant entre cette vallée heureuse et toutes celles, affluentes de la première, qui descendent des chaînes septentrionales et méridionales des Alpes. Les paysans de la plaine possèdent également des propriétés sur les hauteurs où ils se consacrent à l'agriculture et à l'élevage du bétail. Un réseau complexe de «bisses» permet la distribution de l'eau à toutes les cultures. Ce vocable viendrait du mot allemand Bett (lit) et aurait peut-être été appliqué, autrefois, à un cours d'eau. En Valais, il désigne des canaux d'irrigation en bois, taillés dans la roche vive ou encore creusés dans le sol tendre d'un pâturage.
La montée des animaux domestiques se fait au début du printemps. Cette transhumance, à laquelle participent des milliers de têtes de bétail, est une véritable fête. Les peintres paysans appenzellois ont célébré, dans leurs œuvres naïves et touchantes, cette montée à l'alpage qui est un très grand moment de l'existence des habitants de la montagne.
La vie dans une vallée affluente du Valais obéit à un calendrier qui se répète, chaque année, avec la même régularité. Elle est marquée par une extraordinaire mobilité des habitants qui, à l'exemple de leurs animaux domestiques, connaissent des migrations saisonnières. Ces nomades de la montagne quittent leurs villages dans le courant du mois d'avril. Ils se rendent tout d'abord dans les «mayens» - appelés Voralp dans les cantons alémaniques - première étape de ce long voyage à la conquête de l'Alpe. Puis, dès le mois de juin, les bergers qui conduisent leurs

At the beginning of spring, the herds are driven up into the mountains. The process involves thousands of animals, and is the occasion of great festivities. It is an important time in the lives of the mountain dwellers, and it has been captured effectively in the naive works of the Swiss peasant painters.
A mountain farmer's life runs according to a fixed annual pattern. It is characterized by the extreme flexibility of the inhabitants, who lead a semi-nomadic life with their herds based on the rhythm of the seasons. In the course of April, these mountain nomads leave their houses, and move to the "Maiensässen", or lower Alpine pastures. This is the first stage on the long journey to the "Alm", the highest pastureland. Then, in June, the herdsmen take their huge flocks and herds (sheep, cattle) up to the highest level, leaving other members of the family down in the valley to look after the fields and the haymaking. The downward trek takes place in September. The herdsmen and animals return to their winter quarters.
In March, shortly before the herds are driven up the mountains again, the farmers prepare their fields and vineyards for the new season, and a new cycle begins.
In some parts, the people profit from the flourishing tourist trade, and here there is a steadily increasing population, swollen by influx from less favoured areas.
Due to the local geographical conditions and the small amount of arable land, the situation of the mountain farmers of Ticino is extremely difficult. The fields are limited to the long, narrow valleys. Village life has been totally disrupted in some places by the fact that the men have left the land. The women remain behind; they have neither the means nor the physical strength to farm properly, and therefore concentrate on a limited kind of polyculture. Animal husbandry is no better favoured than arable farming, for the pastures are small and difficult of access. Thus agriculture is on the decline. The lower-lying

eroberung. Im Monat Juni steigen die Hirten dann mit ihren grossen Schaf- und Rinderherden auf die Alpen, während ein anderer Teil der Bevölkerung unten im Tal bleibt, um sich der Felder und der Heuernte anzunehmen. Der Abtrieb erfolgt im September. Hirten und Tiere kehren nun in ihre festen Behausungen zurück. Die Herden überwintern in den Maiensässen oder den Dörfern und fressen das in Scheunen aufgestapelte Heu. Im März, kurz vor dem Auftrieb, bestellen die Bauern ihre Felder oder Weinberge, und ein neuer Kreislauf beginnt.

In manchen Gegenden hat der Tourismus einen starken Aufschwung erfahren, und die Einheimischen leben hier besser als anderswo. Diese Zentren bevölkern sich immer mehr. Sie nehmen Zugereiste auf, die aus weniger bevorzugten Landstrichen kommen.

Auf Grund der örtlichen Topografie und einer eng bemessenen Oberfläche des anbaufähigen Landes ist die Lage der Tessiner Bergbauern schwierig. Die Felder ziehen sich auf tief eingeschnittenen Talzungen hin. Die starke Abwanderung der Landwirte hatte in vielen Tälern verheerende Folgen für das Leben in den Dörfern. Die Frauen bleiben allein, auf sich selbst gestellt; es fehlen ihnen die nötigen Mittel und starke Arme, weshalb sie sich auf eine kärgliche Polykultur beschränken müssen. Für die Viehzucht sieht es nicht günstiger aus als für den Ackerbau, denn die Weiden sind klein und liegen an fast unzugänglichen Stellen. So verschwinden Arbeitsmöglichkeiten in der Feld- und Viehwirtschaft nach und nach. In den Ebenen mit ihren wunderbaren Seen tritt der Tourismus an ihre Stelle.

Auf der Alpennordseite sind die Aussichten etwas erfreulicher. Hier ist die Geografie der Viehzucht gewogen. Die Bauern besitzen ausgedehnte Parzellen. Fettes, von reichlichen Regenfällen gespeistes Gras bedeckt prächtige Wiesen, auf denen grosse Herden friedlich weiden. Die gleichzeitige Milch-, Käse- und

grands troupeaux de chèvres, de moutons et de vaches, gagnent les alpages, alors qu'une autre partie de la population reste dans le fond des vallées afin de s'occuper des champs, des cultures et de la récolte du foin. La désalpe a lieu au mois de septembre. Pendant que les bêtes regagnent leurs étables respectives, les paysans, qui ont fait les foins et qui ont semé les céréales, se rendent dans leurs vignes de la plaine, car le temps des vendanges est proche. Les troupeaux passent l'hiver dans les «mayens» ou dans les villages, se nourrissant du fourrage qui remplit les greniers. En mars, peu avant la transhumance, les paysans travaillent dans leurs vignes et un nouveau cycle recommence.

Dans d'autres régions, le tourisme a pris un grand essor et les autochtones vivent beaucoup mieux qu'ailleurs. Ces centres sont de plus en plus peuplés. Il accueillent des immigrants venus des zones les moins favorisées.

Au Tessin, la situation du paysan de montagne est plus problématique encore à cause de la topographie des lieux et de la très petite surface des terres cultivables. Les champs s'étirent au fond de vallées encaissées et jonchées d'éboulis. Le départ, en nombre, des agriculteurs a eu des conséquences désastreuses pour la vie dans les villages. Les femmes, restées seules et livrées à elles-mêmes, faute de moyens et de bras, se limitent à une polyculture misérable. L'élevage n'est pas plus avantagé que l'agriculture, car les pâturages sont de dimensions réduites et se situent dans des endroits presque inaccessibles. Les activités agro-pastorales se meurent peu à peu. Dans les plaines, où se trouvent des lacs magnifiques, elles sont remplacées par le tourisme.

Le panorama est plus réjouissant sur le versant septentrional des Alpes. La géographie se montre favorable à l'élevage. Les paysans possèdent des parcelles étendues. De grands troupeaux paissent en toute quiétude dans de magnifiques pâturages couverts d'une herbe

areas, with their wonderful lakes, find consolation in tourism.

Prospects are somewhat brighter on the northern side of the Alps. Here the land is well suited to livestock farming. The peasants own large areas of land: magnificent pastures well watered by adequate rainfall, on which large herds peacefully graze. A combination of dairy farming, with cheese making, and meat production provides the farmers of this region with a good living.

Roads and postal services

It is hard to imagine now what crossing the Alps involved in previous ages.

The Romans went to extreme lengths to provide their Empire with an adequate road network. The *cursus publicus* extended throughout the continent with a total length of over 70,000 miles. It was the result of a tremendous input of labour without the aid of machines. These roads were monuments to the genius of their builders. They were used for centuries, long after the Roman civilization had declined. They formed a pattern for Europe's modern road network. The roads were also used by the state postal system to convoy Imperial orders from the capital to remote corners of the Empire. But the system did not survive the invasion of the Alpine region by the Burgundians and Alemannic tribes in the 5th century.

When the Merovingians, who helped to spread Christianity, and were great founders of monasteries, came to power, they adopted a new communications policy, encouraging every kind of contact and exchange between even the most remote areas. Writing was done on wax-covered tablets, as paper was not yet known: with the aid of a style, or the point of a dagger, monks, the only literate members of the community, etched messages on the surface.

Fleischerzeugung stellt für die Landwirte eine recht beachtliche Einnahmequelle dar.

Strassen und Postwesen

Man kann sich heute nur mehr schwer vorstellen, was im Mittelalter eine Alpenüberquerung bedeuten musste.
Bereits die Römer hatten keine Anstrengung gescheut, um ein für ihr Reich lebensnotwendiges Verkehrsnetz auszubauen. Dieser *cursus publicus* lief quer durch den Kontinent und erreichte eine Gesamtlänge von 120000 Kilometern. Er war das Ergebnis gigantischer Arbeiten, die ohne Maschinenhilfe durchgeführt worden waren. Diese Strassen zeugen von der Genialität ihrer Erbauer. Jahrhundertelang wurden sie benutzt, auch dann noch, als die römische Zivilisation untergegangen war. Sie waren Vorbild für Verkehrswege, die heute Europa durchziehen. Auch die Staatspost fuhr auf diesen Strassen, um kaiserliche Befehle in die von der Hauptstadt weit entlegenen Landstriche zu übermitteln. Doch als die Burgunder und Alemannen im 5. Jahrhundert ins Alpengebiet einfielen, bereiteten sie diesem System, das für sie keinerlei Bedeutung hatte, ein jähes Ende.
Die Merowinger, Verbreiter des Christentums und Klosterbauer, kamen an die Macht: Sie sollten eine neue Verkehrspolitik betreiben, die jede Art von Austausch begünstigte ebenso wie Kontakte zwischen weit auseinanderliegenden Gebieten. Mit Wachs überzogene Täfelchen ersetzten das damals noch unbekannte Papier; mit Hilfe eines Griffels oder einer Dolchspitze ritzten darauf die Mönche ihre Botschaften ein - denn sie allein verfügten über die nötigen Kenntnisse.
Das 13. Jahrhundert erlebte die Blüte der von Habsburger, Kyburger und Zähringer Fürsten gegründeten Städte. Strassen, deren Bedeutung zusehends wächst, verbinden diese Orte miteinander. Im Textilzentrum Sankt Gallen

grasse, entretenue par des pluies abondantes. La production simultanée du lait, des fromages et de la viande de boucherie assure, aux agriculteurs, une source très appréciable de revenus.

Les routes et le service postal

On a beaucoup de peine à imaginer, aujourd'hui, ce que devait être, au Moyen Age, une traversée des Alpes.
Déjà, les Romains n'avaient ménagé aucun effort afin d'établir un réseau de communications qui était d'une importance vitale pour leur empire. Ce *cursus publicus*, tracé à travers un continent, avait une longueur totale de 120.000 km. Il fut le résultat d'un travail gigantesque, accompli sans l'aide de machines. Ces routes témoignent du génie de leurs constructeurs. Elles furent utilisées pendant des siècles et longtemps après que les représentants de la civilisation romaine aient disparu. Elles servirent de modèle aux voies de communication qui, de nos jours, sillonnent le continent européen. La poste d'Etat utilisait également ces routes pour la transmission des ordres que les empereurs faisaient aux régions les plus éloignées de la capitale. Mais les Burgondes et les alamans, qui envahirent la zone alpestre durant le 5ème siècle, mirent brutalement fin à ce système qui avait perdu pour eux toute signification.
Cependant, l'entrée en scène des Mérovingiens, propagateurs du christianisme et constructeurs de couvents, allait signifier, sur le plan des communications, l'orientation d'une nouvelle politique qui favorisait les échanges et les contacts entre des régions séparées les unes des autres par d'énormes distances. Le papier, inconnu à l'époque, était remplacé par des tablettes recouvertes de cire sur lesquelles, au moyen d'une pointe ou d'un stylet, les moines, détenteurs de la connaissance, gravaient leurs messages.

The 13th century saw the flowering of the towns founded by the Habsburg, Kyburg, and Zähring Princes. These towns were connected by roads, whose importance rapidly increased. In the textile centre of St. Gall, the country's first postal service was opened with a large staff of messengers. These men had to be tough and resourceful, and prepared to travel long distances on foot if necessary.
St. Gall extended its area of influence by first of all establishing contact with the large German cities, and then with Lyon, another important textile centre. The connecting road went via Zürich, Solothurn, Avenches, Lausanne, and Geneva. With its extension into German territory, it formed the first Swiss east-west axis. As business increased, the messengers were provided with mounts. Other towns now began to compete with St. Gall. Bern, for example, was interested in contact with west Switzerland and north Italy. A reliable postal service was set up, using the road across the Simplon Pass. This new north-south axis complemented the east-west one across the St. Gothard Pass, and underlined the strategically favourable position of Switzerland in European trade.
Until the 18th century the postal services were in the hands of numerous independent operators. But this system was not satisfactory. Some areas were extremely well served, and could rely on a well-kept road network, while others received only sporadic postal services. Rates varied from operator to operator. The journey with a mail coach often lasted for several days, especially when the Alps had to be crossed. Inns were built along the routes, and at night the coaches stopped to rest their horses and passengers. But the innkeepers were often avaricious, and there was always the danger of highwaymen. Attacks by heavily armed robbers were a common feature of travel, and often ended in bloodshed.
As the roads improved, however, the mail coaches were used more and more, despite all

eröffnet man zum erstenmal in der Geschichte des Landes einen Postdienst, der sich auf zahlreiche Boten stützt. Diese Männer sind von ganz besonderem Schrot und Korn, schrecken, wenn es sein muss, auch nicht davor zurück, viele Kilometer zu Fuss zu bewältigen. Sankt Gallen erweitert seinen Einflussbereich, indem es ständige Verbindungen zuerst mit den grossen deutschen Städten knüpft, dann mit Lyon, jenem anderen bedeutenden Zentrum der Stoffverarbeitung. Diese Strasse führt über Zürich, Solothurn, Avenches, Lausanne und Genf. Mit ihren Ablegern auf deutsches Gebiet bildet sie die erste Schweizer Ost-West-Achse. Der zunehmende Verkehr zwingt die Boten, bei ihren Reisen aufs Pferd zu steigen. Orte, die bisher abseits gestanden hatten, treten nun mit Sankt Gallen in direkten Wettstreit. Das trifft etwa auf Bern zu, das an günstigen Wirtschaftsbedingungen mit der Westschweiz und Norditalien interessiert ist. Ein zuverlässiger Postverkehr wird durch Strassenverbindungen ermöglicht, die über den Simplonpass verlaufen. Diese gut eingeführte neue Nord-Süd-Achse ergänzt jene über den Gotthard und festigt zusätzlich die strategisch vorteilhafte Position der Schweiz innerhalb des europäischen Handels.

Bis zum 18. Jahrhundert befindet sich das Postwesen in den Händen einer Vielzahl unabhängiger Unternehmen. Doch stellt dieses System seine Benutzer überhaupt nicht zufrieden. Einige Regionen werden hervorragend versorgt und können sich auf ein gut ausgebautes Strassennetz verlassen; andere hingegen bleiben links liegen und erhalten nur sehr selten Post. Die Tarife sind je nach Unternehmen recht unterschiedlich. Oft dauert die Reise mehrere Tage, vor allem wenn die Alpen überquert werden müssen. Entlang der Strasse werden Herbergen gebaut. Bei Einbruch der Dunkelheit machen die Postkutschen hier halt, und die Reisenden können sich von den Strapazen erholen. Doch werden

Le 13ème siècle voit la floraison des villes fondées par les princes des Habsbourg, des Kybourg et des Zähringen. Ces localités sont reliées par des routes qui gagnent chaque jour en importance. C'est à St-Gall, devenu un centre de production de textiles, que l'on inaugure, pour la première fois dans l'histoire du Pays, une entreprise postale qui fait appel au concours de nombreux messagers. Ces hommes sont d'une trempe particulière et, pour accomplir leur tâche, ils n'hésitent pas à parcourir à pied des dizaines de kilomètres.

St-Gall étend sa zone d'influence en établissant des relations permanentes, d'abord avec les grandes villes de l'Allemagne, puis avec celle de Lyon, autre centre renommé de la confection des étoffes. Cette route passe par Zürich, Soleure, Avenche, Lausanne et Genève. Elle constitue, avec ses prolongements sur territoire allemand, le premier axe est-ouest de la Suisse. L'intensité du trafic pousse les messagers à utiliser le cheval pour leurs déplacements. Les localités, qui sont demeurées jusqu'alors en dehors de ce commerce, vont entrer directement en compétition avec St-Gall. Tel est le cas de la ville de Berne qui se montre intéressée, avant tout, par des relations favorables à son économie entre la Suisse occidentale et le nord de l'Italie. Le renforcement du trafic postal est possible grâce à des liaisons routières qui empruntent le col du Simplon. Ce nouvel axe nord-sud, solidement établi, doublé de celui du Gothard, consolide encore la position stratégique de la Suisse dans le commerce européen.

Jusqu'au 18ème siècle, le service postal se trouve entre les mains d'une multitude d'entreprises indépendantes. Ce système est loin de satisfaire les usagers. Certaines régions sont très bien desservies et peuvent compter sur un réseau routier développé alors que les autres sont vouées à l'abandon et ne reçoivent que très rarement du courrier. L'échelle des tarifs varie considérablement d'une entreprise

the dangers and discomfort. Traffic increased even faster once the postal services had been taken over by the Swiss State in 1849. From now on the coaches travelled to an exact timetable. Travellers were no longer dependent on the whims of the individual operators who had hitherto manipulated conditions to their own advantage at the expense of the traveller. The most important routes ran from Zurich to Chur, Lausanne to Domodossala, and from Lucerne to Chiasso. The road network had a total length of about 2,800 miles. The Swiss mail coaches did not stop at the border, and in exchange for this privilege, neighbouring countries were permitted to transport their travellers to the most prosperous Swiss towns. International cooperation in transport was already beginning then.

Extra coaches were laid on outside the timetable for special purposes. This was particularly the case on the trans-Alpine routes. They guaranteed a fast journey. The Empress of Russia travelled in one of these extra coaches from Rorschach to Magadino in October 1856 – a route which enabled the noble lady to admire the beauties of the Grisons landscape, the Splügen Pass, and the Ticino valleys.

The history of the St. Gothard road – later a tunnel was cut – is rather interesting.

In the year 1000, monks set up a hostel here. When the road was built it simply followed the course of the old mule track, completely ignoring the dangers. The journey's end was Cameralate, in Italy. Kings, artists, scientists, writers, and philosophers travelled across the Gothard: Jérôme Bonaparte, the Emperor of Brazil, Queen Victoria, Don Carlos, United States President Ulysses Grant, Friedrich Nietzsche, Léon Gambetta, César Lombroso, Edgar Quinet, Alphonse Daudet, Jules Michelet…

The advent of the railway was a severe blow to road traffic. But with the invention of the

sie häufig von den Wirten geschröpft. Ausserdem sind Postkutschenüberfälle durch schwerbewaffnete Wegelagerer an der Tagesordnung. Meist enden sie blutig.
Mit besser werdenden Strassen benutzt man, trotz all dieser Gefahren und Unannehmlichkeiten, die Postkutsche immer häufiger. Vor allem seit der Schweizer Bundesstaat im Jahre 1849 das Postwesen selbst übernommen hat, wächst der Verkehr unaufhörlich.
Von nun an richten sich die Kutschen nach genauen Fahrplänen. Man ist nicht mehr den Launen eines Unternehmens ausgesetzt, das bis dahin die Verhältnisse munter zu seinen Gunsten genutzt hatte; und das auf Kosten der Kunden. Die wichtigsten Achsen verbinden Zürich mit Chur, Lausanne mit Domodossola und Luzern mit Chiasso. In beiden Richtungen ist die Alpenüberquerung verhältnismässig einfach. Das Strassennetz weist eine Länge von etwa 4500 Kilometern auf. Auch jenseits der Grenzen setzen die Schweizer Postkutschen ihre Fahrt fort. Dafür befördern die Anliegerstaaten ihre Reisenden bis in die wohlhabendsten Städte der Konföderation. Bereits zu jener Zeit zeichnet sich auf internationaler Ebene eine Abstimmung in der Verkehrspolitik ab.
Ausserhalb des üblichen Fahrplans werden Sonderfahrten durchgeführt. Vor allem zur Alpenüberquerung benützt man diese Extrapost, und das mit wachsendem Erfolg. Sie garantiert ein schnelles Reisen. Mit einem dieser Postsonderdienste fuhr die Kaiserin von Russland im Oktober 1856 von Rorschach nach Magadino auf einer Strecke, auf der die erlauchte Dame die Graubündner Landschaft, den Splügenpass und die Tessintäler bewundern konnte.
Die Geschichte der Gotthardstrasse – später verläuft hier der Tunnel – ist recht interessant. An ihr errichteten im Jahr 1000 Mönche aus Disentis ein Hospiz. Wie so viele andere wurde auch diese Verkehrsstrasse unter Missachtung aller Gefahren auf einem Maultier-

à l'autre. Le voyage dure souvent plusieurs jours, surtout lorsqu'il s'agit de franchir les Alpes. Des auberges ont été construites le long des routes. Les diligences s'y arrêtent, à la tombée de la nuit, permettant aux voyageurs de se reposer. Mais ces derniers sont victimes des abus que commettent les propriétaires des lieux. De plus, les attaques de diligences par des bandes de pillards armés jusqu'aux dents sont fréquentes. Elles se terminent généralement dans le sang.
Malgré tous ces dangers et tous ces inconvénients, l'utilisation des diligences va de pair avec une amélioration de l'état des routes. Le trafic augmente sans cesse, surtout à partir de 1849, date à laquelle la Confédération suisse administre elle-même le service postal.
La circulation des diligences obéit désormais à des horaires précis. Elle ne dépend plus de la fantaisie d'une entreprise qui, jusqu'alors, avait largement profité des circonstances aux dépens de sa clientèle. Les principaux axes routiers relient Zürich à Coire, Lausanne à Domodossola, Lucerne à Chiasso. La traversée des Alpes, dans un sens comme dans l'autre, est relativement facile. Ce réseau a une longueur de 4500 km environ. Les diligences suisses continuent le voyage au-delà des frontières. Pour leur part, celles des pays limitrophes amènent leur contingent de voyageurs jusqu'aux villes les plus prospères de la Confédération. On voit déjà se définir, à cette époque, une politique de coordination des transports à l'échelle internationale.
Des courses sont organisées en dehors des horaires habituels. Cette extraposte est utilisée principalement pour le passage des Alpes et connaît un succès grandissant. Elle assure des déplacement rapides. C'est en utilisant l'un de ces services spéciaux que l'impératrice de Russie se rendit, en octobre 1856, de Rorschach à Magadino, suivant une route qui permit à cette femme illustre d'admirer les paysages des Grisons, du col du Splügen et des vallées du Tessin.

internal combustion engine, and the construction of new means of transport, the roads regained their original importance.
Day in and day out the picturesque yellow postal buses travel the Swiss Alpine roads, transporting mail, passengers, and some goods. They are of incalculable value to the mountain people. The bus drivers are experts who love their work, often coming from the area they work in. The traveller can safely entrust himself to their care, especially as they are well-known for their friendliness and sense of duty. Special buses can be hired for school excursions or group travel – just as in the time of the mail coaches.

The Federal Railways

The railway had a hard time establishing itself in Switzerland. Many Cantons rejected it at first, fearing it would generate too much noise, dirt, and danger. There was no central government to promote the railways, which also slowed down construction. But nevertheless the first line was inaugurated on 9th August 1847. It connected Zurich with Baden, and was about 14.5 miles long. It was only a modest beginning, but it convinced many people of the value of the railway.
When the Federal State was formed in 1848 the Cantons retained complete freedom with regard to railway building. They had full responsibility for choice and planning of routes. This meant that a great many firms were founded to build railways without any kind of medium or long-term considerations being taken into account. Rivalry between the various Cantons, and personal ambition flourished, and produced a chaotic situation. The people were disappointed and exasperated. In 1898 they voted with an overwhelming majority in favour of the Confederation buying the private railways, and this led to the foundation of the Swiss Federal Railways (SBB) in 1902.

pfad angelegt. Die Reise ging auf italienischem Gebiet zunächst in Camerlate zu Ende. Gekrönte Häupter, Künstler, Wissenschaftler, Schriftsteller und Philosophen zogen über den Gotthard: Jérôme Bonaparte, der Kaiser von Brasilien, Königin Victoria, Don Carlos, der Präsident der Vereinigten Staaten Ulysses Grant, Friedrich Nietzsche, Léon Gambetta, César Lombroso, Edgar Quinet, Alphonse Daudet, Jules Michelet...

Die Eisenbahn versetzte dem Strassenverkehr einen harten Schlag, und eine Zeitlang steckte er in einer schweren Krise. Doch mit der Erfindung des Verbrennungsmotors und dem Bau völlig neuartiger Fahrzeuge erhielten die Strassenverbindungen ihre ursprüngliche Bedeutung zurück.

Tag für Tag von früh bis spät befahren gelbe Postbusse die Schweizer Alpenstrassen; sie übernehmen den Personen-, Post- und teilweise auch den Warenverkehr. Für die Bergbewohner sind sie von unschätzbarem Nutzen. Die Busfahrer beherrschen und lieben ihren Beruf; meist sind sie auch aus der jeweiligen Gegend. Man kann sich ihnen also bedenkenlos anvertrauen, zumal sie zu Recht ob ihrer Freundlichkeit und Pflichterfüllung geschätzt werden. Für Schulausflüge, Gesellschafts- oder Gruppenreisen benutzt man diese Busse ausserfahrplanmässig - wie die Extrapost zur Zeit der Kutschen.

Von der Entstehung der Bundesbahnen

Die Eisenbahn hat sich in der Schweiz nur schwer durchsetzen können. Zahlreiche Kantone wollten nichts davon wissen, da sie Lärm, Umweltverschmutzung und Gefahren fürchteten. Eine Zentralregierung war nicht vorhanden, was den Streckenbau auf Schweizer Boden ebenfalls verzögerte. Und dennoch wurde die erste Linie am 9. August 1847 eingeweiht. Sie verband Zürich mit Baden und

L'histoire de la route du Gothard - ce sera plus tard celle du tunnel - ne manque pas d'intérêt. Sur son trajet se dresse un hospice qui a été élevé en l'an 1000 par des moines de Disentis. Cette voie de communication avait été aménagée, comme tant d'autres, sur un sentier muletier, au mépris de tous les périls. Le voyage se terminait à Camerlate, sur territoire italien. Il se poursuivait ensuite en chemin de fer jusqu'à Milan. Le Gothard vit passer des têtes couronnées, des artistes, des savants, des écrivains et des philosophes: Jérôme Bonaparte, l'empereur du Brésil, la reine Victoria, Don Carlos, Ulysses Grant président des Etats-Unis, Friedrich Nietzsche, Léon Gambetta, César Lombroso, Edgard Quinet, Alphonse Daudet, Jules Michelet . . .

Certes, l'utilisation du chemin de fer allait-elle porter un coup sévère au trafic routier qui, pendant un temps, subit une crise aiguë. Mais l'invention du moteur à explosion et la construction de véhicules d'une conception tout à fait nouvelle rendirent aux liaisons routières leur véritable importance.

Les routes des Alpes suisses sont parcourues, à longueur de journée, par de jolis cars postaux, de couleur jaune, qui assurent le transport des voyageurs, du courrier et de quelques marchandises. Ils rendent d'immenses services aux populations montagnardes. Les conducteurs de ces cars, qui connaissent et qui aiment leur métier, sont généralement des hommes de la région. On peut donc leur faire entièrement confiance, d'autant qu'ils sont justement réputés pour leur gentillesse et leur dévouement. Ces cars sont utilisés, à la manière de l'extraposte du temps des diligences, en dehors des horaires habituels, pour des excursions organisées par des écoles, des sociétés ou des groupes de voyageurs.

Before the decision was taken, however, another event of great importance for international communications had taken place: the building of the Gothard Tunnel. This adventurous feat was an outstanding example of human inventiveness and courage. The initiator of this fantastic undertaking was the Geneva engineer, Louis Favre. Construction began in 1872 with three thousand workers. They had to cope with the bitter cold outside, and with choking heat, water seepage, earthslides, and avalanches inside. Nearly two hundred men were killed before the tunnel was finished, and Le Favre himself died of worry and exhaustion three months before the opening. Out of respect for his memory, the workers carried a picture of him through the tunnel. In the early stages progress was little more than 2 ft a day; later this was improved to as much as 20 ft. The breakthrough occured on 29th February 1880. Over a total length of 9¼ miles the two passages were only 13 inches out of line horizontally and two inches vertically. Travelling from Lucerne to Chiasso the train passes through sixty tunnels. The journey through the Gothard makes an indelible impression on every traveller.

Other Alpine tunnels followed, the most famous being the Simplon and the Lötschberg Tunnels. Half of Italy's goods traffic travels through these three tunnels, and they are used by five million persons a year and half a million cars.

The Gothard, Simplon, and Lötschberg railway tunnels are of great importance for north-south traffic in Europe, but there is strong competition from the roads - which is partly responsible for the high annual deficit of the Swiss Railways. Nevertheless, the railway authorities remain optimistic, knowing as they do that the Swiss network is one of the most comprehensive and safest in the world. It provides its hundred and fifty million passengers a year with a maximum of comfort,

war 24 Kilometer lang. Es war dies nur ein bescheidener Anfang, doch verliefen die Versuche überzeugend.
Obwohl im Jahr 1848 der Bundesstaat entstanden war, liess man den Kantonen völlige Freiheit beim Bau der Eisenbahnlinien; sie allein hatten über die Wichtigkeit und den Schienenverlauf zu befinden. An allen Ecken schoss daher eine Vielzahl von Firmen aus dem Boden, die zwar Eisenbahnen bauten, ohne jedoch mittel- oder langfristige Nützlichkeitsüberlegungen anzustellen. Rivalitäten zwischen den Kantonen und persönlicher Ehrgeiz blühten und führten zu einer chaotischen Situation. Enttäuscht und verärgert reagierte die Bevölkerung. 1898 billigte sie mit überwältigender Mehrheit den Aufkauf der Privatbahnen durch den Bund, was 1902 zur Gründung der Schweizerischen Bundesbahnen (SBB) führte.
Nun muss man wissen, dass ein Ereignis von ungeheurer Wichtigkeit für den internationalen Verkehr stattgefunden hatte: der Durchstich des Gotthard-Tunnels. Dieses denkwürdige Abenteuer bietet ein überzeugendes Beispiel für menschlichen Erfindungsgeist und Mut. Das Verdienst, dieses phantastische Unternehmen gewagt zu haben, gebührt einem Genfer Ingenieur, Louis Favre. Mit den Arbeiten wurde 1872 begonnen. Dreitausend Arbeiter bevölkerten die Baustelle. Sie hatten draussen gegen die Kälte, in den Stollen gegen die erstickende Hitze, gegen Wassereinbrüche, Erdrutsche, Stein- und Schneelawinen zu kämpfen. Fast zweihundert Mann kamen dabei ums Leben. Von Erschöpfung und Sorgen entkräftet, starb Louis Favre sieben Monate vor der Eröffnung seines Werkes. Zum Andenken trugen seine Arbeiter, die ihn sehr verehrten, ein Bild von ihm durch den Tunnel. Anfänglich kam man am Tag nur siebzig Zentimeter voran; in der Folge erreichte man sechs Meter. Am 29. Februar 1880 fiel der letzte Fels. Auf einer Gesamtlänge von 15 Kilometer betrug die Abweichung

La création des chemins de fer fédéraux

Le chemin de fer a eu beaucoup de peine à s'imposer en Suisse. Nombre de cantons ne voulaient pas en entendre parler, craignant le bruit, la pollution et les dangers. L'absence d'un gouvernement central contribua, elle aussi, à retarder l'installation de voies ferrées sur le territoire national. Pourtant, la première ligne fut inaugurée le 9 août 1847. Elle reliait Zürich à Baden et avait une longueur de 24 km. Ce n'était qu'un début bien modeste, mais les essais furent concluants.
Malgré la création, en 1848, d'un Etat fédératif, toute liberté fut accordée aux cantons pour la construction de lignes ferroviaires dont ils étaient seuls à juger l'importance et le tracé. On vit alors se créer, un peu partout dans le pays, une multitude d'entreprises d'exploitation qui installèrent des chemins de fer sans aucun critère d'utilité à moyen ou à long terme. Les rivalités entre les cantons et les ambitions personnelles jouèrent pleinement, aboutissant à une situation chaotique. Le peuple, excédé et déçu, réagit. En 1898, il ratifia à l'unanimité le rachat des entreprises privées par la Confédération, ce qui conduisit en 1902 à la création des Chemins de Fer Fédéraux (CFF).
Il est vrai qu'un événement d'une immense portée pour l'histoire des communications internationales venait de se produire : le percement du tunnel du Gothard. Il s'agit, en fait, d'une remarquable aventure, qui est une illustration convaincante du génie et du courage de l'homme. Tout le mérite de cette fantastique entreprise revient à un ingénieur genevois, Louis Favre. Les travaux commencèrent en 1872. Trois mille ouvriers se trouvaient sur le chantier. Ils eurent à lutter contre le froid à l'extérieur, contre la chaleur étouffante à l'intérieur des galeries, contre les infiltrations, contre les éboulements, contre les avalanches de pierres et de neige. Près de deux cents d'entre eux perdirent la vie. Louis Favre

speed, and security. These achievements are all the more admirable considering that the lines were built in the face of extremely unfavourable geographical conditions: tunnels, viaducts, bridges, and buttresses enable the railway to penetrate to the most remote areas, presenting the traveller with a constantly changing and incomparably beautiful natural panorama.

White coal

Switzerland is short of minerals, having neither the oil, metal, nor coal deposits essential for its industrial development. It is therefore entirely dependent on imports for its raw materials. But there is one thing the country is not short of: water. When coal became seriously short during the first world war and an alternative source of energy had to be found quickly, hydroelctric power stations had to be built to provide "white coal".
The Alps, with their never-failing supply of water, might have been created specially for the building of dams.
Nature enthusiasts have often opposed the building of industrial plants in the Alpine valleys. Unfortunately, many of the artificial lakes have flooded whole villages, fields, and pastures, and disfigured the landscape. In other cases the dams have been built in unimportant, arid valleys. The lakes forming behind them have sometimes even changed the landscape for the better.
Be that as it may: Switzerland cannot do without electricity, which in any case is the cleanest and safest of all forms of energy. It is used everywhere: in factories, workshops, offices, at home. The consumption of electricity unfortunately increases in the winter, with the short days and cold weather, which is just the season when the rivers are at their lowest and the power stations on short supply. This circumstance has forced the Swiss to build reservoirs along the important rivers

der beiden Röhren nur zweiunddreissig Zentimeter in der Breite und fünf Zentimeter in der Höhe. Von Luzern nach Chiasso fährt der Zug durch sechzig Tunnels. Der höchste Punkt liegt bei 1154 m. Bei den Reisenden hinterlässt die Fahrt durch den Gotthard einen unvergesslichen Eindruck.
Weitere Alpentunnels wurden gebaut, vor allem die durch den Simplon und den Lötschberg. Durch diese drei Tunnels wird die Hälfte des Warenverkehrs mit Italien abgewickelt; darüber hinaus werden sie jährlich von fünf Millionen Personen und einer halben Million Fahrzeuge benutzt.
Im europäischen Nord-Süd-Verkehr sind Gotthard, Simplon und Lötschberg von grösster Bedeutung. Doch besteht ein harter Wettbewerb zum Strassenverkehr, was teilweise das hohe jährliche Defizit der SBB erklärt. Dennoch bleiben die Verantwortlichen recht optimistisch, wissen sie doch, dass das Schweizer Bahnnetz zu den dichtesten und sichersten der Welt gehört. Den hundertfünfzig Millionen Zugreisenden im Jahr garantiert es ein Höchstmass an Bequemlichkeit, Schnelligkeit und Sicherheit. Diese Merkmale sind um so höher einzuschätzen, als man beim Bau der Linien mit einer launischen und schroffen Geografie zu kämpfen hatte. Tunnels, Viadukte, Brücken, Schutz- und Stützbauten ermöglichen es der Eisenbahn, bis in entlegenste Gegenden vorzudringen, um den gebannten und begeisterten Reisenden eine unvergleichlich schöne Natur vor Augen zu führen.

Die Gewinnung der weissen Kohle

Die Schweiz verfügt weder über Erdöl noch über Metalle oder Kohle, die indessen für ihre industrielle Entwicklung unerlässlich sind.
Bei der Versorgung mit Rohstoffen ist sie also völlig von aussen abhängig. Doch fehlt es im Lande nicht an Wasser. Als während des

lui-même, terrassé par la fatigue et par les soucis, mourut sept mois avant l'ouverture de l'ouvrage. Ses ouvriers, qui l'aimaient profondément, promenèrent en souvenir son portrait dans le tunnel. Au début, l'avance n'était que de soixante-dix centimètres par jour ; par la suite, elle atteignit six mètres. Le 29 février 1880, la dernière roche tombait. L'écart, entre les deux galeries, n'était que de trente-deux centimètres en largeur et cinq centimètres en hauteur, et cela pour un parcours total de 15 km. De Lucerne à Chiasso, le train franchit 60 tunnels. Le point culminant est à 1154 m d'altitude. Le passage du Gothard produit, sur les voyageurs, une impression inoubliable.
D'autres tunnels allaient encore être construits sous les Alpes, notamment le Simplon et le Lötschberg. La moitié du trafic des marchandises à destination ou en provenance de l'Italie se fait par ces trois tunnels qui, de plus, chaque année, sont utilisés par cinq millions de personnes et un demi million de véhicules.
Le rôle du Gothard, du Simplon et du Lötschberg, dans les communications entre le nord et le sud de l'Europe, est primordial. La concurrence avec la route est réelle. Elle explique, en partie, le lourd déficit enregistré, annuellement, par les CFF. Toutefois, les responsables de l'entreprise sont assez optimistes. Ils savent que le réseau suisse est l'un des plus denses et les plus sûrs du monde. Il assure aux cent cinquante millions de voyageurs qui, chaque année, prennent le train, un maximum de confort, de rapidité et de tranquillité. Ces qualités sont d'autant plus appréciées qu'il a fallu, pour aménager les lignes ferroviaires, lutter contre une géographie capricieuse et tourmentée. Tunnels, viaducs, ponts, ouvrages de défense et de protection permettent aux chemins de fer de pénétrer dans les régions les plus retirées, rendant toute proche aux voyageurs éblouis et fascinés, une nature d'une incomparable beauté.

whose water level sinks during the unfavourable period; they are met with in many Alpine valleys.
The most important construction of this kind by far is the Grande Dixence Dam. Building started in 1950 and was finished sixteen years later. The name derives from a valley in the middle of the southern Alps of the Valais.
The reservoir is at an altitude of 7,759 ft. It has a storage capacity of over 520 million cubic yards. The dam is 930 ft high, and over 660 ft thick at the base. About 208,000,000 cubic feet of concrete were used in its construction – an almost unbelievable amount. 19 miles of corridors thread their way through the gigantic concrete structure for control purposes. The lake is fed by the water from several glaciers in the Eringer and St. Nicolas Valleys. It fills up especially when the snows thaw. Pipelines tap the water and take it down to three power stations.
White coal is Switzerland's only source of energy. But it is inadequate for the steadily increasing needs of the population. The manufacturing and service industries, and households are the largest consumers of electricity. The Government is trying to master the situation by importing electricity and by pressing for the construction of thermal and nuclear power stations.
Here they are strongly opposed by the environmentalists, who have sizable support among the population. But if this solution is not accepted, how is the State supposed to solve the problem?

Advantages and disadvantages of tourism

Romantics and poets of the 19th century called for a return to nature and set the trend for tourism. Until that time, the heroic deeds of a few mountaineers had attracted no one to the Alps, and trips across the Alps on foot or

Ersten Weltkrieges die Kohle ernstlich knapp wurde und man kurzfristig eine neue Energiequelle finden musste, wurden Wasserkraftwerke zur Gewinnung der weissen Kohle gebaut.
Die Alpen sind zum Bau von Stauseen wie geschaffen, bieten sie doch ein ausgedehntes Gewässernetz, das ganzjährig ununterbrochen gespeist wird.
Die Naturfreunde waren nicht immer damit einverstanden, dass man in den Alpentälern Industrieanlagen baute, die auf Grund der wachsenden Bedürfnisse einer aufstrebenden Technik erforderlich wurden. Bedauerlicherweise haben zahlreiche künstlich angelegte Seen ganze Dörfer, Acker- und Weideland überflutet und die Landschaft entstellt. In anderen Fällen wurden die Staumauern in unwirtlichen, unbedeutenden Tälern errichtet. Das Wasser wurde zu Seen aufgestaut, welche der natürlichen Landschaft zweifellos zum Vorteil gereichten.
Wie dem auch sei: die Schweiz kann nicht mehr auf die Elektrizität verzichten, ist sie doch von allen Energieträgern der sauberste und sicherste. In Fabriken, Werkstätten, Büros, im Hause: überall wird sie verwendet. Unglücklicherweise nimmt der Stromverbrauch im Winter mit der Kälte und den kurzen Tagen zu, genau in der Jahreszeit, da die Flüsse ihren Tiefstand erreicht haben und die Versorgung der Wasserkraftwerke knapp wird. Diese besonderen Umstände zwangen die Schweizer, ausser den Elektrizitätswerken entlang den wichtigsten Flüssen, deren Wasser aber während der ungünstigen Jahreszeit sinkt, zusätzliche Speicherbecken zu bauen, sogenannte Hochdruckwerke, denen man in zahlreichen Alpentälern begegnet.
Die mit Abstand bedeutendste Anlage ihrer Art ist die Talsperre der Grande Dixence. Mit ihrem Bau wurde 1950 begonnen; sechzehn Jahre später war sie vollendet. Ein Tal inmitten der Walliser Südalpen gab ihr den Namen. Der Speichersee liegt in 2364 m Höhe. Sein

L'exploitation de la houille blanche

La Suisse n'a ni pétrole, ni métaux, ni charbon qui sont pourtant indispensable au développement de son industrie. Elle est donc entièrement tributaire de l'extérieur pour son approvisionnement en matières premières. Par contre, l'eau ne manque pas dans ce pays. C'est la raison pour laquelle l'équipement en usines hydro-électriques, qui produisent de la houille blanche, s'est développé au moment de la première guerre mondiale, alors que le charbon commençait à manquer sérieusement et qu'il fallait trouver, dans les plus brefs délais possibles, une source nouvelle de production d'énergie.
Les Alpes se prêtaient admirablement bien à la construction de barrages, car elles offrent un réseau hydrographique étendu et alimenté, sans interruption, tout au long de l'année.
Les amis de la nature n'ont pas toujours apprécié la création, dans les vallées alpestres, de complexes industriels qui devaient répondre aux exigences croissantes d'une technique en plein développement. En effet, on peut regretter que, dans de nombreux cas, les lacs artificiels qui se sont formés, en recouvrant des villages entiers, des champs de cultures et des pâturages, ont porté une très grave atteinte au paysage. Dans d'autres cas, toutefois, les barrages furent aménagés dans des vallées inhospitalières et d'un intérêt relatif. La retenue des eaux a créé des lacs dont la nature a indiscutablement bénéficié.
Quoi qu'il en soit, les Suisses ne sauraient plus se passer de l'électricité car elle est, de toutes les formes d'énergie, celle qui est la plus propre et la plus sûre aussi. Son utilisation est générale à l'usine, à la fabrique, au bureau et à domicile. Mais l'ironie du sort veut que la demande en électricité augmente en hiver, alors qu'il fait froid et que les jours sont courts, précisément à un moment de l'année où les rivières ont leur niveau le plus bas et où l'alimentation en eau des usines hydro-

by coach were usually undertaken for business reasons rather than pleasure. But then the enthusiastic writings of men like Jean-Jacques Rousseau, Goethe, and Byron, in which they praised the natural beauty of Switzerland, awoke general interest. With the steadily increasing stream of wealthy foreigners who wanted to breathe pure air and cure their ailments, the Alpine resorts soon gained in importance. The lake shores also became sanctuaries for well-to-do sick people, for whom huge hotels were built to cater for all their needs. The owners and personnel of these luxurious houses were highly trained and won a reputation for efficiency. The catering trade developed into an industry which continues to uphold the country's reputation.
The strangers had very clear ideas as to what they wanted. Some sought quiet, sunny, friendly places. Others were more interested in strong impressions; and happily sacrificed luxury in favour of wildly romantic sites which stimulated the imagination. Travellers like this undertook thoroughgoing pilgrimages on foot, on horseback, or by coach to the top of the Rigi in order to experience the sunrise above the Alps. Then they retired to the hotel at Gletsch, near the foot of the Rhône Glacier, and waited in a state of delicious excitement for a thunderstorm or an avalanche.
Tourism, which had hitherto had a romantic tinge, began to develop in a different direction from the time when the mountaineers – who were not necessarily wealthy people – began to conquer the heights. Huts were built in the mountains, and hotels of all categories sprang up in the villages for those who had no mountaineering ambitions but were quite happy with woodland rambles or gentle climbs through the lower regions of the Alps.
In 1892, a Norwegian gave a skiing demonstration. This sport soon became a success and started a real revolution in tourism.
The construction of railway lines and the

Fassungsvermögen beträgt 400 Millionen Kubikmeter. Die Staumauer ist 285 m hoch und im unteren Teil 201 m stark. Die unglaubliche Menge von 63 Millionen Kubikmeter Beton wurde dabei verbaut. Kontrollgänge von insgesamt 32 Kilometer Länge durchziehen den riesigen Kegelstumpf. Mehrere Gletscher aus dem Eringer- und dem Saint-Nicolas-Tal versorgen den See mit ihrem Wasser. Er füllt sich vor allem zur Zeit der Schneeschmelze. Vom Stausee gehen Druckleitungen aus, die in drei weiter unten gebaute Elektrizitätswerke münden.
Die weisse Kohle ist die einzige Energiequelle der Schweiz. Doch kann sie seit etlichen Jahren den täglich wachsenden Bedürfnissen der Bevölkerung nicht mehr gerecht werden. Industrie, Dienstleistungsgewerbe und die Haushalte sind die grössten Stromverbraucher. Die Bundesregierung versucht der Schwierigkeiten durch Elektrizitätsimporte Herr zu werden und indem sie auf den Bau von Wärme- und Atomkraftwerken drängt. Doch sogleich protestieren die Umweltschützer, die viele Mitbürger für ihre Sache gewinnen konnten. Wie soll der Staat nun dieses Problem in den Griff bekommen?

Licht- und Schattenseiten des Fremdenverkehrs

Romantiker und Dichter des 19. Jahrhunderts riefen nach einer Rückkehr zur Natur und trugen damit zum Aufschwung des Tourismus bei. Bis dahin hatten die Heldentaten einiger Bergbesessener niemanden gelockt. Und Geschäftsreisen über die Alpen, ob zu Fuss oder in der Kutsche, waren eher berufliche Verpflichtungen als Vergnügungsfahrten. Dennoch weckten die begeisterten Schriften eines Jean-Jacques Rousseau, eines Goethe und eines Byron, in denen die natürlichen Schönheiten der Schweiz gerühmt wurden, allgemeine Aufmerksamkeit. Mit dem ständig

électriques est le plus déficient. Ces conditions particulières ont obligé les Suisses à construire, sur leur territoire, en plus des centrales électriques aménagées le long des principales rivières mais qui sont affectées par la baisse des eaux durant la mauvaise saison, des centrales à accumulation saisonnière, appelées aussi centrales à haute pression, que l'on trouve dans de nombreuses vallées alpestres.
Le barrage de la Grande Dixence est, de loin, l'ouvrage le plus important de ce genre. Sa construction a commencé en 1950 pour se terminer seize ans plus tard. Son nom vient de celui d'un vallon, qui se situe au cœur des Alpes méridionales du Valais. Le lac d'accumulation est à une altitude de 2364 m. Il a une capacité de 400 millions de mètres cubes. Le barrage a une hauteur de 285 m et une largeur, à la base, de 201 m. Il représente une masse fantastique de soixante trois millions de mètres cubes de béton. Les galeries de contrôle, aménagées dans cet énorme cône, ont une longueur totale de 32 km. Le lac est alimenté par les eaux de plusieurs glaciers des vallées d'Hérens et de Saint-Nicolas. Le remplissage se fait surtout à l'époque de la fonte des neiges. Des conduites forcées, qui partent du barrage, débouchent dans trois centrales électriques qui ont été construites en contrebas.
La houille blanche est l'unique source d'énergie indigène de la Suisse. Cependant, depuis quelques années, celle-ci ne parvient plus à couvrir les besoins quotidiens croissants de la population. C'est principalement l'industrie, le secteur tertiaire et la vie domestique qui font la plus grande consommation d'électricité. Le gouvernement de la Confédération a essayé de tourner la difficulté en important de l'électricité et en encourageant la construction de centrales thermiques classiques et de centrales nucléaires. Mais les écologistes ont aussitôt protesté, ralliant à leur cause une multitude de citoyens. De quelle façon les autorités parviendront-elles à résoudre ce problème ?

invention of the motor car popularized travel, and made a mountain holiday available to the less wealthy.
Nowadays, fast and comfortable trains carry passengers to the Jungfraujoch and the Gornergrat. From here, the traveller is rewarded for very little effort with wonderful panoramic views. Cable cars and chair lifts make the "conquest" of the highest peaks into child's play. The local tourist offices of all the Alpine stations have marked promenades and rambles to suit all tastes. Coloured route marks are painted at regular intervals on the rocks. Detailed maps provide full information on the length and degree of difficulty of walks, and on the local flora and fauna. Even in the most remote corners and on the steepest slopes the hiker will find hostels where he can refresh himself, and write postcards.
Switzerland is without doubt, and in the truest sense of the word, *the* tourist country. There are statistics to prove it, too. Economists call the money spent by tourists inland or invisible exports. They attain the staggering figure of three thousand million Swiss francs a year. The country has 250,000 beds available for tourists, 100,000 in the Alpine districts alone. 15 million overnight stays a year are registered in the lowlands, 20 million in the mountains: good, solid figures. Even when the Swiss franc is overvalued in times of crisis and inflation, the number of tourists, if not record-breaking, continues at acceptable levels. The best customers are the Germans, followed by the Dutch, the French, the British, and the Americans. But the Swiss, too, travel abroad, aided by the (inflated) purchasing power of the franc. If they indulge in holidays at home they prefer the freer and cheaper life in a chalet or holiday flat to a hotel. Skiing has enjoyed an extraordinary boom since the last world war, and is largely responsible for the seasonal exodus from the cities to the mountains.
National and international tourism are

anwachsenden Strom reicher Ausländer, die hier eine reine Luft atmen und ihre Leiden auskurieren wollten, gewannen die Alpenorte rasch an Bedeutung. Manche Seeufer erhielten ebenfalls Zulauf hochnäsiger, dahinkränkelnder Menschen, für die man riesige Hotels erstellte, um allen Ansprüchen der Kundschaft gerecht werden zu können. Besitzer und Personal dieser aufwendigen und verwinkelten Häuser genossen eine vorzügliche Ausbildung und entledigten sich ihrer Aufgabe zur allgemeinen Zufriedenheit. Das Hotelgewerbe sorgte von nun an für den guten Ruf der Schweiz und entwickelte sich zu einem Wirtschaftszweig, der dem Land auch heute noch höchste Prädikate einbringt.
Die Fremden äusserten recht ausgeprägte Ansprüche. Die einen mochten ruhige, sonnige und freundliche Orte. Andere zogen starke Eindrücke vor, verzichteten ohne zu zögern auf Reisebequemlichkeiten und suchten wildromantische Stätten auf, welche die Phantasie beeindruckten. Wahre Wallfahrten auf den Rigi, zu Fuss, zu Pferd oder im Wagen, kamen bei diesen ersten Touristen in Mode, die noch auf die Berge stiegen, um den Sonnenaufgang zu bewundern. Dann zogen sie ins Hotel nach Gletsch, ganz in der Nähe des Rhonegletschers, und warteten ängstlich gespannt auf ein Gewitter oder eine Lawine.
Mit dem Tag, an dem sich die Bergsteiger – nicht unbedingt vermögende Leute – an die Eroberung der höchsten Berggipfel wagten, entwickelte sich dieser bis dahin romantisch gefärbte Tourismus in eine andere Richtung. Man baute Hütten und in den Alpendörfern Hotels aller Klassen, die von jenen belegt wurden, denen die Kletterei wenig zusagte und die sich während ihres Urlaubs mit Wald- und Alpwanderungen zufriedengaben.
Im Jahr 1892 veranstaltete ein Norweger eine Skivorführung. Dieser Sport setzte sich durch und löste eine regelrechte Revolution aus. Der Bau von Eisenbahnlinien sowie die Erfin-

Avantages et inconvénients du tourisme

Le retour à la nature, voulu par les romantiques et les écrivains du 19ème siècle, contribua au développement du tourisme. Jusqu'à ce moment-là, les prouesses de quelques fanatiques de la montagne n'avaient séduit personne. Et les voyages d'affaires, à travers les Alpes, à pied ou en diligence, étaient davantage des obligations que des parties de plaisir. Cependant, les écrits enthousiastes d'un Jean-Jacques Rousseau, d'un Goethe et d'un Byron, qui célébraient les beautés naturelles de la Suisse, éveillèrent l'attention des gens.
Des stations alpestres prirent très rapidement de l'importance grâce à l'arrivée, en nombre croissant, de riches étrangers qui venaient y respirer l'air pur et y soigner leurs maux. Les bords de certains lacs connurent, eux aussi, cette affluence de personnes blasées et languissantes, pour lesquelles on se mit à construire d'énormes hôtels capables de répondre à toutes les exigences de la clientèle. Les propriétaires et les employés de ces établissements, d'une architecture souvent pompeuse et compliquée, reçurent une excellente formation et s'acquittèrent de leur tâche à la plus grande satisfaction de tout le monde. L'hôtellerie fit désormais le prestige de la Suisse et devint une activité qui, aujourd'hui encore, vaut à ce pays ses lettres de noblesse.
Les étrangers avaient des goûts très marqués. Les uns aimaient les endroits tranquilles, ensoleillés et souriants. Les autres préféraient les émotions fortes et n'hésitaient pas à sacrifier aux commodités du voyage pour se rendre dans des sites sauvages qui avaient frappé l'imagination. Le pélerinage à pied, à cheval ou en voiture au sommet du Righi entra dans les mœurs de ces premiers touristes qui faisaient l'ascension de la montagne afin de contempler le lever du soleil. Puis ils se rendaient à l'hôtel de Gletsch, qui se situait à proximité du glacier du Rhône, dans l'attente anxieuse d'un orage ou d'une avalanche.

favoured by paid holidays, an increasing standard of living, and the motorcar, which lends mobility. Since the establishment of holiday camps, camping sites, and the possibility of renting flats in private houses or chalets – a form of holiday now in fashion – holidays away from home have become within everyone's reach.
The buying and illegal sale of plots of land, property speculation, and attempts by wily developers together with some not overscrupulous local authorities to intimidate the guileless inhabitants, have led to the growth of some veritable towns in the Alps; towns totally lacking in character or charm, just like most of the towns in the lowlands, with their hotels, high-rise appartment buildings, restaurants, nightclubs, and supermarkets. Nothing has been left out in the search for yet more comfort, yet more safety, and yet more pleasure for the skier; are there no limits?
Villages have been ruthlessly destroyed or transformed with no consideration for their inhabitants. Nature has been ravaged: millions of trees have been felled, rocks blasted, and slopes adjusted. The machine has taken over the mountains. Cable cars and chair lifts criss-cross the country in many tourist areas, ruining the landscape.
Economic egoism and the Swiss business sense have undoubtedly largely contributed towards this deplorable development. But it is encouraging to note that environmentalists and the Swiss Alpine Club are fighting to prevent any further destruction of the natural Alpine world. Fortunately, there are still large areas that have retained their unspoiled beauty – a fact amply demonstrated by our photographs.
It is hoped that this book will contribute towards their preservation.

dung des Automobils beschleunigten ihrerseits die Popularisierung des Fremdenverkehrs und ermöglichten auch den weniger reichen Mitbürgern einen Gebirgsaufenthalt.
Heutzutage befördern schnelle und bequeme Züge die Reisenden aufs Jungfraujoch und den Gornergrat, von wo aus sie, ohne viel Mühe, wunderbare Landschaften bestaunen können. Kabinen- und Sesselbahnen erleichtern den Aufstieg zu den höchsten Gipfeln.
Die Verkehrsämter sämtlicher Alpenstationen haben Wege ausgeschildert, die allen Launen der Feriengäste gerecht werden. Farbige Wanderzeichen wurden in regelmässigen Abständen auf die Felsen gepinselt und markieren so die Pfade. Ausführliche Landkarten liefern die erforderlichen Auskünfte über Dauer und Schwierigkeitsgrad der Begehungen, über Flora und Fauna der betreffenden Gegend. Sogar in den entlegensten Tälern, auf den steilsten Alpen findet der Wanderer Herbergen, in denen er sich laben, neue Kräfte sammeln und Postkarten schreiben kann.
Die Schweiz ist unbestritten und im wahrsten Sinne des Wortes *das* Touristenland. Statistiken beweisen das auch. Binnen- oder unsichtbare Exporte nennen Wirtschaftsfachleute die Ausgaben der Ausländer; sie erreichen im Jahr die schwindelerregende Summe von 3 Milliarden Franken. Das gesamte Land verfügt über 250000 Hotelbetten, davon 100000 allein im Alpenraum. In der Ebene zählt man 15 Millionen, im Gebirge 20 Millionen Übernachtungen pro Jahr. Damit kann man wirklich zufrieden sein. Selbst bei einer Überbewertung des Frankens, in Inflations- und Krisenzeiten, hält sich der Strom der Reisenden, wenn er auch keine Rekorde bricht, doch in durchaus annehmbaren Grenzen. Zu den besten Kunden der Eidgenossen zählen die Deutschen, gefolgt von den Holländern, Franzosen, Engländern, Amerikanern und all den anderen. Doch auch die Schweizer fahren ins Ausland. Ihre Kauf-

Ce tourisme, jusqu'alors teinté de romantisme, évolua du jour où les alpinistes, qui n'étaient pas obligatoirement des gens fortunés, se lancèrent à la conquête des plus hautes montagnes. La construction de cabanes alla de pair avec celle, dans les villages alpestres, d'hôtels de toutes catégories fréquentés par ceux que la varape ne séduisait guère et qui se contentaient, pendant leurs vacances, de faire des excursions à travers les forêts et les pâturages.
En 1892, un habitant de la ville de Winterthur, de nationalité norvégienne, fit une démonstration de ski. Ce sport s'imposa et fut à l'origine d'une véritable révolution.
La construction de voies ferrées et l'invention de l'automobile allaient, pour leur part, précipiter la prolétarisation du tourisme et rendre possible un séjour en montagne même pour les moins riches des citoyens.
Aujourd'hui, des trains rapides et confortables conduisent les voyageurs au Jungfraujoch et au Gornegratt où ils peuvent, sans la moindre fatigue, contempler de splendides paysages. Des funiculaires et des téléfériques facilitent l'accès aux sommets les plus hauts. Les offices de tourisme des stations alpestres ont prévu des itinéraires qui répondent à tous les caprices des vacanciers. Des traits de peinture, de diverses couleurs, appliqués sur des rochers, de distance en distance, indiquent les chemins à suivre. Des cartes très détaillées donnent les renseignements voulus sur la durée et la difficulté des excursions, sur la flore et sur la faune de la région. Même dans les vallées les plus retirées, même sur les alpages les plus haut perchés, le marcheur trouvera une auberge où il pourra se restaurer, reprendre des forces et écrire des cartes postales.
La Suisse est, sans conteste, le pays du tourisme par excellence. Les statistiques sont là pour le prouver. Les dépenses des étrangers correspondent à ce que les économistes appellent les exportations internes ou invisibles; elles atteignent annuellement la somme fan-

kraft kommt ihnen dabei zugute. Bleiben sie indessen zu Hause, ziehen sie das freiere und billigere Leben in einem Chalet oder einem Ferienhaus dem Hotel vor. Seit dem letzten Weltkrieg verzeichnete das Skifahren einen gewaltigen Aufschwung; dies erklärt auch weitgehend jene geballte jahreszeitlich bedingte Völkerwanderung der Städter ins Gebirge.
Der nationale und internationale Fremdenverkehr wird begünstigt durch den bezahlten Urlaub, einen steigenden Lebensstandard und die Kraftfahrzeuge, die den Reisenden beweglich machen.
Seit der Einrichtung von Ferienlagern, Campingplätzen und der Möglichkeit, an Ferienorten, die gerade in Mode sind, Wohnungen in Privathäusern oder Chalets zu mieten, ist der Tourismus für jeden Geldbeutel erschwinglich geworden.
Der Aufkauf und der unerlaubte Verkauf von Grundstücken, Immobilienspekulationen und Versuche cleverer Unternehmer in Zusammenarbeit mit einigen nicht gerade von Skrupeln besessenen Behörden, die allzu gutgläubige Bevölkerung einzuschüchtern, liessen an einigen Orten richtige Städte emporschiessen; ohne Seele, ohne Reiz, genau wie die Grosszahl der Städte in der Ebene mit ihren Hotels, ihren Schlaftürmen, ihren Restaurants, ihren Nachtclubs und ihren Supermärkten. Was hat man für die Bequemlichkeit, die Sicherheit und das Vergnügen der Skifahrer nicht alles unternommen, wo gibt es eigentlich Grenzen?
Ohne Rücksicht auf ihre Bewohner hat man diese Dörfer zerstört oder verändert. Ohne Rücksicht auf die Natur wurden Millionen Bäume gefällt, Felsen gesprengt, Alpen geebnet. Die Maschine hat sich durchgesetzt, hat vom Gebirge Besitz ergriffen. In vielen Fremdenverkehrszentren verlaufen Lifte, Kabinen- und Sesselbahnen und verunzieren wunderschöne Landschaften. Wirtschaftlicher Egoismus und der Erwerbssinn der Schweizer haben zweifellos viel zu dieser unerfreulichen

tastique de 3 milliards de francs. Pour l'ensemble du pays, le nombre des lits d'hôtels est de 250000 dont 100000 pour le seul domaine alpestre. Celui des nuitées s'élève, chaque année, à 15 millions pour la plaine et à 20 millions pour la montagne. A vrai dire, il y a de quoi être satisfait! Même en période d'inflation, de crise et de surévaluation du franc, le trafic des voyageurs, s'il ne bat pas de record, demeure cependant dans des limites parfaitement raisonnables. Parmi les meilleurs clients de la Confédération figurent, en première place, les Allemands. Puis viennent les Hollandais et les Français, les Anglais, les Américains et tous les autres. Pour leur part, les Suisses se rendent à l'étranger. Ils sont avantagés par la valeur de leur argent. Mais, s'ils restent chez eux, ils préfèrent à la vie en hôtel celle qu'ils peuvent mener plus librement et à moindre frais dans un chalet ou dans une résidence secondaire. Le ski, qui a connu un développement considérable depuis la dernière guerre mondiale explique, dans une large mesure, cette migration massive et périodique des citadins vers la montagne.
Tourisme national et tourisme international sont favorisés par les congés payés, par l'élévation du niveau de vie et par l'utilisation de la voiture qui assure, aux vacanciers, une grande mobilité.
Tourisme pour toutes les bourses devenu possible depuis la création de camps de vacances, de places réservées aux campeurs et d'un système de location d'appartements en maisons privées ou en chalets dans les lieux de villégiature à la mode.
Cependant, l'accaparement et la vente illicite de terrains, la spéculation immobilière et les manœuvres d'intimidation exercées contre une population trop confiante par d'habiles promoteurs, aidés de quelques autorités que les scrupules n'étouffaient pas, ont abouti à la création, dans les Alpes, de véritables villes aussi dépourvues d'âme et de charme que la majorité de celles de la plaine, avec leurs

Entwicklung beigetragen. Aber man darf feststellen, daß sich Naturschützer und der Schweizer Alpen-Club mit aller Kraft gegen eine weitere Zerstörung der natürlichen Alpenwelt stemmen. Glücklicherweise gibt es noch weite Gebiete, die ihre Ursprünglichkeit bewahrt haben.
Diese zu zeigen und zu erhalten, soll Aufgabe dieses Bildbandes sein.

hôtels, leurs tours-dortoirs, leurs restaurants, leurs boîtes de nuit et leurs super-marchés. Pour la commodité, la sécurité et la joie des skieurs, que n'a-t-on pas fait, jusqu' où n'est-on pas allé ?
Au mépris de leurs habitants, des villages ont été détruits ou transformés. Au mépris de la nature, des millions d'arbres ont été abattus, des rochers dynamités, des alpages nivelés. La machine s'est imposée, prenant possession de la montagne. Des monte-pentes, des funiculaires et des téléfériques ont été installés un peu à tort et à travers, souillant de magnifiques paysages. Un affairisme égoïste et la mentalité industrieuse des Suisses ont sans doute contribué à cette évolution déplorable. On peut cependant constater avec soulagement que toujours plus d'amoureux de la nature regroupés ou soutenus par des associations comme le Club Alpin Suisse s'opposent de toute leur énergie à la dégradation des sites naturels alpestres.
Heureusement, il existe encore de nombreux et vastes domaines ayant conservé leur caractère sauvage.
Puisse cet ouvrage vous faire découvrir quelque-uns de ces paysages grandioses.

Die Schweizer Alpen im Bild

Les Paysages Alpins de la Suisse

The Scenery of the Swiss Alps

St. Saphorin
Zum Eintritt in die Alpenwelt der Schweiz ein recht geruhsames Bild: St. Saphorin am sonnseitigen Ufer des Genfersees; eines der zahlreichen Winzerdörfer des Lavaux, wie die Waadtländer diesen Landstrich nennen, dessen Erwähnung das Herz des Weinkenners und -geniessers um einige Takte beschleunigt. Um keine Verwirrung aufkommen zu lassen, sei sogleich erwähnt, dass die Waadtländer den Namen „Genfersee" nicht sehr schätzen, da sie mit Recht darauf hinweisen, dass der Seeanstoss des Waadtlandes bedeutend grösser ist als derjenige des Kantons Genf. Darum heisst der See für sie „Lac Léman".
Wir befinden uns hier, alpin gesehen, tatsächlich am Eingang der Schweiz. Am jenseitigen Seeufer, St. Saphorin direkt gegenüber, erkennen wir das Dorf St. Gingolph, das durch die französisch-schweizerische Grenze in zwei Hälften getrennt wird. Rechts davon, auf dem Bild unsichtbar, türmen sich die Zacken der Savoyerberge, aber die Höhen zur Linken bilden den Auftakt zum schweizerischen Alpengebiet.
St. Saphorin, dessen 300 Einwohner sich sozusagen ausschliesslich vom Weinbau und in geringem Masse vom Gastgewerbe ernähren, hat sich eine selten gewordene Unberührtheit erhalten. Darum wurde und wird es auch immer wieder von Kunstschaffenden aller Sparten zum Aufenthaltsort gewählt, wie so viele Ortschaften am Genfersee. Mit den Namen von Madame de Staël bis Charlie Chaplin könnte man ein Lexikon füllen.
Doch es sind nicht nur die Namen berühmter Gäste, es sind auch nicht bloss die verlockenden Weine, die dem Ufer des Genfersees seinen Glanz geben. Der wohl bedeutendste Schweizer Dichter neben Jeremias Gotthelf und Gottfried Keller, nämlich Charles Ferdinand Ramuz (1878–1947), hat hier gelebt und gewirkt und Dasein und Wesen seiner bäuerlichen Mitbürger in eigenwilliger Sprache gestaltet. Aber auch General Guisan, Oberbefehlshaber der Schweizerarmee im Zweiten Weltkrieg, war ursprünglich Weinbauer an diesen Ufern.
Gewiss, der Genfersee weist mit Lausanne, Vevey und Montreux bedeutendere Siedlungen auf, die ein intensives kulturelles Leben ausstrahlen. Aber Herz und Gemüt werden doch vor allem von solchen Erdenflecken angesprochen, wie wir ihn hier vor uns haben.

St-Saphorin
C'est une image pleine de calme qui marque l'entrée dans le monde des Alpes suisses : St-Saphorin, sur la rive ensoleillée du lac Léman, l'un des nombreux villages viticoles de Lavaux, nom que les Vaudois donnent à cette langue de terre, et qui fait battre le cœur des connaisseurs et amateurs de bons vins. Pour éviter toute confusion, il faut bien dire que les Vaudois n'apprécient guère l'épithète de « Lac de Genève » puisque, selon eux et à juste titre, l'extension du lac est bien plus importante en pays vaudois que dans le canton de Genève. C'est pourquoi le lac reste pour eux: le lac Léman.
Du point de vue alpin nous nous trouvons effectivement ici à l'entrée de la Suisse. Sur l'autre rive du lac, juste en face de St-Saphorin, on aperçoit St-Gingolph qui est coupé en deux par la frontière franco-suisse. A sa droite, invisible sur l'image, s'empilent les pics dentelés des montagnes savoyardes, tandis que les hauteurs que l'on voit à sa gauche annoncent le début des Alpes suisses.
St-Saphorin dont les 300 habitants se nourrissent, pour ainsi dire, exclusivement de la vigne et un peu de l'hôtellerie a su garder, chose très rare, son environnement naturel intact. C'est pourquoi beaucoup d'artistes en tous genres ont choisi et choisissent encore d'y habiter, comme dans beaucoup d'autres localités sur les bords du lac Léman. On pourrait remplir tout un bottin de noms allant de Charlie Chaplin à Madame de Staël.
Cependant, ce ne sont pas seulement les noms d'hôtes célèbres ou les vins à la saveur tentante qui donnent tout son éclat à la rive du lac Léman. Le plus important des écrivains suisses, à part Jeremias Gotthelf et Gottfried Keller, c'est-à-dire Charles Ferdinand Ramuz (1878–1947) a vécu et travaillé ici où il a décrit, dans une langue originale, la vie et les caractéristiques de ses concitoyens. Le général Guisan, lui aussi, commandant en chef de l'armée suisse pendant la seconde guerre mondiale, était, à l'origine, vigneron sur ces rivages.
Certes, le lac Léman possède des agglomérations importantes comme Lausanne, Vevey et Montreux rayonnant d'une vie culturelle intense. Mais ce qui touche le cœur et l'esprit ce sont ces coins de terre qui ressemblent à celui que nous avons devant nous.

St. Saphorin
A restful scene as introduction to the Swiss Alpine world: St. Saphorin, on the sunny side of Lake Geneva: one of the many wine-growing villages along the Corniche de Lavaux, as the Vaudois people call this area – the hearts of wine connoisseurs beat a little faster at the mere mention of it.
To forestall any misunderstanding, it is worth noting right at the outset that the Vaudois do not care very much for the name "Lake Geneva", pointing out that the lake's shoreline in Vaud is much longer than it is in the Canton of Geneva. They prefer to call it "Lac Léman".
From the Alpine point of view we really are at the beginning of Switzerland here. On the opposite shore, directly opposite St. Saphorin, we can see the village of St. Gingolph, which is split down the middle by the Franco-Swiss frontier. To the right of the village (not shown on this picture) tower the jagged mountains of Savoie; the heights seen on the left form the beginning of the Swiss Alpine region.
St. Saphorin, whose 300 inhabitants live almost entirely off wine growing, only slightly supplemented by tourism, has remained remarkably unspoilt. This is why, like so many places on Lake Geneva, it has always been popular as a holiday resort with artists and writers. A list of them, from Charlie Chaplin to Madame de Staël would fill a small encyclopedia.
But it is not only the names of famous guests or of delicious wimes that lend renown to the shores of Lake Geneva. It was here that Charles Ferdinand Ramuz (1878–1847) – probably, together with Jeremiah Gotthelf and Gottfried Keller, the most important Swiss writer – lived and worked, portraying the life of the peasants of his native region in his inimitable style. And General Guisan, Supreme Commander of the Swiss army during the second world war was originally a wine grower from these shores.
Of course, with Lausanne, Vevey, and Montreux, for example, Lake Geneva has a number of important towns with lively cultural activities – but it is the little places like St. Saphorin which speak directly to the heart and the emotions.

► Les Rochers-de-Naye
Hier hat der Fotograf einen wesentlich höheren Standort gewählt. Wir schauen von den Rochers-de-Naye aus 2042 m Höhe hinab auf das unterste Rhonetal, das unterste aus schweizerischer Sicht, wo die Rhone – von den deutschsprachigen Wallisern „der Rotten" genannt – in den Genfersee mündet. Jenseits des Tales erkennen wir den Grammont und, ihn überhöhend, den Grenzgipfel Cornettes de Bise. Aber das sei gesagt: es bedarf nicht unbedingt einer Strapaze, um diesen Aussichtspunkt zu erreichen. Von Montreux aus gestattet eine Zahnradbahn eine genussreiche Bergfahrt, und auf dem Gipfel erwartet den Besucher ein komfortables Hotel-Restaurant. Wer sich Zeit nimmt – und die Zeit ist durchaus nicht vergeudet –, findet hier ausser dem eindrücklichen Panorama im Sommer einen sorgfältig gepflegten Alpengarten, im Winter aber ein vielgestaltiges Skiparadies, das durch zwei Skilifte erschlossen wurde.

► Les Rochers-de-Naye
Le photographe s'est choisi ici une station beaucoup plus haute. Nous plongeons nos regards, d'une hauteur de 2042 m dans la vallée inférieure du Rhône ; inférieure du point de vue de la Suisse, où le Rhône – nommé « der Rotten » par les Valaisans germanophones – débouche dans le lac Léman. De l'autre côté de la vallée, nous apercevons le Grammont et le dominant, le pic frontalier Cornette de Bise. Qu'on le sache : il n'est pas nécessaire de se fatiguer pour atteindre ce point de vue. Un téléphérique qui part de Montreux permet d'escalader agréablement la montagne, et sur le sommet, un hôtel-restaurant confortable attend le visiteur. Celui qui prend son temps – et il ne le gaspillera pas – trouvera ici, en plus d'un panorama impressionnant, un jardin alpestre très soigné en été, et en hiver, un domaine skiable magnifique, qui a été rendu accessible par deux téléskis.

► Les Rochers-de-Naye
Here the photographer picked a much higher vantage point. We are at an altitude of 6,700 ft, looking from the Rochers-de-Naye down into the lowest part of the Rhône Valley – the lowest from the Swiss point of view – where the Rhône flows into Lake Geneva. On the other side of the valley rises the Grammont, topped by the border peak Cornette de Bise. It is worth noting that it is not a very strenuous tour up to this point. A cogwheel railway takes you on a delightful mountain trip from Montreux – and at the top there is a comfortable hotel-restaurant awaiting the "weary" traveller. And, quite apart from the panorama, those who have more time will find a well-tended Alpine garden in the summer, and a skiing paradise served by two ski lifts in the winter.

Dents du Midi
Noch einmal begeben wir uns ans Seeufer, um den reizvollen Gegensatz zwischen See und Berg, zwischen Horizontale und Vertikale auszukosten. Die Horizontale: das östliche Ende – geografisch gesprochen also der Anfang – des Genfersees. Die Vertikale: die Dents du Midi, dessen höchster Gipfel bereits auf 3257 m emporstrebt. Von weither bildet die imposante Flanke einen eindrücklichen Abschluss der Seelandschaft.
Am Seeufer liegt das stattliche Villeneuve, das um seine mittelalterliche Altstadt zahlreiche vornehme Villen, verborgen in üppiger Vegetation, gruppiert hat.
Für den Betrachter des Bildes steht aber zweifellos das Gemäuer am Seeufer in besonderem Licht: Schloss Chillon! – Es steht auf einem Felsen, der in prähistorischer Zeit von den Bergen stürzte. Von dem ursprünglichen Bau, der 1254 entstand, stehen heute noch grosse Teile. Lord Byron besang Schloss Chillon mit dichterischer Kraft, die dem angeketteten Gefangenen Bonivard galt. Von 1536 bis 1733 war das Schloss am See Sitz der Berner Landvögte der Waadt.

Les Dents du Midi
Nous allons encore une fois sur les rives du lac pour admirer le contraste charmant entre la montagne et le lac, entre l'horizontale et la verticale. L'horizontale : la pointe est qui est géographiquement le début du lac. La verticale : les Dents du Midi dont le sommet culminant se trouve déjà à 3257 m de hauteur. De très loin, ces monts impressionnants forment un merveilleux arrière-fond au paysage lacustre.
Villeneuve se dresse, imposante, sur la rive du lac, et elle groupe autour de la vieille ville moyenâgeuse de nombreuses villas distinguées, cachées parmi une abondante végétation.
Les murailles situées au bord du lac attirent particulièrement l'attention de l'observateur : Château Chillon ! Il se trouve sur un rocher qui, à l'époque préhistorique, se détacha de la montagne. La construction date de 1254, et il y en a encore des restes importants. Lord Byron chanta Château Chillon avec une fougue poétique adressée au prisonnier Bonivard qui y était enchaîné. De 1536 à 1733, le château fut le domicile des baillis bernois de Vaud.

Dents du Midi
Another view from the shore for the sake of the charming contrast between lake and mountain, horizontal and vertical. The horizontal lines are provided by the eastern end – that is, geographically speaking, the beginning – of Lake Geneva. The verticals are the Dents du Midi, whose highest peak rises to 10,696 ft. The flanks of the massif form an imposing backdrop to the lake, visible from far away.
On the lake shore is Villeneuve, its medieval centre surrounded by elegant villas discreetly ensconced in luxuriant vegetation.
But one of the most striking elements in the picture is Chillon Castle. It is built on a rock which crashed down from the mountains in prehistoric times. Large parts of the original building of 1254 still remain. "Chillon! thy prison is a holy place, / and thy sad floor an altar.", wrote Byron. The Castle was the seat of the Bernese bailiffs in the Vaud region from 1536–1733.

Greyerz
Bevor wir die Rhone entlang aufwärts wandern, ist es gerechtfertigt, einen Abstecher ins Freiburgerland zu machen. Wenn man von Bulle aus Richtung Jaunpass fährt, kommt man bald in den Genuss des nebenstehenden Bildes: Schloss und Städtchen Greyerz vor der Dent de Broc (1812 m), die sich auf einem Hügelzug eigenwillig absondern. Beide verraten dem Besucher durch ihre Gesamtanlage und durch unzählige Einzelheiten, dass sie im tiefen Mittelalter wurzeln, und dass Greyerz auch heute noch autofrei ist, spricht für das Stilgefühl seiner Bewohner.
Die Grafen von Greyerz, die stolz den Kranich im Wappen führten, residierten neunzehn Generationen hindurch auf diesem fürstlichen Sitz und beherrschten grosse Landstriche bis weit ins Simmental hinein, bis die Dynastie 1555 mit dem letzten Spross, dem Grafen Michael, ausstarb.
Doch Greyerz ist auch heute noch das Herzstück des Landesteils, der nach ihm benannt wird. Die Bevölkerung hat viele Traditionen bewahrt, nicht zuletzt die Sangesfreude und den provenzal-französischen Dialekt, den „patois gruyèrien“.

Gruyères
Avant de remonter le Rhône il faudrait, à juste titre, faire un petit détour par le pays de Fribourg. Si l'on va de Bulle en direction du col de Jaun, on apercevra bientôt cette image charmante : le château et la petite ville de Gruyères, devant la Dent du Broc (1812 m), qui se détachent singulièrement sur une ligne de collines. Leur conception d'ensemble et une foule de détails révèlent qu'ils prennent racine au fin fond du moyen âge. Que Gruyères soit encore aujourd'hui interdite à la circulation montre l'attachement de ses citoyens à la conservation du site.
Les comtes de Gruyères, qui portaient fièrement des armes frappées d'une grue, résidaient pendant dix-neuf générations dans ce domaine princier, et possédaient de grandes étendues de terres jusque dans la vallée du Simmental ; la dynastie s'éteignit en 1555 avec le dernier héritier, le comte Michel.
Cependant, Gruyères est encore le cœur de cette région qui porte son nom. La population a gardé beaucoup de traditions, dont le goût du chant et le dialecte franco-provençal, « le patois gruyèrien ».

Gruyères
Before we travel on up the Rhône it is worth while taking an excursion into the Fribourg region. Travelling from Bulle towards the Jaun Pass, you soon have this scene before you: the Castle and little town of Gruyères perched on a hill in front of the Dent de Broc (5,943 ft). The general appearance, and countless details bear witness to Gruyères' early-medieval origins; the fact that Gruyères still bans the motor car says a lot for its inhabitant's continuing feeling for style.
The Counts of Gruyères resided in this princely castle for nineteen generations, with vast estates extending far into the Simmen Valley, until the dynasty died out in 1555 when the last Count expired without an heir.
But Gruyères is still the centre of the region that bears its name. The people have preserved many traditions, including their love of singing and their Provençal-French dialect, the "patois gruyèrien".

Grand Combin
Diesmal wählten wir nicht das Val d'Entremont, sondern wir wandten uns in Sembrancher gegen das Val de Bagne. In Fionnay verliessen wir die Strasse und stiegen bergan, zuerst über Bergmatten, dann bald über Moränengeröll des Glacier de Corbassière, und endlich haben wir das Bild vor uns: zu Häupten die Eiswelt des Grand Combin mit mehreren Gipfeln, deren höchster auf 4314 m emporstrebt, zu Füssen die Cabane de Panossière des SAC in 2671 m Höhe.
Sie wirken fast verloren in der gewaltigen Umwelt, diese Hütten. Und doch: was bringen sie dem Bergsteiger an Schutz und an Sicherheit! Wie oft bedeutet es im wahrsten Sinne des Wortes Lebensrettung, in Nebel, Nacht oder Sturm die Hütte zu finden. Aber da ist noch ein anderer Gedanke, der sich aufdrängt: was für gewaltige Anmarschwege bewältigten die Pioniere des Alpinismus, die die Hochgipfel eroberten, bevor der Schweizer Alpen-Club solche Stützpunkte errichtet hatte. Gerade am Grand Combin, den man als den einsamsten aller Hochgipfel bezeichnet, sind solche Überlegungen gerechtfertigt.
Der Grand Combin wurde denn auch bereits im Jahre 1857 durch drei einheimische Jäger, die Brüder B. und M. Felley und J. Bruchet, erstmals bezwungen, für die damalige Zeit und Ausrüstung eine unerhörte Leistung. Ihr Erstaufstieg über die Nordflanke ist heute zur Normalroute geworden, obschon sie durch den sogenannten „Corridor" führt, der ständig von Eisschlag bedroht ist.
Die Cabane de Panossière hat eine weite Gipfelwelt erschlossen. Bevorzugte Ziele sind neben dem Grand Combin der Combin de Corbassière, der Grand Tavé, der Tourmelon Blanc, die Aiguilles des Maisons Blanches. Sie ist aber auch Ausgangspunkt für Übergänge, über den Col des Maisons Blanches nach Bourg St. Pierre, zur Cabane de Valsorey über den Col du Meitin, nach Liddes über den Col de Lana oder nach Mauvoisin über den Col des Autannes, die aber alle hochalpine Erfahrung und Ausrüstung erfordern.

Le Grand Combin
Cette fois-ci, nous ne prîmes pas le val d'Entremont, mais nous nous tournâmes, à Sembrancher, vers le val de Bagnes! A Fionnay, nous quittâmes la route et nous montâmes, d'abord par Bergmatten, puis bientôt sur les éboulis des moraines du glacier de Corbassière, et enfin nous avons ce paysage devant nous : au-dessus de nos têtes, le monde de glace du Grand Combin avec ses divers sommets, dont le plus haut atteint 4314 m, et, à nos pieds, la Cabane de Panossière du Sac, à 2671 m de hauteur !
Elles ont l'air perdues, ces huttes, dans un monde gigantesque. Et cependant : que d'aide et de sécurité elles apportent à l'alpiniste ! Combien de fois elles ont sauvé des vies, au sens propre du terme, dans le brouillard, la nuit et la tempête. Mais une autre pensée nous vient à l'esprit : les pionniers de l'alpinisme devaient faire d'immenses étapes avant que le Club alpin suisse ait construit ces points d'appui ! Ces réflexions se prêtent à propos du Grand Combin que l'on considère comme le plus solitaire de tous les hauts sommets. Le Grand Combin fut escaladé pour la première fois, en 1857, par trois chasseurs de la région, les frères B. et M. Felley et J. Bruchet : à cette époque et avec leur équipment c'était vraiment un exploit inouï ! Leur escalade par la face nord est devenue la voie habituelle, bien qu'elle passe par le fameux «Corridor» qui est constamment menacé par des avalanches de glace.
La Cabane de Panossière a ouvert l'accès à un vaste univers de hauts sommets. Les buts préférés d'excursions, à part le Grand Combin, sont le Combin de Corbassière, le Grand Tavé, le Tourmelon Blanc, les Aiguilles des Maisons Blanches. Elle est aussi le point de départ de passages par le col des Maisons Blanches vers Bourg St-Pierre, à la Cabane de Valsorey par le col du Meitin, vers Liddes par le col de Lana ou vers Mauvoisin par le col des Autannes qui demandent tous une bonne expérience des hauts sommets alpins et un équipement adéquat.

Grand Combin
Setting off from the same point again, we this time turn off the Great St. Bernard Pass road at Sembrancher, and head up the Val de Bagnes. Leaving the road at Fionnay, we climb upwards, first across meadows and then over moraine debris from the Glacier de Corbassière, and finally we have before us the scene shown in the picture: above, the ice-bound world of the Grand Combin with several peaks, the highest rising to 14,150 ft, at our feet the Swiss Alpine Club's Cabane de Panossière at 8,760 ft.
These huts seem totally lost in their mighty surroundings. And yet, what a boon they are to the mountaineer! How often have they literally been the last resort, the life-saving refuge in fog, darkness, or storm! Another thought: what tremendous distances the Alpine pioneers who conquered the heights must have put behind them before the Swiss Alpine Club had set up bases like these.
Thoughts like these are particularly pertinent in this area, as Grand Combin is considered to be the loneliest of all the high peaks. Grand Combin was climbed for the first time in 1857 by three local huntsmen, the brothers B. and M. Felley, and J. Bruchet, an astonishing feat for that time and with the equipment then available. Their route across the north flank is now the standard route although it passes through the so-called corridor, which is always endangered by falling ice.
The Cabane de Panossière has opened up a vast area of peaks. Popular objectives, apart from Grand Combin, are Combin de Corbassière, Grand Tavé, Tourmelon Blanc, and the Aiguilles des Maisons Blanches. It is also the startig-point for trips across Col des Maisons Blanches to Bourg St-Pierre, to the Cabane de Valsorey across Col du Meitin, to Liddes across Col de Lana, or to Mauvoisin across Col des Autannes, which, however, all demand proper equipment and experience in the high Alps.

► Lac de Mayen
Nun sind wir nach Leysin (1260 m) vorgedrungen, das von Aigle aus mit einer Schmalspurbahn bequem erreichbar ist. Der stattliche Ort mit seinen 3500 Einwohnern erlangte einst Weltruf als Lungenkurort, auf einer ausgesprochenen Sonnenterrasse gelegen. Heute ist es aber auch für gesunde und sportliche Menschen ein bevorzugter Ferienort mit vielfältigen Sportanlagen und einem grossartigen Panorama geworden. Der Wanderfreudige wird mit Genuss aufsteigen zum Lac de Mayen in 1900 m Höhe, den wir hier im Bild vor uns haben. Über das Ormonttal hinweg blicken wir hinüber zum vielgestaltigen Massiv der Diablerets, dessen Firnen heute dem Skifahrer durch mehrere Seilbahnen erschlossen sind. Der gleichnamige Hauptort des Ormonttales, also Les Diablerets (1150 m), hat sich als Wintersportplatz denn auch einen grossen Namen erworben, wahrscheinlich nicht zuletzt, weil dort die Schweizer Skikönigin, Lise-Marie Morerod, beheimatet ist.

► Le lac de Mayen
Nous voici arrivés à Leysin (1260 m), en chemin de fer à voie étroite qui y mène aisément en partant d'Aigle. Cette bourgade imposante de 3500 habitants se fit autrefois mondialement connaître comme ville de cure contre les maladies pulmonaires, située comme elle l'est sur une terrasse parfaitement ensoleillée. Aujourd'hui, c'est le lieu privilégié des gens sains et sportifs pour ses installations sportives multiples et son panorama grandiose. Le promeneur aimera monter à 1900 m, jusqu'au lac de Mayen que nous avons devant nous.
Par-dessus la vallée d'Ormont, nous apercevons les formes variées du massif des Diablerets ouvert maintenant aux skieurs grâce à plusieurs téléphériques. Le chef-lieu du même nom, c'est-à-dire Les Diablerets (1150 m), s'est fait connaître en tant que station de sport d'hiver certainement aussi parce que la reine du ski suisse, Lise-Marie Morerod, est une enfant du pays.

► Lac de Mayen
We have now moved on to Leysin (4,133 ft), comfortably reached by narrow-guage railway from Aigle. This little town, built on a sunny terrace, with its 3,500 inhabitants, once achieved world-fame as a resort for sufferers from pulmonary complaints. Today it is a favourite place of the healthy, with plenty of sports facilities, and a magnificent panorama. There are ample rewards for the walk up to Lac de Mayen (6,232 ft) which we have before us here in the picture. We are looking across the Ormonts Valley towards the variform Diablerets massif, whose skiing slopes can be reached by various cable cars. The town of Diablerets (3,775 ft) in the Ormonts Valley has also a great reputation as a wintersports centre, partly, no doubt, because the Swiss skiing queen, Lise-Marie Morerod lives there.

Im Rhonetal
Es lohnt sich wohl, dieser grössten Talfurche der Zentralalpen Aufmerksamkeit zuzuwenden. In Urzeiten, als sich die Rhone in unzähligen Windungen ihren Weg in den Genfersee gebahnt hatte, war das ganze Tal eine wüste, kaum fruchtbare Landschaft. Erst der Fleiss eines zähen Menschenschlages verwandelte das Tal zum fruchtbaren Garten. Zunächst galt es, dem steinigen Boden Wasser zuzuführen. Von den Gletschern her wurde in unzähligen Wasserleitungen, im Unterwallis „Bisses", im Oberwallis „Suonen" genannt, nach strengen Regeln und Gesetzen das kostbare Nass auf das letzte Äckerlein geleitet. Die längste dieser Leitungen ist 32 km lang, und gesamthaft erreichen die Kanäle und Leitungen die Länge des Erdumfangs. Das Bild – es ist ein Winterbild mit wenig Licht und kalten Farben – ist für das untere Rhonetal charakteristisch. Pappelalleen säumen Strassen und Wege, geben aber immer wieder den Blick frei auf hochragende Gipfel. Hier blicken wir von unterhalb Monthey, auf der linken Talseite, in die Gegend von Leysin. Links Le Chamossaire (2113 m), rechts L'Argentine (2422 m).

Dans la vallée du Rhône
Cette vallée, qui est le plus grand sillon des Alpes Centrales, est digne d'intérêt. A des époques reculées, quand le Rhône s'était creusé, en des méandres innombrables, son chemin vers le lac Léman, toute la vallée était un paysage désertique, à peine fertile. Seul, le travail acharné d'un peuple résistant transforma la vallée en un jardin florissant. D'abord, il fallut irriguer le sol caillouteux. Selon des règlements et des lois sévères, le précieux liquide, originaire des glaciers, fut amené jusqu'au plus petit champ par des conduites d'eau innombrables, appelées «Bisses» dans le Bas-Valais et «Suonen» dans le Haut-Valais. La plus longue de ces conduites a 32 km et, dans leur ensemble, les canaux et les conduites ont la même longueur que la circonférence terrestre. L'ambiance hivernale, sa pâle lumière et ses couleurs froides, caractérisent bien la vallée inférieure du Rhône. Des allées de peupliers bordent les routes et les chemins, mais laissent entrevoir les sommets qui surplombent. Nous apercevons d'ici, au-dessous de Monthey, le côté gauche de la vallée, dans la région de Leysin. A gauche, Le Chamossaire (2113 m), à droite, l'Argentine (2422 m).

In the Rhône Valley
It is worth devoting some time to what is surely the largest valley in the central Alps. In primeval times, when the Rhône was still in the process of cutting its snake-like way towards Lake Geneva, the whole valley was more like a desert than fertile countryside. It needed the investment of generations of hard work to transform the desert into a fertile garden. The first move was to channel water to the stony ground. A complicated irrigation system consisting of countless channels called "bisses" in Lower Valais, and "Suonen" in Upper Valais, conducts the water all the way to the tiniest cultivated patch. An equally complicated system of rules and regulations governs the distribution. The longest of these channels extends for 19 miles, and placed end to end they would stretch round the earth. The picture – taken in winter, with little light and cold colours, is characteristic of the lower Rhône Valley. Poplars line the roads and paths but do not cut off the view of the high peaks. Here we are just below Monthey on the left-hand side of the valley near Leysin. On the left is Le Chamossaire (6,931 ft), on the right L'Argentine (7,944 ft).

Aiguilles de Triolet
Das Rhonetal ist ein Begriff. Seine Seitentäler, die dem südlichen Alpenkamm und damit Italien entgegenstreben, ein anderer, und zwar ein vielschichtiger. Allein vom Rhoneknie bei Martigny bis nach Brig sind es gut ein Dutzend, nicht gerechnet die kleinen Wasserläufe, und jedes bildet eine eigenartige Welt für sich.
Das berühmteste und traditionsreichste ist zweifellos das Val d'Entremont, das von Martigny zum Grossen St. Bernhard hinaufführt. Der Pass über den Monte Penninius, wie er früher hiess, war schon im finsteren Mittelalter viel begangen von Säumern und Pilgern, von Schmugglern und Mönchen, aber auch von kriegerischen Heerscharen, vom karthagischen Feldherrn Hannibal, von römischen Kaisern und später von Napoleon.
In der Mitte des 11. Jahrhunderts gründete der heilige Bernhard von Menthon ein Kloster und ein Hospiz, wodurch der Passübergang seinen heutigen Namen erhielt. Das Hospiz hat im Laufe der Jahrhunderte Unzähligen Obdach und Zuflucht gewährt. Aber nicht nur die Mönche, sondern auch ihre Hunde, die Verirrte oder Erschöpfte aufspürten, brachten oft Hilfe. Die Bernhardinerhunde werden noch heute sorgfältig weitergezüchtet und haben durch ihre Kraft und durch ihre Charaktereigenschaften Weltruf erlangt.
Wenn man vom Grossen St. Bernhard spricht, denkt der eilige Autofahrer natürlich zunächst an den Strassentunnel, der hinüber ins Aostatal führt. Aber die Eiligen haben hier, wie so oft, unrecht. Es lohnt sich wohl, über den Berg, also über den Pass (2469 m) zu fahren, sofern er schneefrei ist, und zwar nicht bloss, um die Hundezucht, den reichen Kirchenschatz oder die Mineraliensammlung zu besichtigen. Von der Passstrasse aus bieten sich dem Wanderer wie dem Berggänger lockende Ziele. Das Bild zeigt den Ausblick, wie er sich auf dem Grat oberhalb der Lacs de Fenêtre darstellt, hinüber zu den Aiguilles de Triolet (3870 m) und zum Mont Dolent (3820 m), zur Tour Noire rechts hinten, deren Gipfel und Grate die Grenze zu Italien bilden.

Aiguilles de Triolet
La vallée du Rhône est une chose. Ses vallées latérales qui s'avancent vers la crête sud des Alpes, c'est-à-dire vers l'Italie, en sont une autre, beaucoup plus complexe. Du genou du Rhône près de Martigny jusqu'à Brig il y en a déjà une douzaine, sans compter les petits cours d'eau, et chacune d'elles forme un monde à part.
La plus célèbre et la plus riche en traditions est certainement la vallée d'Entremont, qui remonte de Martigny jusqu'au Grand St-Bernard. Le col du Monte Penninius, ainsi nommé autrefois, était déjà parcouru au fin fond du moyen âge par des muletiers et des pélerins, des contrebandiers et des moines, mais aussi par des armées belliqueuses, le général carthaginois Annibal, des empereurs romains et, plus tard, par Napoléon.
Au milieu du 11ème siècle, Saint-Bernard de Menthon y édifia un cloître et un hospice qui donnèrent son nom actuel au col. Au cours des siècles, l'hospice a donné refuge à d'innombrables personnes. Non seulement les moines secouraient les voyageurs, mais aussi les chiens retrouvaient la trace de ceux qui s'étaient égarés ou qui étaient tombés d'épuisement. Les chiens St-Bernard sont, de nos jours encore, soigneusement élevés et leur force ainsi que leurs qualités les ont rendus mondialement célèbres. Si l'on parle du Grand St-Bernard, l'automobiliste pressé pense naturellement d'abord à la route du tunnel qui mène dans le val d'Aoste. Mais les gens pressés se trompent, une fois de plus. Il vaut la peine de passer par la montagne, c'est-à-dire par le col (2469 m) quand il n'est pas enneigé, et pas seulement pour visiter le chenil, le riche trésor de l'église ou la collection de minéraux. A partir de la route du col, des randonnées attrayantes s'offrent au promeneur comme à l'automobiliste. Notre illustration montre la vue, telle qu'elle se présente sur la crête, au-dessus des lacs de Fenêtre, jusqu'aux Aiguilles de Triolet (3870 m) et au Mont Dolent (3820 m), vers la Tour noire, à l'arrière-plan droit, dont les sommets et les crêtes forment la frontière avec l'Italie.

Aiguilles de Triolet
The Rhône Valley is famous. Its side-valleys, which are cut into the southern chain of the Alps towards Italy, equally deserve to be. There are a good dozen of them between the bend in the Rhône at Martigny and Brig alone – without counting the smaller streams – and each one forms a characteristic world of its own.
Val d'Entremont, which leads from Martigny up the Great St. Bernard Pass, is undoubtedly the most famous of them. The pass over Monte Penninius, as it used to be called, has been a busy Alpine route for many centuries – much used in former times by sumpters and pilgrims, by smugglers and monks, and also by armies – by the Cartaginian general Hannibal, by Roman emperors, and later by Napoleon.
In the middle of the 11th century Saint Bernard of Menthon founded a monastery and a rest-house at the top of the pass now named after him. In the course of the centuries, the rest-house has offered refuge to countless travellers. The famous St. Bernard dogs, which are still bred here today, and which have won world renown for their strength and character, have also been instrumental in saving the lives of people who have lost their way in the mountains.
When the name Great St. Bernard is mentioned, the impatient driver will immediately think of the tunnel leading through to Aosta. But here, as so often, impatience is a mistake. It is well worth driving over the mountain pass (8,098 ft), and not just for the sake of the kennels, the church treasures, or the collection of minerals. The road itself gives access to plenty of attractive places. Our picture shows the view from the ridge above Lacs de Fenêtre towards the Aguilles de Triolet (12,693 ft) and Mont Dolent (12,529 ft), and to Tour noire, in the background to the right, whose peaks and ridges form the border to Italy.

Cabane de Chanrion
Das Val de Bagnes können wir so schnell nicht auskosten. Wir fahren bis zur Staumauer von Mauvoisin und dem gleichnamigen See auf 1961 m, aber dann gilt es den Rucksack zu schultern bis zur Cabane de Chanrion des SAC, die hier im Bildvordergrund ist. Der Berg, der sich im Wasser spiegelt, ist der Mont Avril, zu seiner Linken erkennen wir den Mont Gelé. Beides sind Grenzgipfel zu Italien, und zwischen den Gipfeln hindurch führt ein Passübergang, la Fenêtre de Durand, hinüber ins Nachbarland, der allerdings nur für berggewohnte Gänger und bei zuverlässigem Wetter zu empfehlen ist; erreicht er doch eine Höhe von 2805 m, bevor er in unwirtlichem Gelände ins Tal der Valpelline und nach Aosta hinabführt. Die Cabane de Chanrion erschliesst aber vor allem eine ganze Reihe von Hochgipfeln.

La Cabane de Chanrion
Nous sommes encore loin d'avoir apprécié tous les charmes de la Vallée de Bagnes. Nous roulons jusqu'au barrage de Mauvoisin et au lac du même nom à une hauteur de 1961 m, mais après, il faut endosser le sac à dos jusqu'à la cabane de Chanrion du Sac, qui se trouve au premier plan. La montagne qui se reflète dans l'eau est le Mont Avril ; à sa gauche, nous reconnaissons le Mont Gelé. Ils sont, tous deux, les sommets frontaliers avec l'Italie et à travers les cimes, le col de La Fenêtre de Durand permet le passage dans ce pays voisin ; il n'est cependant recommandable que, par beau temps, à des promeneurs habitués à la marche en montagne ; il grimpe jusqua'à une hauteur de 2805 m avant de redescendre par des pentes escarpées, vers la vallée de la Valpelline et vers Aoste. La cabane de Chanrion dessert surtout toute une série de hauts sommets.

Cabane de Chanrion
We have by no means seen all the glories of the Val de Bagnes. We continue up the valley to the Mauviosin Dam and the lake of the same name at 6,432 ft. From there it is a question of humping a rucksack up to the SAC's Cabane de Chanrion, seen in the foreground. The mountain reflected in the lake is Mont Avril, the one to the left is Mont Gelé. They are both on the border to Italy, and between the peaks a pass – La Fenêtre de Durand – leads into the neighbouring country; but this route is only recommended to experienced mountaineers in good weather. It reaches an altitude of 9,200 ft before leading into the arid upper reaches of the Valpelline Valley and on to Aosta. The Cabane de Chanrion gives access to a whole series of high peaks.

Aiguilles Rouges
Arolla ist an Möglichkeiten fast unerschöpflich, und darum ist es gerechtfertigt, etwas mehr über diesen Erdenflecken zu sagen. Schon der Name mutet seltsam an. Er weist zurück auf die keltischen Ureinwohner. Die Arve oder Bergföhre hiess auf keltisch Arolle, und tatsächlich bildet der lockere Arvenwald, der die Hänge des sonnigen Hochtales bedeckt, noch heute seinen Hauptschmuck.
Doch wir sind noch weiter gezogen, vier Stunden lang bergwärts hinauf zur Cabane des Aiguilles Rouges in 2810 m Höhe. Dort öffnet sich der Blick auf die reichgezackten Aiguilles, ein Paradies für den Kletterer. Ein guter Gänger kann von der Hütte aus, die viele Möglichkeiten bietet, bei günstigen Verhältnissen die Tour über den Col de Riedmatten (2919 m) hinüber zum Dixence-Stausee wagen.

Les Aiguilles Rouges
Arolla ouvre des possibilités presque inépuisables, et c'est pourquoi il est juste d'en parler un peu plus. Le nom, en soi, est déjà curieux. Il rappele les origines celtiques de ses premiers habitants. L'arole ou pin montagnard s'appelait, en celtique, arolle et en effet, la claire forêt d'arolles qui recouvre les pentes de la haute vallée ensoleillée en est encore aujourd'hui la principale parure.
Cependant, nous avons continué notre marche ; quatre heures de montée jusqu'à la cabane des Aiguilles Rouges, à 2810 m de hauteur. De là, on a une vue ouverte sur les Aiguilles fortement dentelées, un paradis pour les grimpeurs. Un bon marcheur peut, à partir de la hutte qui ouvre toutes sortes de possibilités, entreprendre, par beau temps, le tour par le col de Riedmatten (2919 m) jusqu'au lac du barrage de la Dixence.

Aiguilles Rouges
Arolla really offers such a tremendous variety of tours that we can justifiably stay in the area a little longer.
The name "Arolla" is suggestive. It goes back to the original Celtic inhabitants. The Swiss stone pine, or Pinus cembra, was called "arolle" in Celtic, and the stone pines that cover the sunny slopes of this mountain valley still form its chief ornament.
But we leave Arolla behind us, walking up into the mountains for four hours to the Cabane des Aiguilles Rouges at an altitude of 9,220 ft. From there the traveller has a view of the craggy Aiguilles, a paradise for mountain climbers.
In good weather, an experienced walker can risk one of the greatest tours from the hut across the Col de Riedmatten (9,574 ft) to the Dixence Dam.

► Alp Pra-Gra
Wir sind der Borgne bergwärts ins Val d'Hérens gefolgt. Bei Les Haudères zweigt das Arollatal in südwestlicher Richtung ab, und auf guter Strasse erreicht man das Dörfchen Arolla in einer Höhe von fast 2000 m.
Obschon der Flecken bloss 50 Einwohner zählt, ist er für den Alpinisten zum Begriff geworden, da er Ausgangspunkt ist für grossartige Gletschertouren und Kletterfahrten.
Auch der Fotograf ist weitergewandert, empor zur Alp Pra-Gra. Was hat ihn wohl mehr gefesselt: die Gipfel im Hintergrund, Mont Collon links, Pigne di Arolla rechts, oder vielleicht die Reihe der Brunnentröge im Vordergrund?
Sie legen ein beredtes Zeugnis ab dafür, wie hier, an der obersten Vegetationsgrenze, das Wasser eine Kostbarkeit darstellt, um eine Viehherde tränken zu können. Allerdings, die Farben machen es deutlich: das Vieh ist längst talwärts gezogen.

► L'Alpe Pra-Gra
Cette fois nous souivons la Borgne pour remonter dans le Val d'Hérens. Près des Haudères, le Val d'Arolla se dirige vers le sud-ouest, et une bonne route permet d'atteindre le petit village d'Arolla, à une hauteur de presque 2000 m.
Bien que la commune ne compte que 50 habitants, il est devenu un point important pour l'alpiniste, car c'est de là qu'on part pour faire des escalades et des tours extraordinaires sur les glaciers.
Le photographe est monté, lui aussi, plus haut, jusqu'à l'Alpe Pra-Gra. Qu'est-ce qui l'a le plus fasciné : les sommets à l'arrière-plan, le Mont Collon à gauche, le Pigne di Arolla à droite, ou peut-être la série d'abreuvoirs au premier plan ? Ils sont la preuve manifeste qu'ici, à la limite extrême de toute végétation, l'eau est une denrée précieuse pour abreuver un troupeau. Toutefois, les couleurs le prouvent : le bétail a pris, depuis longtemps, le chemin de la vallée.

► Pra-Gra
This time we follow the River Bagne up into Val d'Hérens. At Les Haudères the Arolla Valley branches off to the southwest, and a good road leads up to the little village of Arolla at over 6,500 ft. Although this village has only 50 inhabitants it means a lot to Alpinists as it is the starting point for magnificent glacier tours and climbs. The photographer also pressed on further to the Pra-Gra pastures. What will have impressed him more – the peaks in the background, Mont Collon on the left, Pigne d'Arolla on the right, or the line of troughs in the foreground? They speak eloquently enough of the importance of a source of water for the cattle so high up near the vegetation line. However, as the colours make clear: the animals have long since been driven down to their winter quarters.

►► Val d'Hérémence
Das Val d'Hérens, zu deutsch Eringertal, ist wohl mit dem Kantonshauptort Sion durch eine gute Strasse verbunden, hat sich aber in vielfacher Hinsicht eine erstaunliche Eigenständigkeit bewahrt, in der Sprache, in der Bauweise, in Sitten und Bräuchen, sogar in einer eigenen Viehrasse, den kleinen, kampffreudigen Eringer Kühen.
Im Hauptort Hérémence zweigen wir ab und folgen dem Wasserlauf der Dixence bergwärts, dringen ein in die Welt der Arven und Lärchen, in eine Urtümlichkeit, die das Bild sichtbar macht.
Dixence! – Der Name weckt Erinnerungen. Ja, im Quellgebiet der Dixence wurde die grösste Staumauer der Welt errichtet, bekannt geworden unter dem Namen Grande-Dixence. Der Wasserspiegel des Stausees liegt auf einer Höhe von 2364 m und bildet einen reizvollen Kontrast zur Hochgebirgswelt. Wie an so manchen Stellen der Schweizer Alpen kann man auch hier über die Berechtigung von Wasserkraftwerken als Alternative zum Atomkraftwerk philosophieren.

►► Le Val d'Hérémence
Le Val d'Hérens, en allemand Eringertal, est relié par une bonne route, au chef-lieu du canton, Sion ; il a gardé cependant, à toutes sortes d'égards, un caractère original étonnant, par sa langue, son architecture, ses us et coutumes et par un élevage bovin propre, les petites vaches belliqueuses d'Hérens.
A Hérémence, nous bifurquons et nous remontons le cours de la Dixence, pénétrons dans le monde des aroles et des mélèzes, dans une nature à l'état premier.
Dixence ! – Ce nom éveille des souvenirs. Oui, près des sources de la Dixence, on a construit le plus grand barrage du monde, connu sous le nom de Grande Dixence. Le niveau d'eau du lac du barrage est à une hauteur de 2364 m et forme un contraste charmant avec l'univers des hautes montagnes. On peut philosopher, comme à beaucoup d'autres endroits des Alpes Suisses, sur la bonne alternative que sont les centrales hydro-électriques par rapport aux centrales atomiques.

►► Val d'Hérémence
The Val d'Hérens, called Eringertal in German, is connected by a good road to Sion, the capital of the Canton, but has nevertheless preserved its independence in many ways – language, architecture, customs, and traditions, even preserving its own breed of cattle – the small, but very combative Ering cows.
We turn off at Hérémence, and follow the course of the Dixence, entering the unspoilt world of stone pine and larches illustrated here. Dixence! – The name has associations: yes, the world's highest dam was built up here near the source of the Dixence: Grande-Dixence. The lake surface lies at an altitude of 7,754 ft, and forms a delightful visual contrast to the high mountains, Here, as in many other Swiss Alpine spots it is easy to philosophize over the justification of hydro-electric power as an alternative to nuclear power.

Alp Flanmayens
Die Lebensbedingungen prägen die Lebensgewohnheiten, und diese wiederum prägen den Menschen in hohem Masse. Was aber weiss ein moderner Stadtmensch von den Lebensbedingungen eines Walliser Bergbauern? Und umgekehrt ist der Abstand natürlich nicht weniger gross. Darum ist die Kluft zwischen Menschen oft schier unüberbrückbar, und es ist eigentlich fast ein Wunder, dass sie sich trotzdem zu einem Volk zusammengefunden haben und immer wieder finden.
Solche Überlegungen werden wach, wenn man das Bild nachdenklich betrachtet: die Alp Flanmayens hoch oben im Val d'Hérens; eine Alp unter unzähligen anderen. Sie wird während zwei, höchstens drei Monaten im Hochsommer Aufenthaltsort der Bergbauern und meist auch ihrer Familien, die ein wahres Nomadendasein führen, um auch die höchsten Vegetationszonen zu nutzen. Hier hat ein früher Schneefall die Bauern gezwungen, die Alp wohl etwas vorzeitig zu verlassen und sie dem langen Winterschlaf entgegenträumen zu lassen. Wahrscheinlich werden Wildtiere, Rehe, Gemsen und Murmeltiere, den letzten kargen Wuchs nutzen.

L'Alpe de Flanmayens
Les conditions de vie déterminent les habitudes de vie, et celles-ci, à leur tour, déterminent, en grande partie, l'être humain. Un citadin moderne, que sait-il des conditions de vie d'un montagnard valaisan ? Et l'écart n'est naturellement pas moins grand dans le sens inverse. C'est pourquoi le fossé entre les hommes est souvent presque infranchissable, et il est, à vrai dire, quasiment miraculeux qu'ils se soient groupés pour former un peuple et continuent à se regrouper.
Ce genre de réflexions naît d'une contemplation approfondie du site : l'Alpe de Flanmayens tout en haut du Val d'Hérens ; une alpe parmi tant d'autres ! Pendant l'été, les paysans montagnards et leurs familles y séjournent deux ou, tout au plus, trois mois ; ils mènent une véritable vie de nomades pour exploiter les zones de végétation les plus hautes. Ici, une chute de neige prématurée a forcé les paysans à quitter l'alpe plus tôt que prévu et à l'abandonner au long sommeil de l'hiver. Certainement des animaux sauvages, des chevreuils, des chamois et des marmottes profiteront des dernières maigres pousses.

Flanmayens
Living conditions shape the pattern of life, and the pattern of life largely shapes the people subject to it. But what does a modern city-dweller know about the life of a Valaisan mountain farmer? On the other hand, the Valaisan farmer probably knows not much more about the city-dweller's life. That is why there is an almost unbridgeable gap between such people – and yet they nevertheless succeed in living together in a single state. Thoughts like this arise when one looks closely at the accompanying picture: Flanmayens high up in the Val d'Hérens – mountain pastureland of the kind to be found everywhere in the Alps. These areas are occupied for two or at the most three months in high summer by the mountain farmers, usually with their families, who live a semi-nomadic life in order to utilize even the highest zones of vegetation. Here, early snow has forced the farmers to depart before they normally would, leaving the pastures to their long hibernation and dreams of spring.

► Dent Blanche und Grand Cornier
Es ist die Dent Blanche (4364 m), die in diesem Bild dominiert, nach dem Urteil vieler Alpinisten einer der imposantesten Gipfel unserer Alpen. Hier haben wir uns dem Berg von Zermatt von Osten her genähert, zur Rechten erkennen wir den Grand Cornier (3962 m), und er scheint seinem Namen wenig Ehre zu machen. Doch anders präsentiert er sich von der Bertol- oder der Mountet-Hütte aus, und aus solcher Sicht begreift man, dass die Erstbesteigung im Jahre 1862 durch Engländer mit einheimischen Führern als alpinistische Grosstat galt.
Die verschiedenen Grate, die zum Gipfel weisen, bieten nicht alle dieselben Schwierigkeiten. Der begehrteste Aufstieg ist wohl jener von der Mountet-Hütte aus über den Viereselsgrat. Kaum weniger interessant ist aber auch diese Bezeichnung. Der Grat wurde erstmals im Jahre 1882 von den Engländern Anderson und Baker mit den beiden Führern Ulrich Almer und Aloys Pollinger begangen. Als sie nach hartem Kampf den Gipfel erreicht hatten, rief Pollinger aus: „Wir sind wahrhaftig vier Esel, dass wir diese Route gewählt haben!"

► La Dent Blanche et le grand Cornier
C'est la Dent Blanche (4364 m) qui domine ce paysage c'est, de l'avis d'un grand nombre d'alpinistes, l'un des sommets les plus imposants de nos Alpes. Nous nous sommes approchés ici, de l'est, de la montagne de Zermatt, et à droite, nous reconnaissons le Grand Cornier (3962 m) qui semble peu faire honneur à son nom. Cependant, il se présente différemment, vu du refuge de Bertol ou du Mountet, et l'on comprend alors que la première ascension faite en 1862 par des Anglais et des guides du pays passa pour une prouesse.
Les différentes arêtes qui mènent au sommet ne présentent pas toutes les mêmes difficultés. L'escalade la plus recherchée est celle qui part du refuge du Mountet et passe par l'arête des Quatre ânes. Cette épithète n'est pas moins intéressante. L'arête fut atteinte, pour la première fois, en 1882, par les Anglais Anderson et Baker, ainsi que les deux guides Ulrich Almer et Aloys Pollinger. Lorsque, après un dur combat, ils furent arrivés au sommet, Pollinger s'écria : « Nous sommes vraiment quatre ânes, pour avoir choisi cet itinéraire !»

► Dent Blanche and Grand Cornier
It is Dent Blanche – considered by many Alpinists to be the most imposing peak among the Swiss Alps – that dominates this picture. This is Zermatt's mountain, seen from the east, with Grand Cornier (12,995 ft) and it seems rather tame from this angle. But from the Bertol or Mountet Huts it looks quite different, and seen from there it is more understandable that the first ascent in 1862, by Englishmen with local guides, was greeted as a great Alpine feat.
The various ridges leading to the peaks are not all equally difficult. Probably the most popular ascent is from the Mountet Hut along the Vieresel Ridge. The name, literally translated, means "four asses", and its history is rather amusing. The ridge was climbed for the first time in 1882 by the Englishmen Anderson and Baker with the two guides Almer and Pollinger. When they had finally fought their way to the peak, Pollinger exclaimed: "We were really four asses to have chosen that route!"

►► Rebberge bei St. German
Man wagt es kaum zu hoffen: aus Winterstarre und Frost erwachen auch diese Rebhänge immer wieder zu üppigem Wachstum und spenden einen Wein, der zu den edelsten zählt. Hier gedeihen vor allem der Fendant, der Rhin und der Malvoisie, die in mühsamer Arbeit hochgezüchtet wurden. Es ist der Ehrgeiz des Wallisers, einen eigenen Rebberg, und wäre er noch so klein, zu besitzen. Das mühsam von den Gletschern hergeleitete Wasser und die Sonnenglut bringen das Wunder immer wieder zustande. Hier befinden wir uns im Mittelwallis, in der Nähe von Visp. Wenn wir Raron verlassen haben, wo Rilke seine letzte Arbeitsstätte gefunden hatte und wo auch seine endgültige, eigenwillig gestaltete Ruhestätte liegt, wandern wir durch diese Rebhänge gegen St. German mit seinem uralten Kirchlein und gegen Ausserberg weiter; eine Landschaft, wie sie für diesen Teil des Rhonetals abseits der grossen Verkehrsströme charakteristisch ist.

►► Les vignobles aux environs de St-German
On ose à peine y coire : réveillées du froid et du gel de l'hiver, ces pentes couvertes de vigne se parent, elles aussi, d'une végétation florissante et donnent un vin qui compte parmi les plus nobles. C'est ici que mûrissent surtout le Fendant, le Rhin et le Malvoisie qui sont cultivés à grand-peine. Chaque Valaisan se fait un point d'honneur de posséder un vignoble bien à lui, si petit qu'il soit. L'eau que l'on fait péniblement venir des glaciers et le soleil rendent, chaque année, ce miracle possible.
Nous nous trouvons ici dans le Moyen Valais, aux environs de Visp. Après avoir quitté Raron, où Rilke avait terminé son œuvre et où se trouve sa dernière demeure à l'architecture particulière, nous poursuivons notre chemin à travers ces vignobles, vers St-German avec sa petite église très ancienne et vers Ausserberg ; le paysage caractérise bien cette partie de la vallée du Rhône, loin des grands circuits touristiques.

►► Vineyards near St. German
It hardly seems possible: these vineyards, too, will revive after the frost and snow to produce a luxuriant crop and some of Switzerland's most noble wine. Here the Fendant, Rhin, and Malvoisie vines flourish best – given the loving care and hard work essential to their growth under such conditions. It is the ambition of every Vaudois to own his own vineyard, be it never so small. The sunshine, together with the water channelled from the glaciers, succeeds in repeating the miracle every year.
Here we are in Central Vaud, near Visp. Leaving Raron, where Rilke spent his last creative years, and where he is buried, we wander through the vineyards towards St. German with its ancient little church and then on towards Ausserberg: it is a landscape that is typical of the Rhône Valley beyond the mainstream of traffic.

Besso
Von Zinal aus erblickt man einen imposanten Felsaufbau, schwarz vor den weissleuchtenden Hochgipfeln: der Besso (3675 m). Mit dem Namen ist der Berg bereits charakterisiert. „Besse“ bedeutet im Patois der Einheimischen „doppel“, und damit ist die Zweigipfligkeit des Berges festgehalten.
Hier hat sich der Fotograf von Zinal her dem Berg ein gutes Stück genähert. Das leuchtende Gold der Lärchen deutet auf späten Herbst, und daher hat bereits ein erster Schnee die fast beängstigende Schroffheit des Berges gemildert. Und gar so wild, wie er sich darstellt, ist der Berg nicht. Von der Mountet-Hütte aus bietet die Besteigung keine extremen Schwierigkeiten. Alpinistisch ausgedrückt, übersteigen sie nirgends den 4. Grad, immer normale Verhältnisse vorausgesetzt.

Besso
De Zinal on aperçoit une masse imposante de rochers, se détachant en noir sur les hauts sommets d'un blanc lumineux : le Besso (3675 m). Ce nom caractérise déjà la montagne. « Besse » signifie en patois du pays « double », et détermine ainsi la dualité du sommet de la montagne.
Le photographe s'est, de Zinal, assez rapproché de la montagne. L'or rayonnant des mélèzes dénonce un automne bien avancé, c'est pourquoi une première neige a déjà adouci la sévérité presque angoissante de la montagne. Et la montagne n'est pas aussi sauvage qu'elle paraît. A partir du refuge du Mountet, l'ascension ne présente pas d'extrêmes difficultés. En termes d'alpiniste, elles ne dépassent pas le quatrième degré, dans des conditions normales, bien entendu.

Besso
From Zinal there is a splendid view of a great pile of black rock surmounted by gleaming peaks: Besso (12,054 ft). The name characterizes the mountain – in the local patois, "besse" means "double", a reference to the mountain's dual summits. For this shot, the photographer moved on from Zinal to a point much closer to Besso. The burnished gold of the larches betrays the season: late autumn, and the first snow has already softened the mountain's awe-inspiring contours. However, Besso is not nearly as wild as it looks. It can be climbed without any great difficulty from the Mountet Hut. The difficulties never exceed Grade 4 on the Alpinist's scale, always providing that conditions are normal.

► Pinsec
Im Val d'Anniviers im Wallis liegt der kleine, malerische Ort Pinsec. Auf einem mit satten Wiesen bedeckten Bergrücken stehen die als Vorratsspeicher gebauten Hütten, in der Abendsonne lange Schatten werfend. Die Speicher dienten früher der Lagerung der Nahrung für die einzelnen Bauernfamilien und deren Tiere. Einige der Häuschen sind auf Pfähle gestellt, um den Mäusen das Eindringen in die Speicher zu verwehren.
Obwohl die Hütten weder stilistisch noch in der Ausstattung irgend etwas Besonderes vorzuweisen haben, sind sie doch ein eindrucksvolles Zeugnis der Lebensgewohnheiten früherer Generationen der Bergbauern. Die romantische Versammlung dieser einfachen Speicherhütten, die sich unauffällig der Landschaft anpassen, lohnt einen Besuch.

► Pinsec
Dans le Val d'Anniviers, en Valais, se trouve le petit village pittoresque de Pinsec. Sur le versant d'une montagne recouverte de grasses prairies, se dressent les cabanes servant de greniers à provisions, qui projettent de longues ombres dans le crépuscule. Les greniers servaient autrefois à conserver la nourriture de chaque famille de paysans et de leurs bêtes. Quelques-uns d'entre eux sont construits sur pilotis pour empêcher aux souris l'accès des greniers.
Bien que les huttes n'aient rien de remarquable en ce qui concerne leur style ou leur installation, elles témoignent admirablement bien des habitudes de vie des anciennes générations de montagnards. Le groupement romantique de ces simples greniers qui se fondent si bien dans le paysage vaut bien une visite.

► Pinsec
The picturesque village of Pinsec lies in the Val d'Anniviers in Valais. In the evening sun, the huts built for storage purposes cast long shadows across the luscious meadows. The huts once served as food stores for the farmers and their animals. Some of them are built on pillars to keep the rats and mice out.
Although the huts are of no special architectural interest, they nevertheless speak volumes on the way of life of earlier generations of mountain peasants. The romantic impression of this group of simple huts, which merge so well with the landscape, makes the trip well worth while.

◄ Meidenalp
Das Turtmanntal ist eines der kürzeren südlichen Wallisertäler, aber deswegen keineswegs weniger reizvoll.
Turtmann, der Hauptort des Tales, ist Ausgangspunkt für viele Ziele. Aber das schönste ist doch wohl das Turtmanntal selbst, das sich noch einer völlig unberührten Natur erfreut. Steil und in recht wilder Umgebung steigt das Tal an; in Gruben haben wir bereits die Höhe von 1800 m erreicht, und von dort sind wir emporgestiegen zur Meidenalp, wo wir diese Ansammlung von Alphütten finden, breit und niedrig in den Weidgrund gelagert.
Aber besonders imposant ist der Blick in das hinterste Turtmanntal, das in einer weiten Gletscherwelt endet.
Zur Linken erkennen wir das Bieshorn (4161 m), dahinter ragt der imposante Weisshorngipfel (4512 m) empor, zur Rechten die Gipfel der Diablons.

◄ L'Alpe de Meiden
La vallée de Turtmann est l'une des vallées valaisanes les plus courtes, ce qui n'enlève rien à son charme. Turtmann, le chef-lieu de la vallée, est le point de départ d'un grand nombre d'excursions. Mais la plus belle reste encore la vallée de Turtmann elle-même, dont la nature est conservée à l'état sauvage. Les pentes de la vallée sont raides et escarpées; à Gruben, nous sommes déjà à une hauteur de 1800 m, et de là, nous avons continué à monter jusqu'à l'Alpe de Meiden où nous trouvons ce groupe de cabanes typiques de l'alpe, reposant, larges et basses, sur les pâturages. Mais ce qui est imposant, c'est surtout la vue sur l'arrière-fond de la vallée de Turtmann aboutissant sur un vaste univers glaciaire. A gauche, nous reconnaissons le Bieshorn (4161 m), qui surplombe, à l'arrière, l'imposante cime du Weisshorn (4512 m), à droite se dressent les Diablons.

◄ Meidenalp
The Turtmann Valley is one of the shorter valleys of south Valais, but none the less charming for that. Turtmann, the main village, is a starting-point for many excursions, but the most beautiful is surely Turtmann Valley itself, still totally unspoilt. The valley climbs steeply through wild country. In Gruben we were already at 5,900 ft, and from there we went on to Meidenalp, where we found these Alpine huts crouching on the grassy slope.
The view into the top of the valley, which ends in the glinting world of the glacier, is particularly imposing. On the left is Bieshorn (13,650 ft), with Weisshorn (14,800 ft) towering behind, and the Diablons peak on the right.

Leissee
Der Fotograf hat sich, von Zermatt aus, wieder auf einsame Pfade begeben, dem Triftbach entlang westwärts und aufwärts, bis er am Leissee in 2600 m Höhe diesen Blick vor sich hatte. Es sind stolze Gipfel, die sich hier zur Schau stellen. In der Bildmitte das Obergabelhorn (4073 m) und die Wellenkuppe (3910 m), rechts das Zinalrothorn (4223 m). Es lässt sich an diesen Gipfeln erneut nachweisen, dass es vor allem Engländer waren, die das Hochgebirge erschlossen. Das Zinalrothorn wurde 1864 von Leslie Stephen und F. C. Crowford mit den beiden Führern Melchior und Jakob Anderegg erstmals bestiegen, allerdings von der Mountet-Seite her. Von Zermatt, also von der hier sichtbaren Seite her, erfolgte die Erstbesteigung 1872 durch Clinton T. Dent und G. A. Passingham mit den Führern Alexander Burgener, Franz Andenmatten und Ferdinand Imseng. Der Gipfel des Obergabelhornes wurde erstmals 1865 von A. W. Moore und Horace Walker mit dem Führer Jakob Anderegg erreicht.

Le Lac de Leis (Leissee)
Parti de Zermatt, le photographe a repris des sentiers solitaires en remontant, vers l'ouest, le long du Triftbach, jusqu'à ce qu'il ait cette vue, devant lui, au bord du Leissee (2600 m). De fiers sommets se présentent ici sur la scène. Au centre, l'Obergabelhorn (4073 m) et la Wellenkuppe (3910 m), à droite le Zinalrothorn (4223 m). Ces pics font encore une fois preuve que les Anglais surtout conquirent la haute montagne. En 1864, Leslie Stephen et F. C. Crowford accompagnés de deux guides, Melchior et Jakob Anderegg furent les premiers à escalader le Zinalrothorn, par le côté du Mountet. En 1872, par le versant de Zermatt que l'on voit sur cette photo, eut lieu la première ascension faite par Clinton T. Dent, G. A. Passingham et par leurs guides Alexander Burgener, Franz Andenmatten et Ferdinand Imseng. Le sommet de l'Obergabelhorn fut atteint, pour la première fois, en 1865, par A. W. Moore et Horace Walker avec leur guide, Jakob Anderegg.

Lake Leis
The photographer has again set out on a lonely walk from Zermatt, following the Triftbach Valley westwards and upwards until he has this view before him with Lake Leis in the foreground at 8,528 ft. The proud peaks rising in the background are Obergabelhorn (13,360 ft) and Wellenkuppe (12,825 ft) in the middle, and Zinalrothorn (13,851 ft) on the right. The first ascent of Zinalrothorn – from the Mountet side – was by the Englishmen Leslie Stephen and F. C. Crowford together with the guides Melchior and Jakob Anderegg in 1864: once again confirmation of the fact that it was largely the English who led the way to the conquest of the high Alps. The first ascent from the side we see here – from Zermatt – was made in 1872 by Clinton T. Dent and G. A. Passingham with the guides Alexander Burgener, Franz Andenmatten, and Ferdinand Imseng. The Obergabelhorn peak was first climbed in 1865 by A. W. Moore and Horace Walker with the guide Jakob Anderegg.

Monte Rosa
Wenn wir die Hörnli-Hütte am Fusse des Matterhorns in östlicher Richtung verlassen haben, stossen wir bald auf den Schwarzsee. Dort halten wir wohl einen Augenblick an, um dieses Bild in uns aufzunehmen: die Gletscherwelt des Monte-Rosa-Massivs mit dem höchsten Gipfel der Schweizer Alpen, der Dufourspitze (4634 m), die auch wieder die Grenzscheide zwischen der Schweiz und Italien darstellt. Der Gipfel zur Rechten ist der Lyskamm, und zwischen beiden strömt der Grenzgletscher talwärts, der in den Gornergletscher einmündet.
Auf dem Felskopf ganz links im Bild erkennt man die massiven Hotelbauten auf dem Gornergrat (3131 m), Endpunkt der Zahnradbahn von Zermatt herauf, die im Jahre 1898 eingeweiht wurde. Hat sie die Alpenwelt entweiht oder erhöht? Die Diskussionen, die damals um diese Frage entbrannten, sind bis heute weder verstummt noch endgültig beantwortet und brennen an ähnlichen Projekten immer wieder neu auf. Sicher ist, dass Jahr für Jahr Zehntausende von Besuchern unauslöschliche Eindrücke vom Gornergrat heimbringen.

Le Mont-Rose
Après avoir quitté le refuge du Hörnli, au pied du Cervin, pour aller vers l'est, nous arrivons bientôt au lac Noir. Nous nous y arrêtons un moment pour savourer ce paysage : l'univers glaciaire du massif du Mont-Rose avec le plus haut sommet des Alpes Suisses, la Pointe Dufour (4634 m) qui symbolise la charnière frontalière entre la Suisse et l'Italie. Le sommet à droite est le Lyskamm et, entre les deux, le glacier frontalier s'écoule vers la vallée pour déboucher sur le glacier de Gorn.
Sur la crète du rocher, tout à gauche, on reconnaît les bâtiments hôteliers massifs situés sur le Gornergrat (3131 m). C'est le terminus du chemin de fer à crémaillère qui vient de Zermatt, inauguré en 1898. A-t-il déparé ou rehaussé le monde alpestre ? Les discussions qui ont été, jadis, soulevées par ce problème ne se sont pas encore calmées de nos jours ; elles n'ont pas encore trouvé de solution adéquate, et elles se réenflamment à chaque projet de ce genre. Mais il est certain que, chaque année, des dizaines de milliers de visiteurs repartent chez eux avec des souvenirs impérissables du Gornergrat.

Monte Rosa
If we set out from the Hörnli Hut at the foot of the Matterhorn, and travel eastwards, we soon come to Lake Schwarz. It is worth stopping there for a while in order to take in the view: the icy wastes of the Monte Rosa Massif, with the highest peak in the Swiss Alps, Pic Dufour (15,204 ft), on the border between Switzerland and Italy, The peak on the right is Lyskamm, and between them the Grenz Glacier slowly flows down to join the Gorner Glacier.
To the left of the picture is the massive hotel building on the Gorner Ridge (10,270 ft), the terminus of the cogwheel railway from Zermatt, which was opened in 1898. Did it enhance the Alps, or desecrate them?
The controversy that broke out then over this question has not been settled to this day, and, in fact, breaks out anew with every similar project. One thing is certain: every year, tens of thousands of visitors take home unforgettable impressions from the Gorner Ridge.

► Matterhorn
Ein unwahrscheinliches Bild! – Aber die Kamera lügt nicht. Es ist tatsächlich der Gipfel des Matterhorns, der sich im Abendlicht über brodelnden Nebel emporschwingt. Allerdings: es braucht für den Fotografen wohl ebensoviel Glück wie Geduld, um einen solchen Augenblick und Augen-Blick einzufangen.
Matterhorn! – Mont Cervin! – Monte Cervino! – Nicht nur in allen Sprachen, sondern in aller Welt ist dieser Berg ein Begriff; bestaunt, gefürchtet, besungen, auch misshandelt zu allen möglichen Werbungen. Und in unzähligen Vergleichen wurde versucht, diesen Gipfel, den wohl imposantesten der Alpenwelt, zu charakterisieren. Einer der schönsten und treffendsten, die mir bekannt sind, stammt wohl von dem Pionier des Alpinismus und der alpinen Literatur, von Andreas Fischer, der das Matterhorn mit einem sich aufbäumenden Pferd verglich. Wenn wir dieses Bild betrachten, ist selbst ein nüchterner Zeitgenosse bereit, dem Berg eine fast mystische Ausstrahlungskraft zuzugestehen.

► Le Cervin
Voilà une image invraisemblable ! – Mais la pellicule ne ment pas. C'est réellement le pic du Cervin qui surgit du brouillard, dans la lumière du crépuscule. A vrai dire, le photographe a besoin d'autant de chance que de patience pour saisir, à un moment précis, une telle vision.
Matterhorn ! – Mont Cervin ! – Monte Cervino ! Cette montagne n'est pas seulement un symbole dans toutes les langues, elle l'est aussi dans le monde entier ; admirée, crainte, chantée et même malmerée par toutes sortes de publicités. On a essayé de caractériser par d'innombrables comparaisons, ce sommet, le plus imposant du monde alpestre. La plus belle et la plus juste que je connaisse a été faite par le pionnier de l'alpinisme et de la littérature alpine, Andreas Fischer, qui a comparé le Mont Cervin à un cheval se cabrant. A la contemplation de cette image, même un contemporain très prosaïque est enclin à concéder une force magnétique presque mystérieuse à cette montagne.

► Matterhorn
An incredible picture – but the camera is not lying! It really is the Matterhorn, rearing its head through the mist in the light of the setting sun. For a picture like this the photographer needs a great deal of luck and patience – quite apart from his skill. Matterhorn! – Mont Cervin! – Monte Cervino! – no matter what you call it, this mountain is famous throughout the world: admired, feared, eulogized, and even abused for all kinds of advertising gags. Countless metaphors and synonyms have been coined in an attempt to describe this peak, surely the most imposing in the Alps. One of the finest and most apt that I know was coined by the pioneer of Alpinism and Alpine literature, Andreas Fischer, who compared the Matterhorn with a rearing horse. Looking at this picture, even the most dispassionate viewer must surely admit that the mountain has an almost mystical aura about it!

►► Gründjesee – Matterhorn
Und nun – endlich – haben wir das Matterhorn (4477 m) in voller Grösse und – für einmal sei das Wort gestattet – in aller Majestät vor uns, wie es sich vom Gründjesee am unteren Ende des Findelngletschers darbietet. Und wer könnte es, auch bei vollem Sonnenlicht, leugnen: dieser Berg hat in seinen Umrissen Dramatik.
Und ebenso dramatisch ist die Geschichte seiner Eroberung, sofern man bei einem Berg überhaupt von „Eroberung" sprechen darf. Die zwei Hauptgestalten in diesem jahrelangen Ringen waren der Italiener Jean Antoine Carrel aus Breuil und der Engländer Edward Whymper. Der Ausgang des Kampfes, der ganz Europa erregte, ist bekannt. Whymper erreichte am 14. Juli 1865 mit seinen Landsleuten Douglas, Hudson und Hadow den Gipfel, mit den Führern Croz und Vater und Sohn Taugwalder. Aber der Siegesrausch war kurz. Im Abstieg kam es zur Katastrophe. Von den sieben kehrten nur drei, Whymper und die beiden Taugwalder, zurück. Drei Tage später erreichte auch Carrel über den Südgrat den Gipfel. Aber die Dramatik um das Matterhorn hat bis zum heutigen Tag kein Ende genommen.

►► Le Gründjesee – le Mont Cervin
Enfin nous l'avons, devant nous, le Cervin (4477 m), de pied en cap – et qu'il me soit permis de le dire – en toute majesté, tel qu'il se présente vu du Gründjesee, tout au bout du glacier de Findeln. Et qui oserait affirmer le contraire : même en plein soleil, les contours de cette montagne provoquent une impression d'angoisse. Et l'histoire de sa conquête est tout aussi dramatique, autant qu'on puisse parler de « conquête » quand il s'agit d'une montagne. Les deux personnages principaux, dans cette lutte qui dura des années, furent l'Italien Jean Antoine Carrel, de Breuil, et l'Anglais Edward Whymper. La fin du combat, qui a ému toute l'Europe, est bien connue. Whymper atteignit le sommet le 14 juillet 1865, avec ses compatriotes Douglas, Hudson et Hadow, accompagnés des guides Croz et des Taugwalder, père et fils. Mais l'ivresse de la victoire fut de courte durée. La descente fut catastrophique. Des sept partis, trois seulement rentrèrent, Whymper et les deux Taugwalder. Trois jours après, Carrel toucha aussi le sommet par l'arrête sud. Mais l'atmosphère dramatique qui entoure le Cervin existe encore aujourd'hui.

►► Lake Gründje – Matterhorn
And now – at last – we have the Matterhorn (14,688 ft) before us in all its majesty (the word is surely justified here for once), seen from Lake Gründje at the lower end of the Findeln Glacier. Its dramatic lines are no less remarkable in full daylight.
The story of its "conquest" is equally dramatic – if the word is not out of place in reference to such a mountain. The two main characters in the drama were the Italian Jean Antoine Carrel from Breuil, and the Englishman Edward Whymper. The end of the drama, which enthralled and horrified the whole of Europe, is well known. On 14th July 1865, Whymper, accompanied by his fellow-countrymen Douglas, Hudson, and Hadow, and the guides Croz and the two Taugwalders, father and son, reached the peak. But their triumph was short-lived: during the descent, Hadow slipped, dragging Croz, Douglas and Hudson with him into the depths. This was the first of many tragedies on the "killer mountain". Three days later Carrel also reached the peak, approaching via the south ridge.

Täschberg
Das Zermatter Tal ist von Visp her durch Strasse und Bahn erschlossen. In Täsch nimmt die Strasse ein Ende, aber grosse Parkplätze gestatten es, den Wagen abzustellen und zu Fuss weiterzuziehen. Auch den Fotografen zog es bergwärts, hinauf nach Täschberg, das wir hier im Bild haben, mit dem Brunegghorn (3838 m) im Hintergrund. Und wenn unten in Täsch, einem Dorf mit 550 Einwohnern, sich alte Bauernhäuser mit neuen Bauten mischen, so sehen wir uns hier in Täschberg einer unverkümmerten Natur gegenüber, die eine segensreiche Alpwirtschaft gewährleistet. Sicher, von Täsch und der Täsch-Hütte aus sind eine stattliche Reihe von Viertausendern erreichbar. Aber auch der Bescheidenere, der einen geruhsamen Tag auf Täschberg verträumt, wird sich reich beschenkt fühlen.

Täschberg
La route et la voie ferrée permettent, à partir de Visp, de pénétrer dans la vallée de Zermatt. La route s'arrête à Täsch, mais il y a de vastes parkings pour y garer la voiture, et on peut continuer sa route à pied. Le photographe continua à monter vers Täschberg que nous voyons ici avec le Brunegghorn (3838 m), à l'arrière-plan. Et si, à Täsch, un village de 550 habitants, les nouveaux bâtiments se mêlent aux vieilles maisons paysannes, nous avons ici, à Täschberg, une nature intacte et riche qui permet une exploitation fructueuse des alpages. Certes, à partir de Täsch et du refuge de Täsch, on peut se lancer à la conquête d'une série de sommets de 4000 m, mais un touriste plus modeste, lui aussi, qui passera une journée à rêvasser tranquillement sur le Täschberg, se sentira pleinement comblé.

Täschberg
A road and railway penetrate far into Zermatt Valley from Visp in the Rhône Valley. The road ends at Täsch, where there are large carparks, and from here you can continue on foot. This is what our photographer did, climbing up to Täschberg, shown here in the picture with Brunegghorn (12,589 ft) in the background. And whereas, down in Täsch, a village of 550 souls, there is a mixture of old and new houses, up here in the lush pastures of Täschberg we find things very much as they have always been. Täsch and the Täsch Hut can, of course, be used as a starting-point for a whole series of tours in the high mountains, but those with more modest ambitions, content to spend a day of repose in Täschberg, will also find it an enriching experience.

► Hohlichtgletscher
Diesmal haben wir uns von Täsch aus auf die andere, also auf die linke Talseite geschlagen. Durch steilen Bergwald erreichten wir die obersten Alpen der Schallen-Ebi, und weitersteigend bis zu den allerletzten Lärchen sehen wir uns dem wahrhaft blendenden Hohlichtgletscher gegenüber. Imposant ist aber auch die Gipfelwelt, die den Gletscher nährt und beherrscht. In der Bildmitte, mit dem Gipfel in den Wolken, steht das Zinalrothorn, das von dieser Seite her besonders unzugänglich erscheint, rechts das Schallihorn (3978 m). Zwischen den beiden Gipfeln bietet sich das Oberschallijoch als Übergang zum Glacier de Moming und hinüber ins Mountetgebiet an. Das Bild macht es deutlich: auch Übergänge stellen bereits hohe Anforderungen an Ausrüstung und vor allem an alpinistische Erfahrung.

► Le Glacier du Hohlicht
Cette fois-ci, nous avons pris, tant bien que mal, le côté gauche de la vallée qui part de Täsch. Grimpant à travers la raide forêt montagnarde, nous atteignîmes les alpes supérieures de la Schallen-Ebi, et poursuivant notre ascension jusqu'aux tout derniers mélèzes, nous nous trouvons face à face avec le glacier véritablement aveuglant du Hohlicht. Le monde des sommets qui nourrit et domine le glacier est tout aussi imposant. Au centre, la crête dans les nuages, se dresse le Zinalrothorn qui semble particulièrement inaccessible vu de ce côté ; à droite, se détache le Schallihorn (3978 m). Entre les deux sommets, l'Oberschallijoch sert de passage vers le glacier de Moming, en direction des régions du Mountet. Les passages, eux aussi, demandent un bon équipement et surtout, une bonne expérience alpine.

► The Hohlicht Glacier
This time we have climbed the opposite side of the valley – the left side looking downstream from Täsch. Up steep, wooded slopes we came to the highest pastures, and higher still, where the very last larches cling to the rock, we find ourselves face to face with the literally dazzling Hohlicht Glacier. The high mountains that feed the glacier and dominate it are Zinalrothorn in the centre, with its peak in the clouds, looking extremely inaccessible from this side, and, on the right, Schallihorn (13,050 ft). Between these two peaks is the Oberschalli saddle, which gives access to the Glacier de Moming and the Mountet area on the other side. The picture makes one thing clear: even access routes can demand a high degree of experience and excellent equipment.

►► Saas Grund – Trift
Es ist wohltuend, wieder einmal etwas Abstand zu nehmen von den Hochgipfeln. Hier sind wir von Saas Grund aufgestiegen nach Triftalp und schauen über das Saastal hinweg auf die Mischabelgruppe, die mit dem Mischabel-Dom in der Bildmitte mit 4545 m die höchste Erhebung darstellt, die mit beiden Flanken auf Schweizer Boden steht. Aber auch seine Nachbargipfel, links Alphubel und Täschhorn, rechts Lenzspitze und Nadelhorn, ragen alle über die Viertausendergrenze hinaus.
Das Bild ist ein sichtbarer Beweis dafür, was für Schönheiten das Saastal eröffnet. Es wäre aussichtslos, sie aufzählen zu wollen. Aber eines ist gewiss: wenn man die Namen Saas Grund, Saas Fee, Saas Almagell vor sich hinspricht, klingt das dem Feriensuchenden wie dem Alpinisten wie ein Gedicht in den Ohren. Auch Carl Zuckmayer hat in Saas Fee seinen Ruhepunkt und seine Ruhestätte gefunden.

►► Saas Grund – Trift
Il est bien agréable de se distancer un peu des hauts sommets. Ici nous avons quitté Saas Grund pour remonter vers l'Alpe de Trift, et nous apercevons derrière la vallée de Saas, le groupe de Mischabel qui, avec le Dôme de Mischabel (4545 m) au centre, est la plus haute élévation s'appuyant, de ses deux flancs, sur le sol suisse. Mais ses voisins de crêtes, eux aussi, à gauche : l'Alphubel et le Täschhorn, à droite : la Lenzspitze et le Nadelhorn dépassent la limite de 4000 m.
La photo montre bien quelles beautés recèle la vallée de Saas. Il serait vain de vouloir les dénombrer. Mais une chose est certaine: si l'on évoque les noms de Saas Grund, de Saas Fee et de Saas Almagell, ils résonnent comme des poèmes aux oreilles du vacancier ou de l'alpiniste. Carl Zuckmayer, lui aussi, a trouvé refuge à Saas Fee: de son vivant et à sa mort.

►► Saas Grund – Trift
It is sometimes a relief to get a bit further away from the high peaks. Here we have climbed up from Saas Grund to Trift, and are looking across the Saas Valley at the Mischabel Group which, with Mischabel-Dom (14,911 ft) in the middle of the picture, is the highest montain entirely on Swiss soil. But the neighbouring peaks – Alphubel and Täschhorn on the left and Lenzspitze and Nadelhorn on the right – are also all over 4,000 metres (well over 13,000 ft).
The picture speaks chapters on the beauty of the Saas Valley. There is no space for details here, but one thing is certain: the names Saas Grund, Saas Fee, and Saas Almagell sound like a poem to mountaineers and holidaymakers alike. The German poet and dramatist Carl Zuckmayer spent his last days in Saas Fee, and is buried there.

Weissmies
Wie kamen die Hochgipfel zu ihren Namen? Diese Frage hat schon viele Geister bewegt und Bücher gefüllt, Volkskundler und Sprachwissenschafter bemühen sich um gültige Antworten, und häufig widersprechen sie sich. Vor diesem Bild erledigt sich die Frage sozusagen von selbst. Es ist der Weissmies (4023 m), den wir im Morgenlicht vor uns haben. Er sieht recht ehrfurchtgebietend aus, trotzdem gilt er als einer der Viertausender, die dem Bergsteiger keine schweren Probleme aufgeben. Allerdings: die Begriffe „schwer" und „leicht" sind oft relativ, wie jeder Bergerfahrene weiss. Auch der sogenannte „leichte" Gipfel kann bei Wetterstürzen das Äusserste an Kraft und Durchstehvermögen abfordern, und oft genug rächt er sich bitter für die Unterschätzung, die ihm entgegengebracht wurde. Der Weissmies ist durch die gut ausgestattete Weissmies-Hütte in 2729 m erschlossen, die von Saas Grund aus ohne besondere Beschwerden in drei Stunden erreicht wird.

Le Weissmies
A quoi les hauts sommets, doivent-ils leurs noms ? Cette question a animé beaucoup d'esprits et étoffé bien des livres; les folkloristes et les linguistes s'efforcent de trouver des réponses définitives, et souvent ils se contredisent. Devant cette image, la question se résout, pour ainsi dire, d'elle-même. C'est le Weissmies (4023 m) qui se dresse, devant nous, dans la lumière de l'aurore. Il a un air bien terrible, cependant, il passe pour un de ces géants de 4000 m qui ne pose pas de graves problèmes à l'alpiniste. A vrai dire: les notions «difficile» ou «facile» sont souvent relatives, comme chacun sait qui a l'expérience de la montagne. Même un sommet soi-disant «facile» peut revendiquer, suite à une subite détérioration météorologique, un maximum de force et de résistance, et assez souvent il se venge cruellement du fait qu'on l'ait sous-estimé. On peut aborder le Weissmies, grâce au refuge bien équipé du Weissmies (à 2729 m) où l'on arrive, sans grand-peine, après trois heures de marche en partant de Saas Grund.

Weissmies
How did the high peaks get their names? Numerous books have been written on this subject; folklorists, linguists and others have produced many theories, quite a few of them contradictory.
But even the foreigner will immediately appreciate at least the first part of the name Weissmies as being appropriate for this mountain (13,195 ft). Although it looks rather formidable, it is considered to be relatively tame. Just how "relative" its tameness is, is something that every experienced mountaineer will know. Even so-called easy or tame peaks can demand the utmost of a climber if the weather turns bad, and enough mountaineers have paid dearly for underestimating the difficulty of a climb.
Weissmies can be approached from the Weissmies Hut (8,951 ft) which can be reached from Saas Grund in three hours with no great effort.

Heimischgarten
Fragen Sie hundert Schweizer: wo ist Heimischgarten? Neunundneunzig werden den Kopf schütteln. Vielleicht aber geht beim hundertsten ein strahlendes Lächeln über das Gesicht: „Heimischgarten! – Einer der schönsten Erdenflecke, die ich kenne!"
Die Erinnerung trügt nicht. Einige wenige Häuser, zu einem Dörfchen zusammengedrängt, auf 1900 m in grünen Alpenmatten gelegen, auf verschiedenen Wegen vom Saastal aus erreichbar.
Es ist aber nicht bloss der Flecken, der beeindruckt, sondern vor allem der Ausblick. Zur Rechten türmen sich die Gipfel der Mischabelgruppe, vor sich hat man das Tal der Saaser Visp, das im Mattmark-Stausee (2195 m) sein Ende oder vielmehr seinen Anfang findet.
Mattmark! – Der Name weckt unheilvolle Erinnerungen. Begrub doch während des Baus der Staumauer ein Gletscherabbruch Arbeiterbaracken unter den Eismassen und brachte 88 Männern den Tod. Auch die Gewinnung der „weissen Kohle" hat ihre Gefahren.

Heimischgarten
Demandez à cent Suisses : où est Heimischgarten ? Quatre-vingt-dix-neuf hocheront la tête. Mais peut-être que le centième sourira largement : « Heimischgarten ! – C'est un des plus beaux coins de terre que je connaisse ! »
Le souvenir ne trompe pas. C'est un petit village composé de quelques maisons serrées les unes contre les autres, qui s'étale à 1900 m, sur un tapis vert d'alpes, et que l'on peut atteindre par des chemins différents venant de la vallée de Saas. Mais ce n'est pas seulement le coin qui impressionne, mais aussi – et surtout – la vue que l'on y a. A droite s'embriquent les sommets du groupe de Mischabel ; on a, devant soi, la vallée de la Visp de Saas qui aboutit au barrage de Mattmark (2195 m), ou plutôt en surgit.
Mattmark ! – Le nom éveille de très mauvais souvenirs. En effet, lors de la construction du barrage, une avalanche se détacha du glacier et ensevelit des baraquements d'ouvriers : 88 hommes y trouvèrent la mort. La production de la houille blanche n'est pas, non plus, sans dangers.

Heimischgarten
Ask a hundred Swiss where Heimischgarten is, and ninety-nine will shake their heads. But the hundredth, perhaps, will suddenly beam with delight, and say – "Heimischgarten is one of the loveliest places I know!"
His memory is not deceiving him. Heimischgarten is a small cluster of houses set in green pastureland at an altitude of over 6,200 ft. It can be reached by various routes from the Saas Valley. It is not just the little village that is so lovely, but the view from it, too. On the right the Mischabel Group towers into the sky, while the Saaser Visp Valley stretches away into the mountains till it ends (or rather begins) at the Mattmark Dam (7,200 ft).
Mattmark is a name that carries a stigma – when the dam was under construction a great piece of the glacier suddenly broke off and buried the workers' huts under a mass of ice, killing 88 men. Even "white coal" is not to be had for nothing.

► Bei Trift auf dem Weg nach Terwald
Hier hat der Fotograf einen etwas höheren Standort gewählt, um die Mischabelgruppe ins Bild zu bekommen. Aber vielleicht beeindruckte ihn der Baumwuchs im Vordergrund fast mehr als die Berge. Die Lärchen künden mit ihren Farben den nahenden Herbst, sie zeugen aber in ihren verschiedenen Altersstufen auch davon, welchen Stürmen und Härten sie ihr Dasein abtrotzen. Und da wir gerade vom Holz sprechen: es ist von altersher ein unentbehrlicher Rohstoff für die Bergbevölkerung, nicht nur zum Hausbau, sondern auch zu einer Möbelschnitzkunst, die vor allem in Saas Fee eine hochgehaltene Tradition hat.
Aber ist es nicht so, dass erst das leuchtende Rot der bescheidenen Heidelbeersträucher, die schon winterbereit sind, dem Bild einen besonderen Reiz gibt?

► Aux environs de Trift, sur le chemin de Terwald
Le photographe a choisi, ici, un lieu situé un peu plus haut, pour pouvoir cadrer le groupe de Mischabel. Mais peut-être la pousse des arbres l'a-t-elle encore plus impressionné que les montagnes. Les couleurs des mélèzes annoncent l'approche de l'automne, et leurs différents âges montrent aussi quelles tempêtes et quelles rigueurs ils doivent affronter pour subsister. Et puisque nous parlons de bois: c'est, depuis toujours, un matériau irremplaçable pour la population montagnarde; non seulement en ce qui concerne la construction des maisons, mais aussi pour l'art des meubles sculptés, qui, à Saas Fee surtout, est une tradition soigneusement bien conservée.
Mais n'est-il pas vrai que l'image doit son charme particulier au rouge flamboyant des modestes buissons de myrtilles qui sont déjà prêts pour l'hiver ?

► Near Trift on the way to Terwald
Here we have the Mischabel Group again, this time from a higher vantage point, and framed in larch-wood, as it were. The colour of the trees already hints at autumn; with the older ones often deformed, their various stages of development suggest how hard it is for them to survive the rigours of the mountain climate. Wood has always been an essential raw material for the mountain people, not only for house building and heating, but also for their carved furniture. Wood carving is an art which is still a living tradition, particularly in Saas Fee.
Looking at this picture, it is hard to say which is the dominant feature – the mountains, the trees, or the modest little bilberry shrubs already gleaming in their autumn red.

◄ Bettmeralp
Die Bettmeralp (1950 m) liegt auf derselben Sonnenterrasse wie die Riederalp. Auch sie ist durch eine Luftseilbahn mit dem Rhonetal verbunden, und darum erfreut sie sich im Sommer wie im Winter eines regen Besuchs. Aber trotzdem: auch heute noch weisen unzählige Wege in die Bergeinsamkeit, die zum Verweilen und Schauen verlockt. Vor allem ist es immer wieder der Blick auf die Kette der Hochgipfel auf der anderen Talseite, die selbst den Geschwätzigen verstummen lässt.
Unberührt ist – und das legt Zeugnis ab für die streng katholische Tradition dieser Gegend – das alte Gotteshaus, das den bezeichnenden Namen „Kapelle Maria zum Schnee“ trägt. Wer könnte angesichts des Bildes die Berechtigung dieses Namens bezweifeln?

◄ L'Alpe de Betten (Bettmeralp)
L'Alpe de Betten, à 1950 m, se trouve sur la même terrasse ensoleillée que l'Alpe de Ried. Elle est aussi reliée à la vallée du Rhône par un téléphérique, c'est pourquoi elle subit, été comme hiver, l'assaut des visiteurs. Cependant, aujourd'hui encore, de nombreux sentiers conduisent à la solitude montagnarde qui invite à la récréation et à la contemplation. C'est surtout la vue sur la chaîne des hauts sommets, de l'autre côté de la vallée, qui fait taire les plus bavards.
La vieille église qui porte le nom significatif de «la Chapelle Marie des neiges» est indemne, et cela démontre la tradition strictement catholique de cette région. Qui pourrait penser que ce nom n'est pas justifié ?

◄ Bettmeralp
Bettmeralp (6,396 ft) lies on the same sunny terrace as Riederalp, and is also connected with the Rhône Valley by cableway, so that it is quite a popular exursion in summer and winter. Nevertheless, if you want to get away from the crowd, there are plenty of routes that take you into the stillness of the mountains. Even the most garrulous tourist falls silent at the sight of the chain of high peaks on the other side of the valley.
The old chapel is still well preserved, a symbol of the strong Catholic tradition of this region. It is fittingly called "Kapelle Maria zum Schnee" (Chapel of Our Lady in the Snow).

Bietschhorn
Bevor 1913 die Lötschbergbahn eröffnet wurde, schlummerte das Lötschental in weltabgeschiedenem Dasein. Unterdessen entdeckten immer mehr Menschen die Reize des Hochtals, und Schritt für Schritt wurde es dem Tourismus erschlossen. Aber auch heute noch wurzelt die Talbevölkerung im streng katholischen Brauchtum; so gehört es zur Tradition, dass die päpstliche Schweizergarde immer wieder zu einem guten Teil durch junge Lötschentaler ergänzt wird. Wir haben uns von Wiler aus mit der Seilbahn zur Lauchernalp emportragen lassen. Wen würde es nicht locken, auf diesem Weg zu wandern, der nach Weritsstaffel führt! Auf solchem Pfad erkennen wir, dass die erwanderten Wege immer noch die kostbarsten sind. Auf der ganzen Länge ist der Blick frei, hinüber zum Bietschhorn (3934 m), welches das Tal beherrscht, und hinab ins Lötschental mit seinen braungebrannten Häusern in Weiden und Wiesen.

Le Bietschhorn
Avant l'ouverture, en 1913, de la voie ferrée, le Lötschental coupé du monde extérieur, menait une existence assoupie. Entre-temps, de plus en plus de gens découvraient les charmes de la haute vallée, et elle s'ouvrit, petit à petit, au tourisme. Mais aujourd'hui encore, la population de la vallée a gardé des coutumes profondément enracinées dans un catholicisme strict ; ainsi, la tradition veut que la garde papale suisse soit complétée, en grande partie, par des jeunes gens originaires de cette vallée. Un téléphérique nous a véhiculés de Wiler à l'Alpe de Lauchern. Qui n'aurait envie de prendre le chemin menant à Weritsstaffel ! Sur un sentier pareil, nous constatons que les chemins parcourus à pied restent les plus précieux.
Sur tout le parcours, la vue reste libre, que l'on remonte jusqu'au Bietschhorn (3934 m) qui domine la vallée ou que l'on descende dans le Lötschental parsemé de maisons patinées par le soleil, au millieu des pâturages et des prairies.

Bietschhorn
Until the Lötschberg Railway was opened in 1913, the Lötschen Valley slumbered in quasi-primordial peace. But then more and more people discovered the charms of this valley and it was gradually opened up for tourism. One thing that has not been affected by this development is the tradtional piety of the people. It is a tradition that many of the Vatican's Swiss Guard are recruited from young Catholic men from the Lötschen Valley.
We have taken the cableway from Wiler up to Lauchernalp. Who could resist following this mountain road leading to Weritsstaffel? This scene is further proof of the fact that a great deal of extra pleasure can be had from getting off the beaten track and using shanks' mare. All the way to the end of the road the hiker has a view across to the Bietschhorn, (12,900 ft), which dominates the whole valley, and down into the Lötschen Valley with its picturesque houses set in green meadows and pastures.

Fafleralp – Gletscherstafel
Wenn wir auf dem Höhenweg, von dem aus wir vorhin das Bietschhorn bewunderten, weiter taleinwärts wandern, erreichen wir schliesslich die Fafleralp auf 1788 m Höhe. Einst war diese Höhensiedlung nur wenigen Naturfreunden und Hochgebirgsgängern bekannt. Heute finden auf Fafleralp mehrere hundert Gäste in gutgeführten Hotels oder in Ferienwohnungen angenehme Unterkunft, da sie vom Rhonetal und von Goppenstein her auf der gut ausgebauten Talstrasse erreichbar ist.
Auf Fafleralp ist es allerdings mit dem Reisekomfort zu Ende. Wo ist eine solche Landschaft, wo sind Farben in dieser Intensität aufzuspüren, wie wir sie hier im Bild haben? Dem hastigen Reisenden, der die Schweiz in wenigen Tagen „machen“ will, bleiben sie selbstverständlich verborgen. Aber wenn wir der Lonza, dem hier unwahrscheinlich grün schimmernden Wildwasser, weiter folgen, erreichen wir diese Sommersiedlung mit dem bezeichnenden Namen: Gletscherstafel. Und wirklich: wir befinden uns an der Baumgrenze, und die Gletscher sind nahe. Nach kurzem Marsch erreicht man von hier aus den Langgletscher, Zugang zur Lötschenlücke und zum Jungfraugebiet.
Das Bild legt beredtes Zeugnis ab von der Zähigkeit, mit der die Bergbauern der Natur die letzten Existenzmöglichkeiten abtrotzen. Freilich: aller Fleiss und alle Einsatzbereitschaft reichen nicht aus, um den meist kinderreichen Familien die materielle Grundlage zu geben. Die jungen Leute des Lötschentals verkaufen sich heute nicht mehr als Söldner an fremde Kriegsherren, sie sind auch nicht mehr wie früher zum Auswandern gezwungen. Dafür fahren täglich zahlreiche hinunter ins Rhonetal, nach Steg und nach Visp, wo sie guten Verdienst finden. An diese Zusammenhänge muss man denken, wenn wir die hässlichen Bauten und die rauchenden Kamine im Talboden der Rhone beschimpfen.

L'Alpe de Fafler – Gletscherstafel
Si nous continuons à descendre vers la vallée sur le haut sentier d'où nous venons d'admirer le Bietschhorn, nous finissons par rejoindre l'Alpe de Fafler, à 1788 m de hauteur. Autrefois, seuls quelques amis de la nature et les randonneurs des montagnes connaissaient ce hameau haut perché. Aujourd'hui, plusieurs centaines de villégiateurs séjournent agréablement dans des hôtels de bonne classe ou des appartements à louer confortables, car une bonne route permet d'y accéder en venant de la vallée du Rhône et de Goppenstein.
A l'Alpe de Fafler (1788 m) cependant, il ne faut plus espérer un grand confort de voyage. Montrez-moi un paysage semblable à celui-ci et d'autres couleurs d'une telle instensité telles qu'elles se présentent ici. Le voyageur pressé qui veut «faire» la Suisse en quelques jours ne risque pas de les découvrir. Si l'on continue à suivre la Lonza, ces eaux sauvages scintillantes au vert incroyable, on approche cette villégiature au nom bien évocateur : Gletscherstafel. Et en effet, nous nous trouvons à la lisière de la forêt et les glaciers sont proches. Après une courte marche, on arrive, d'ici, au glacier Lang, à l'accès à la Lötschenlücke et à la région de la Jungfrau.
L'illustration montre bien l'opiniâtreté avec laquelle les paysans valaisans arrachent à la nature leurs ultimes moyens d'existence. Bien sûr, tout ce zèle et toute cette énergie ne suffisent pas à assurer la sécurité matérielle de ces familles souvent nombreuses. Les jeunes gens du Lötschental ne se vendent plus aujourd'hui comme mercenaires à des chefs d'armée étrangers; ils ne sont pas, non plus, obligés de s'expatrier. En revanche, ils sont nombreux à descendre journellement dans la vallée du Rhône, vers Steg et vers Visp, où ils gagnent bien leur vie. Il ne faut pas oublier ce contexte, quand on voue au diable les horribles constructions et les cheminées fumantes essaimées dans la vallée du Rhône.

Fafleralp – Gletscherstafel
If we walk further into the valley along the route from which we have just been admiring Bietschhorn, we finally come to Fafleralp at 5,865 ft. At one time this high-lying village was knwon to only a few enthusiastic mountain lovers. Now there are hotels and private quarters enough to cope with several hundred guests who get here on a good road from the Rhône Valley and from Goppenstein.
After Fafleralp, however, tourist amenities cease. Landscapes like the one in our picture, with colours of such intensity are not easy to find, and one thing is certain: the impatient mortorist determined to “do” Switzerland in a few days, will not find them. If we follow the Lonza, the amazingly green, shimmering torrent up the valley we come to this summer village. Here we are near the treeline, and, as the name Gletscherstafel suggests, also close to the glaciers. It is only a short distance to the Lang Glacier, which gives access to the Lötschenlücke and Jungfrau regions.
This photograph is eloquent proof of the Valaisan farmers' determination to utilize every patch of land that can be wrested from nature. However, no matter how determined and industrious they are, farming in this region does not yield enough to support the usually large families. The young men of the Lötschen Valley no longer have to sell themselves as mercenaries to foreign rulers, and are also no longer forced to emigrate to find a living. Now many of them commute to the Rhône Valley, to Steg, or Visp, where they find lucrative jobs. This is something that should be remembered when we complain about the ugly buildings and smoking chimneys down in the Rhône Valley.

Lusgenseeli
Ruhen wir uns wieder einmal an einem friedlichen Bild aus. Und zum Ausruhen und Wandern eignet sich die Hochterrasse über dem nördlichen Hang des Rhonetals ausgezeichnet. Auf guter Strasse haben wir von Brig aus Blatten erreicht, das bis vor wenigen Jahren in Weltvergessenheit schlummerte. Dem Besucher ist durch eine Luftseilbahn, die uns zur Belalp auf 2000 m Höhe emporträgt, auch die Umgebung erschlossen. Ein Wanderziel ist der Aletschgletscher, aber hier wandten wir uns gegen die Alpen Lusgen, denen zwei Seelein einen besonderen Reiz verleihen.
Die Gebäude im Hintergrund stehen auf der Riederfurka oberhalb Riederalp. Aber darüber hinweg ist der Blick weit geöffnet, über das Rhonetal hinweg gegen das Binntal.

Le Lusgenseeli
Profitons, pour nous reposer, de cette image paisible. La haute terrasse qui domine la pente nord de la vallée du Rhône invite au repos et à la randonnée. A partir de Brig, une bonne route nous a conduits jusqu'à Blatten qui, il y a quelques années encore, était ignoré du reste du monde. Le visiteur peut découvrir les environs grâce au téléphérique qui nous transporte jusqu'à l'Alpe de Bel, à 2000 m de hauteur. Le glacier d'Aletsch est un but de promenades, mais nous nous dirigeons vers les Alpes de Lusgen que deux petits lacs rendent particulièrement attrayantes.
Les bâtiments à l'arrière-plan se trouvent sur le Riederfurka au-dessus de l'Alpe de Ried. Mais la vue s'ouvre largement au-delà, de l'autre côté de la vallée du Rhône, vers la vallée de la Binna.

Lusgenseeli
A peaceful picture to relax with again for a while. The place itself – a terrace above the northern side of the Rhône Valley – is also an ideal spot for walking and relaxing. We came up on a good road from Brig to Blatten which, until a few years ago, was scarcely known. Then a cableway takes you up to Belalp at 6,500 ft. From there you can walk to the Aletsch Glacier, but we chose the way to the pasturelands at Lusgen which are enlivened by two small lakes, one of which is shown in our picture.
The buildings in the background are on the ridge above Riederalp. From there the scenery opens up right across the Rhône Valley towards the Binn Valley.

Aletschwald
Die Natur bringt seltsame Erscheinungen zustande: ein Gletscher, der bis unter die Baumgrenze vordringt! Hier ist das Seltsame Tatsache geworden. Und darum weiss man nicht, wovon man zunächst sprechen soll, um dem Bild gerecht zu werden: vom Gletscher oder vom Wald.
Zunächst der Gletscher: es ist die langgestreckte Zunge des Grossen Aletschgletschers, der längste Eisstrom der Alpen. Die Kraft zum Vorstoss sammelt er am Konkordiaplatz, wo vier Gletscher zusammenstossen, so dass das Eis eine Tiefe von 800 m erreicht.
Und über dem Eis bietet ein Gang durch den Wald aus wetterfesten Lärchen, der zum Naturschutzgebiet erklärt wurde, eine Fülle starker Eindrücke. Dabei bedarf es keiner Strapaze, um ihn zu erreichen. Von Mörel an der Furka-Oberalp-Bahn erreicht man in einer modernen Luftseilbahn Riederalp und in einer knappen Stunde die Riederfurka, wo der Weg in den Aletschwald hinein seinen Anfang nimmt.

La Forêt d'Aletsch
La nature provoque d'étranges phénomènes : un glacier qui arrive jusqu'à la limite des arbres ! Ici, c'est une curieuse réalité. C'est pourquoi on ne sait pas trop de quoi parler en premier lieu : du glacier ou de la forêt.
D'abord le glacier : c'est la langue étirée du grand glacier d'Aletsch, le plus long fleuve glaciaire des Alpes. Il rassemble ses au Konkordiaplatz où quatre glaciers se rencontrent de sorte que la glace atteint une profondeur de 800 m. Et au-dessus des glaces, on traverse une forêt de mélèzes résistants à toutes les intempéries : c'est un coin de nature protégé par la loi, et on y glane une foule d'impressions assez fortes. Qui plus est, il n'est pas bien difficile d'y parvenir. De Mörel, qui se trouve sur la ligne ferroviaire de Furka – Oberalp, on accède à l'Alpe de Ried grâce à un téléphérique, et une petite heure après à la Riederfurka où commence le chemin qui pénètre dans la forêt d'Aletsch.

Aletschwald
Nature is full of surprises: here, a glacier flows down below the treeline! It is such an unusual scene, that it is hard to know what to talk about first in an attempt to do justice to the picture: the glacier or the forest.
Let us take the glacier first. What we see is the long tongue of the Great Aletsch Glacier, the longest glacier in the Alps. It owes its size to the convergence of four glaciers at Konkordiaplatz, giving a depth of over 2,600 ft.
A walk above the level of the ice through the forest of hardy larches, which has been declared a nature preservation area, is an unforgettable experience. And all this for very little preliminary effort: from Mörel, on the Furka-Oberalp Railway, a modern cableway takes you to the Riederalp, and from there it is about an hours's walk to the Riederfurka where the path into the Aletsch Forest begins.

► Simmental
Das Simmental: das längste und wohl auch das fruchtbarste Tal des Berner Oberlandes, eingebettet zwischen Stockhorn- und Niesenkette. Weltweit bekannt ist das Simmentaler Fleckvieh, das in geduldiger Arbeit hochgezüchtet wurde. Aber auch die Simmentaler Bauernhäuser sind unter Kennern berühmt; sind sie doch mit erstaunlichem Sinn für Proportionen und mit liebevoller Kleinarbeit gestaltet, die der heutigen Architektur fremd sind.
Das Bild ist herber als diese Charakterisierung. Wir befinden uns bereits im obersten Simmental – Zweisimmen, Lenk, beides berühmte Kurplätze im Sommer wie im Winter, liegen hinter uns. Im späten Abendlicht schauen wir zum Bergkamm hinüber, der die Grenze zum Wallis darstellt. Die überraschende Horizontale kündet den weiten Kessel des Glacier de la Plaine Morte an, die Gipfel rechts, Gletscherhorn und Rohrbachstein, erreichen fast die Höhe von 3000 m, links beginnt der Anstieg zum Wildstrubel (3243 m).

► La Vallée de la Simme (Simmental)
La vallée de la Simme : c'est la plaine la plus longue et aussi la plus fertile de l'Oberland bernois, encastrée entre le Stockhorn et la chaîne de Niesen. Le bétail tacheté de la vallée de la Simme est mondialement connu, et il doit son existence à des méthodes d'élevage patientes et laborieuses. Les maisons paysannes de cette région sont aussi très appréciées des connaisseurs ; elles ont été conçues avec un sens étonnant des proportions et une minutie dans le détail qui sont étrangers à l'architecture actuelle.
Mais, notre représentation montre un paysage plus austère, car nous sommes dans la vallée supérieure de la Simme ; nous avons déjà dépassé Zweisimmen et Lenk, deux centres de cure célèbres fonctionnant l'été comme l'hiver. Nous apercevons, baignée par la lumière languissante du crépuscule, la chaîne de montagnes qui forme la frontière avec le Valais. La ligne horizontale un peu surprenante dénonce la large cuvette du Glacier de la Plaine Morte, les sommets à droite : le Gletscherhorn et le Rohrbachstein atteignent presque les 3000 m; à gauche commence l'ascension vers le Wildstrubel (3243 m).

► Simmenthal
The Simmen Valley, embedded between the Stockhorn and Niesen chains, is the longest and most fertile valley in the Bernese Oberland. The cattle bred here, the Simmenthal red and white, are famous throughout the world. The Simmenthal farmhouses are also renowned for their beautiful proportions and the way in which the smallest detail is treated with a loving care alien to modern architecture.
Here we are in more austere surroundings. We are already in the uppermost reaches of the Simmenthal, having left the two famous summer and winter resorts of Zweisimmen and Lenk behind us. In the late evening we look across towards the mountain ridge that forms the border to Valais. The unusual horizontal line on the horizon marks the broad expanse of the Glacier de la Plaine Morte. The peaks on the right, Gletscherhorn and Rohrbachstein, are both nearly 10,000 ft, and on the left we see the flank of Wildstrubel (10,637 ft).

◀ **Lämmernboden**
Hier befinden wir uns auf dem Weg über den Gemmipass. Auch diesmal können wir uns die modernen Möglichkeiten zunutze machen. Von Kandersteg aus fährt uns die Standseilbahn mühelos auf den Stock in 1830 m Höhe, und eine kurzweilige Sesselbahn erspart uns auf Wunsch auch noch den Weg bis zur Winteregg, allerdings ein unbeschwerlicher Weg, der dem Wanderer viele Schönheiten bietet. Hier haben wir die Winteregg und auch bereits das Berggasthaus Schwarenbach, Ausgangspunkt für die Besteigung des Balmhorns, hinter uns. Über den Lämmernboden hinweg betrachten wir das grosse Rinderhorn und die eigenwilligen Plattenhörner.
Aber es bleibt immer noch ein gutes Stück Weg hinauf zur Gemmipasshöhe auf 2314 m und hinunter durch die Felsschroffen ins Wallis nach Leukerbad. Allerdings: auch diesen mühsamen Abstieg kann man sich dank einer Seilgondelbahn ersparen.

◀ **Le Lämmernboden**
Nous sommes ici sur la route qui passe par le col de la Gemmi. Nous pouvons, une fois de plus, emprunter les moyens de transport modernes. Depuis Kandersteg, le funiculaire nous transporte sans fatigue sur le Stock, à une hauteur de 1830 m, et si nous le désirons, un rapide trajet en télésiège nous évite le chemin pour aller à la Winteregg, bien qu'il soit très facile et qu'il permette au randonneur d'admirer un grand nombre de beautés naturelles. Ici, nous avons déjà dépassé la Winteregg ainsi que l'auberge montagnarde de Schwarenbach qui est le point de départ de l'ascension du Balmhorn. Derrière le Lämmernboden nous apercevons le grand Rinderhorn et les Plattenhörner, aux formes singulières.
Mais il reste encore un bon bout de chemin à faire jusqu'au col de la Gemmi, à 2314 m, et pour redescendre vers Loèche-les-Bains (Leukerbad), en Valais, en passant par la paroi rocheuse. A vrai dire, on peut aussi s'économiser cette pénible descente grâce à un téléphérique.

◀ **Lämmernboden**
Here we are on our way to the Gemmi Pass, and here, too, we can make use of modern amenities. From Kandersteg a cable car hoists us effortlessly to the Stock at just over 6,000 ft, and a chair lift will save us the trouble of walking up to Winteregg, though the mountain-lover would make a mistake to use this facility as the route is both easy to walk and beautiful. Here we have already left Winteregg and the mountain hotel Schwarenbach, the starting point for climbing the Balmhorn, behind us. Now, at Lämmernboden, we are looking across at the Rinderhorn and the two strangely-formed Plattenhörner.
But there is still a good way to go to reach the Gemmi Pass at 7,590 ft and from there through the gorge to Leukerbad in Valais. Note for the less energetic: the difficult descent to Leukerbad can be avoided by making use of a gondola lift.

Iffigensee
Es ist erstaunlich, wie viele Bergseen der Schöpfer in unsere Alpenwelt eingestreut hat. Die Topografen haben dafür allerdings recht einfache Erklärungen. Den Bergwanderer überraschen sie aber doch immer wieder.
Auch der Iffigensee bildet eine solche Überraschung. Wenn man von Lenk – der Einheimische sagt: von der Lenk – weiter bergwärts zieht, gelangt man am Iffigenfall vorbei zunächst nach dem Flecken Iffigen, wo scharf südwärts der Rawilpass abzweigt, ein recht abenteuerlicher Weg hinüber ins Wallis. Aber auch der Weg geradeaus, immer den Iffigenbach entlang aufwärts, erfordert bereits bergtüchtige Schuhe und Beine. Über der Baumgrenze, wo das Jungvieh nur im Hochsommer weidet, steht man dann plötzlich vor dem See, der bei schönem Wetter einen wohltuend friedlichen Anblick bietet.
Wenn Sie Rast gehalten haben, können Sie noch die 300 m Höhendifferenz überwinden hinauf zur Wildhorn-Hütte, die im Sommer wie im Winter den Schlüssel darstellt zu einer vielgestaltigen Hochgebirgswelt.

Le lac d'Iffigen
Il est étonnant de constater de combien de lacs le Créateur a parsemé notre monde alpin. Les géologues expliquent ce phénomène de façon fort simple. Mais le promeneur des montagnes s'en étonne toujours.
Le lac d'Iffigen surprend, lui aussi. Si après Lenk – l'autochtone dit: après la Lenk – on poursuit la montée, on passe d'abord devant la cascade d'Iffigen pour arriver au petit hameau d'Iffigen d'où le col de Rawil fait un brusque détour vers le sud, et l'on prend un chemin fort aventureux en direction du Valais. Mais, même si l'on choisit le chemin qui part tout droit pour remonter le long du ruisseau d'Iffigen, il faut s'équiper de chaussures solides et avoir de bonnes jambes. Les derniers arbres une fois dépassés, à l'endroit où le jeune bétail pâture pendant l'été, on se trouve brusquement devant le lac qui, par beau temps, offre une vue agréablement reposante. Après avoir goûté quelque repos, vous pouvez encore surmonter les 300 m qui vous séparent du refuge du Wildhorn, qui, été comme hiver, donne accès à un univers de hautes montagnes aux formes variées.

Iffigensee
It is amazing with what generosity the Creator scattered lakes throughout the Swiss Alps. Geologists have simple explanations for this phenomenon, but they nevertheless form a source of constant surprise and delight to mountain lovers.
The Iffigensee is no exception. If you walk up into the mountains from Lenk towards the hamlet of Iffigen you come to a spot where the path forks. The route that leads southwards takes you on an adventurous trip across Rawil Pass into Valais. The route straight ahead, along the stream (the Iffigenbach), also demands good mountain shoes and legs. Up above the treeline, where the young cattle graze only in high summer, you suddenly come across the lake, a refreshing and peaceful scene in good weather.
After a rest you can continue upwards to the Wildhorn Hut, which lies a thousand feet higher, and is the key to a varied assortment of high summits.

Thunersee

Thun ist der Schlüssel zum Berner Oberland, der Thunersee ist das weitgeöffnete Tor. Wie sich alle Wasser der Berner Alpen im Thunersee vereinen, so strahlen auch alle Verkehrswege von ihm aus, so dass alle Besucher des Berner Oberlandes zunächst mit dem Thunersee Bekanntschaft machen, und viele hält er als Gäste an seinen Ufern zurück.

Das Bild beweist es: der Thunersee, eingebettet in eine lebhaft gegliederte Uferlandschaft, ist reich an Farbspielen und Stimmungen, und zwar keineswegs bloss bei Sonnenuntergang. Die Stimmungen wechseln nicht nur mit dem Ufergelände, sondern vor allem auch mit dem Wetter, und der See kann sich, besonders bei Föhnsturm, recht ruppig gebärden. Doch die zahlreichen Strandbäder, die Segel- und Windsurferschulen sprechen für seine Gutartigkeit. Altehrwürdige Schlösser an seinen Ufern zeugen von ritterlicher Tradition, aber auch schöpferische Geister wie die Musiker Brahms und Benatzky, Dichter wie Ewald von Kleist und Curt Goetz haben an den Gestaden des Thunersees Ruhepunkte oder gar eine bleibende Heimstätte gefunden.

Le lac de Thoune

Thoune est la clé qui ouvre l'Oberland bernois ; le lac de Thoune en est la porte largement ouverte. Alors que toutes les eaux des Alpes bernoises se rassemblent dans le lac de Thoune, tout le réseau des voies de communication y trouve son origine, de sorte que tous les visiteurs le l'Oberland bernois font d'abord connaissance avec le lac de Thoune, et il en retient beaucoup sur ses rives. Le lac de Thoune entouré d'un paysage riverain vivement morcelé est riche en jeux de couleurs et en atmosphères variées, et pas seulement au moment du coucher du soleil. L'ambiance ne change pas que d'après l'aspect du rivage, mais aussi, et surtout, selon le temps, et le lac peut prendre des manières fort brusques, en particulier pendant le foehn. Cependant les multiples plages, les écoles de voile et de planche à voile témoignent de sa bonhomie. Les châteaux vénérables sur ses rives rappellent les traditions chevaleresques, mais des musiciens comme Brahms et Benatzky, des écrivains tels que Ewald von Kleist et Curt Goetz ont égalment trouvé un refuge provisoire ou définitif sur les rives du lac de Thoune.

Lake Thun

The town of Thun is the key to the Bernese Oberland, and Lake Thun is the wide open door. All the waters in the Bernese Alps find their way into Lake Thun, and all the routes into the region radiate from it, so that all visitors to the Bernese Oberland first make acquaintance with Lake Thun, and many are quite happy to stay here.

Lake Thun, set in a varied landscape, is rich in colour variations and moods, and not only at sunset. The moods change with the changing landscape and with the weather, and the lake can be quite boisterous in a storm. But the numerous bathing establishments, sailing, and windsurfing schools are a tribute to its generally good nature. Ancient castles scattered round the lake are evidence of a long tradition of chivalry, but many creative spirits – like the composers Brahms and Benatzky, and the writers Ewald von Kleist and Curt Goetz – have also been attracted to its shores as visitors or residents.

Oeschinensee
Am Anfang dieses Jahrhunderts war Kandersteg ein weltabgeschiedenes Bergdorf. Aber dann erschloss die Technik neue Wege und neue Möglichkeiten. Es brauchte nicht nur einfallsreiche Ingenieure, sondern auch wagemutige Finanzleute, um von Bern aus den Anschluss an die Simplonlinie und damit eine neue Nord-Süd-Verbindung durch die Alpen zu schaffen. Heute bewältigt die BLS, eine selbstverständlich gewordene Abkürzung für die Bern–Lötschberg–Simplon-Bahn, neben der Gotthard-Linie einen gewaltigen Verkehr, ist jedoch immer noch ein Privatunternehmen. In Kandersteg liegt das Nordportal des 14,5 km langen Lötschbergtunnels, und damit ist Kandersteg zu einem vielbesuchten Ferienort geworden, der dem Gast eine Fülle von Möglichkeiten anbietet. Eine der schönsten davon ist sicher die Wanderung über das Hohtürli hinüber ins Kiental. Nach einer guten Stunde Wanderung bergauf erreicht man den Oeschinensee (1578 m), und dort wird sicher jeder Wanderer eine Rast einschalten, um ein aussergewöhnliches Bild zu geniessen. Aber selbst der Marschuntüchtige kann sich mit der Sesselbahn emportragen lassen.
Zuweilen möchte man es fast bedauern, dass die Menschen scharenweise und ohne Beschwer in solch urtümliche Natur eindringen können. Und doch: es ist ein neuer Reichtum, den Touristik und Technik auch dem Nichtberggewohnten zugänglich gemacht haben. Und die Erhabenheit dieser Landschaft ist nicht so leicht zu beeinträchtigen. Wie oft habe ich es erlebt: selbst abgebrühte und vorlaute Touristen verstummten zunächst vor dem Bild, das sich bietet: die gewaltigen, nackten Felsbastionen, von Gletschern durchbrochen, die senkrecht aus dem See aufsteigen und – hier im Bild von links nach rechts – im Blümlisalphorn (3657 m), Oeschinenhorn (3486 m) und Fründenhorn (3368 m) gipfeln.
Der Oeschinensee wurde in Urzeiten durch einen Bergsturz gebildet. Der aufmerksame Betrachter wird mit einigem Erstaunen feststellen, dass ihm wohl silberglänzende Sturzbäche zuströmen, dass aber kein Abfluss sichtbar ist. Dieser tritt erst viel weiter unten, auf halbem Weg nach Kandersteg, ans Licht.

Le lac d'Oeschinen
Au début de ce siècle, Kandersteg était un hameau montagnard isolé du reste du monde. Mais la technique ouvrit de nouveaux chemins et de nouvelles possibilités. Il a bien fallu des ingénieurs imaginatifs et des financiers audacieux pour créer, à partir de Berne, la liaison avec la ligne du Simplon et, ainsi, une nouvelle voie traversant les Alpes du Nord au Sud. Aujourd'hui, la B.L.S., abréviation habituellement employée pour désigner la ligne Berne – Lötschberg – Simplon, a, comme la ligne du Gothard, un trafic énorme, mais elle reste encore une entreprise privée. A Kandersteg se trouve la porte nord du tunnel du Lötschberg long de 14,5 km, et c'est pourquoi Kandersteg est devenu une station de villégiature très fréquentée, qui offre à ses hôtes une foule de possibilités. L'une des plus belles est certainement la randonnée menant dans le Kiental par le Hohtürli. Après une bonne heure de montée, on arrive au lac d'Oeschinen (1578 m), et le randonneur ne manquera pas d'y faire halte pour profiter d'un panorama extraordinaire. Celui qui n'apprécie pas la marche à pied pourra utiliser le télésiège.
On aurait parfois presque envie de regretter que des foules de touristes puissent pénétrer sans effort dans une nature aussi intacte. Et pourtant, le tourisme et la technique ont permis aux inhabitués de la montagne d'accéder à ces trésors. Il n'est pas facile de corrompre la beauté souveraine de ce paysage. J'en ai souvent été le témoin : même des touristes coriaces et bruyants sont réduits au silence par le spectacle qui s'offre à eux : d'énormes bastions rocheux aux parois dénudées, entrecoupés de glaciers, surgissent verticalement du lac et grimpent vers les sommets. De gauche à droite, le Blümisalphorn (3657 m), l'Oeschinenhorn (3486 m) et le Fründenhorn (3368 m).
Le lac d'Oeschinen fut formé, à l'époque de la préhistoire, par l'éboulement d'une montagne. L'observateur attentif constate avec quelque étonnement que des torrents argentés viennent s'y jeter mais qu'aucune évacuation d'eau n'est visible. Elle ne devient apparente que beaucoup plus bas, à mi-chemin vers Kandersteg.

Lake Oeschinen
At the beginning of this century Kandersteg was a lonely mountain village. Then technology opened up new ways of travel. But it was not only a question of ingenious engineers, but also of entrepeneurs willing to invest their money in creating a new north-south route through the Alps by a connection to the Simplon line. Today, together with the Gothard line, the BLS – the popular abbreviation for the Bern–Lötschberg–Simplon Railway – copes with an enormous flow of traffic, but is still a private enterprise. The north end of the Lötschberg Tunnel (over nine miles long) is in Kandersteg, and this has transformed the place into a popular holiday resort with a wide range of activities. One of the finest is a walk across Hohtürli into the Kien Valley. After a good hour's walk uphill you come to Lake Oeschinen (5,176 ft), and there every hiker will certainly take a rest in order to enjoy the outstanding view. Those not keen on hiking can be wafted up in a chair lift.
At times it seems regrettable that crowds of people can now invade such hitherto unspoiled areas without any effort on their part. And yet technology and tourism have combined to add a new dimension to many people's lives. And the magnificence of this landscape is not easily diminished even by a crowd. How often have I noticed how the noisiest and most blasé tourists fall silent whan faced with this scene: the tremendous, bare walls of rock, broken by glaciers at the top and rising sheer from the lake to form a series of picture-book peaks – from left to right in our photograph: Blümlisalphorn (11,995 ft), Oeschinenhorn (11,434 ft), and Fründenhorn (11,047 ft).
Lake Oeschinen was formed in prehistoric times by a landslide. The observant visitor will notice that a number of silvery mountain streams tumble into the lake but there seems to be no outlet from it. This is only to be seen far below, emerging from the rocks half way down to Kandersteg.

Niesen
Stellen Sie einem Kind die Aufgabe, einen Berg zu zeichnen. Es wird – sofern es unbefangen ist – ziemlich sicher einen Umriss zu Papier bringen, der recht genau der Formation des Niesen entspricht, so wie er sich eigentlich von allen Seiten präsentiert. Hier sehen wir ihn vom unteren Kandertal aus. Aber auch wer von Bern aus der Alpenkette entgegenfährt, wird diesen massigen Kegel als ersten markanten Fixpunkt ins Gedächtnis aufnehmen. Seiner vorgeschobenen Position verdankt der Niesen (2397 m) schon frühe Beachtung. Lange vor der eigentlichen Entdeckung der Alpen, nämlich im Jahre 1557, wurde er erstmals von dem Berner Professor Benedikt Marti erklommen. Aber auch der andere, grössere Berner, Albrecht von Haller, bestieg ihn zweimal. Bereits 1858 wurde auf dem Niesen ein Hotel gebaut, das die Besucher aus aller Herren Ländern, meistens zu Pferd, erreichten. Aber 1910 wurde, mit Talstation in Mülenen, eine Drahtseilbahn gebaut, die alljährlich Zehntausende von Besuchern auf den Gipfel des Niesen befördert.

Le Niesen
Demandez à un enfant de vous dessiner une montagne. S'il a gardé une vue simple et naturelle des choses, il tracera certainement sur le papier une silhouette qui correspond à peu près à la formation du Niesen, tel qu'il se présente de tous côtés. Nous le voyons ici de la vallée inférieure de la Kander. Mais le voyageur qui, parti de Berne, roule en direction de la chaîne des Alpes sera frappé par ce premier point fixe qu'est ce cône massif.
Le Niesen (2397 m) attire d'abord l'attention par sa position avancée. Longtemps avant qu'on ait vraiment découvert les Alpes, c'est à dire en 1557, le professeur bernois Benedikt Marti fut le premier à l'escalader. Mais un autre Bernois d'un renom encore plus grand, Albrecht von Haller, l'escalada deux fois. En 1858, on installa sur le Niesen un hôtel où venaient les visiteurs de tous pays, la plupart à cheval. En 1910 toutefois, on construisit un téléphérique dont la station aval se trouve dans la vallée de Mülenen, qui transporte, chaque année, des dizaines de milliers de touristes sur le sommet du Niesen.

Niesen
Ask a child to draw you a mountain and it will almost certainly come up with something resembling the shape of Niesen, which has all the attributes of the mountain *per se,* no matter from which side it is viewed. Our view is from the lower Kander Valley. But also if you approach the Alps from Bern the massive cone of Niesen will be the first symbol to impress itself on your mind.
Due to its advanced position, Niesen (7,862 ft) attracted attention long before the discovery of the Alps. It was climbed for the first time in 1557 by the Bernese Professor, Benedikt Marti. Another, more famous Bernese, Albrecht von Haller, also climbed it twice. A hotel, erected on Niesen as early as 1858, attracted visitors from all over the world, most of them climbing up to it on horseback, but in 1910 a cableway was constructed, and since then tens of thousand people ascend Niesen every year.

► Eiger, Mönch und Jungfrau
Fast zu schön, um wahr zu sein! – Wem drängt sich angesichts des Bildes dieser Ausruf nicht auf die Lippen. Aber es ist eben trotzdem wahr, ohne alle Retouchen. Es ist wahrscheinlich die erhabenste Gruppe der Alpenwelt, die sich hier präsentiert: Eiger (3970 m), Mönch (4099 m) und Jungfrau (4158 m). Alle drei Gipfel sind im letzten Jahrhundert in vielfachem dramatischem Geschehen umkämpft und schliesslich erobert worden. Aber auch in der Gegenwart fordern sie fast alljährlich ihre Opfer, in letzter Zeit vor allem die hier deutlich sichtbare Nordwand des Eigers. Man hüte sich – verleitet durch den fast lieblichen Anblick – vor Leichtsinn. Keiner der drei Gipfel – und auf keiner Route – ist ohne reifes Können und reiche Erfahrung erreichbar.
Hier schauen wir die Gruppe aus erhabener Höhe über das Lauterbrunnental hinweg, nämlich von Sulwald oberhalb Isenfluh.

► Eiger, Mönch et Jungfrau
C'est presque trop beau pour être vrai ! – Mais c'est bien vrai pourtant et sans retouches. Voilà certainement le groupe le plus noble des Alpes : l'Eiger (3970 m), le Mönch (4099 m) et la Jungfrau (4158 m). Au siècle dernier, la lutte pour la conquête de ces trois sommets s'est déroulée dans des circonstances dramatiques, et ils ont fini par être vaincus. Mais à l'heure actuelle encore, ils demandent, presque annuellement, leurs victimes. Dernièrement encore, la face nord de l'Eiger qui est bien visible sur la photo était spécialement meurtrière. Il faut se garder d'être insouciant, même si l'on est tenté par leur aspect presque aimable. Aucun des trois sommets n'est accessible par aucun chemin sans un savoir-faire à toute épreuve, et sans une grande expérience. Nous contemplons ce groupe de sommets par-dessus la vallée de Lauterbrunnen, à partir de Sulwald situé au-dessus d'Isenfluh.

► Eiger, Mönch, and Jungfrau
Almost too beautiful to be true! – Surely the first exclamation of anyone on seeing this picture! But it *is* true, and needed no touching up. These three mountains are perhaps the most noble group in the whole of the Alpine world: Eiger (13,025 ft), Mönch (13,445 ft), and Jungfrau (13,642 ft). All three were climbed for the first time during the last century under dramatic circumstances. And all three still represent a challenge to mountaineers and take their toll in lives, especially the north face of the Eiger, clearly visible here. The idyllic appearance is deceptive. No matter what route is chosen, none of the three peaks should be attempted by anyone who is not an experienced and expert mountaineer.
We are viewing the group from Sulwald, near Isenfluh, high above the Lauterbrunnen Valley.

►► Lobhörner
Die Lobhörner! – Sie liegen abseits der Heerstrasse und des Fremdenverkehrs, obschon der weltberühmte Kurort Mürren gar nicht weit entfernt ist. Wir haben sie von Isenfluh – Sulwald her erreicht, wo wir soeben verweilten, über die sagenumwobene Sulsalp, die sich aber bald in einer Geröllwüste verliert. Und aus dieser Wüste erheben sich – verblüffend für den Bergwanderer – die bizarren Gebilde, die den Geologen einige Rätsel aufgeben.
Der Alpinist betrachtet die Lobhörner mit anderen Augen, vor allem der Kletterer fühlt sich von ihnen geradezu herausgefordert. Und wirklich: es ist ein herrliches Klettern in diesem rotbraunen, griffigen Kalkgestein, ohne dass die Gefahren atemberaubend wären. Alpinistisch ausgedrückt, bewegen sich die Schwierigkeiten zwischen dem 3. und 4. Grad. Immerhin erreichen sie die Höhe von 2566 m und bieten auch dem Verwegenen ein köstliches Übungsfeld. Und wer Lust hat, kann an der „Zipfelmütze" – man braucht sie auf dem Bild nicht lange zu suchen – alle Abseilmanöver durchexerzieren.

►► Les Lobhörner
Les Lobhörner ! – Ils sont à l'écart de la route très encombrée et du trafic touristique, bien que Mürren, une ville de cure de réputation mondiale, n'en soit pas trop éloignée. Nous y sommes parvenus par la forêt d'Isenfluh – Sulwald, en passant par la légendaire Sulsalp qui se perd, peu après, dans un désert d'éboulis. Et de ce désert surgissent ces silhouettes bizarres qui époustouflent le randonneur et intriguent le géologue.
L'alpiniste voit les Lobhörner d'un autre œil, l'escaladeur se sent surtout véritablement défié par eux. Et de fait : il est merveilleux de grimper, sans grand danger, parmi ces roches calcaires d'un brun roussi qui présentent de nombreuses prises. En termes d'alpinistes, le degré de difficulté est situé entre 3 et 4. Pourtant, ces pics atteignent une hauteur de 2566 m, et les casse-cous, eux aussi, peuvent s'y exercer avec bonheur. Celui qui en a envie peut s'essayer à toutes les manœuvres de cordée sur la « Zipfelmütze » (« le Bonnet ») qu'il ne faut pas chercher très longtemps sur l'image.

►► Lobhörner
The Lobhörner! – Although the famous resort of Mürren is not far away, the Lobhörner are well off the beaten track. We got here from Isenfluh – Sulwald, which was our last stop, via the legendary Sulsalp, and across an arid stretch of loose rock and debris from which the Lobhörner rise: a bizarre group of peaks which amaze the rambler and puzzle the geologist.
The Alpinist, however, sees the Lobhörner with different eyes, and the rock-climber in particular immediately feels drawn to them. He will not be disappointed: their firm, red-brown limestone provides wonderful climbing without any treacherous elements. They are classified as grade 3 and 4 on the Alpine scale. They rise to 8,416 ft, and provide thrills enough for the daring climber, who can, if he wishes, get plenty of practice in rope work using the middle of the five peaks, nicknamed the "Nightcap".

Gelmerhörner
Wer jemals von Meiringen – Innertkirchen aus den Grimselpass bergwärts fuhr, betrachtete staunend den nackten, glatten Granitfels, der die Umwelt immer deutlicher prägt, je höher man steigt. Selbst wenn man nicht zur Zunft der Kletterkatzen gehört, spürt man das Bedürfnis, mit diesem Urgestein in hautnahen Kontakt zu kommen. Aber der Kletterer wird angesichts der Gratflucht, die wir hier im Bild haben, fast andächtig: die Gelmerhörner! Sie bilden die Grenzscheide zwischen den Kantonen Bern und Uri, und von beiden Seiten her bieten sie ein grossartiges Bild.
Drei Kilometer oberhalb des Hotels Handegg, bei Kunzentännlen, beginnt der Weg zur Gelmer-Hütte auf 2412 m Höhe. Und bereits dieser Hüttenweg, dem Gelmersee entlang, ist reiner Genuss. Dieses Bild entstand noch etwas oberhalb der Gelmer-Hütte, und es beweist, dass der dreistündige Aufstieg sich lohnte.

Les Gelmerhörner
Si l'on monte de Meiringen – Innertkirchen vers le col du Grimsel, on est rempli d'étonnement à la vision du rocher de granit nu et lisse qui marque de plus en plus l'environnement à mesure que l'on prend de la hauteur. Même si l'on ne fait pas partie de la race des félins grimpeurs, on éprouve le besoin de prendre directement contact avec cette roche primitive. Et l'alpiniste tombe presque en recueillement à la vue de ce défilé d'arêtes : les Gelmerhörner ! Ils forment la crête frontalière entre les cantons de Berne et d'Uri et ils ont, de quelque côté que l'on les regarde, une allure extraordinaire.
A trois kilomètres au-dessus de l'hôtel Handegg, près de Kunzentännlen, débute le chemin qui monte à la Gellmer-Hütte, à 2412 m d'altitude. En soi, ce parcours longeant le Gelmersee est un véritable délice. La photo a été prise un peu plus haut que la Gelmer-Hütte et elle montre bien que les trois heures de marche n'étaient pas perdues.

Gelmerhörner
Anyone travelling from Meiringen – Innertkirchen towards the Grimsel Pass cannot help admiring the outcrop of smooth, bare granite which becomes more and more dramatic the higher you climb. Even those who are not enthusiastic rock-climbers find themselves itching to come to grips with this phenomenon, but for the rock-climber this craggy ridge is of legendary fame: the Gelmerhörner! They form the border between the Cantons of Bern and Uri, and look magnificent from both sides.
The route to the Gelmer Hut (7,911 ft) begins only about a mile and a half above the Handegg Hotel near Kunzentännlen. Even the route to the Hut is pure delight. This picture was taken from a spot somewhat above the Gelmer Hut, and is proof enough that the three-hour march is well worth the effort.

► Well- und Wetterhörner
Wer von Meiringen aus den Weg gegen die Grosse Scheidegg unter die Füsse nimmt, den erwarten wohl ansehnliche Höhenunterschiede, aber auch beglückende Ausblicke. Zunächst zur Linken die fast unwahrscheinlich anmutenden Zacken der Engelhörner, und dann, gegen Rosenlaui, die beherrschende Gruppe der Well- und Wetterhörner.
Hier stehen wir auf der linken Talflanke oberhalb Rosenlaui. Im Zentrum des Bildes, dem Beschauer am nächsten, die erschreckende Felswand des Klein-Wellhorns (2685 m), die im Sommer 1950 von der legendären Seilschaft Ernst Reiss/Dölf Reist erstmals durchklettert wurde. Dahinter Gross-Wellhorn (3191 m), zur Linken das Dossenhorn (3188 m). Dazwischen der imposante Abbruch des Rosenlauigletschers. Zuäusserst rechts aber, alles beherrschend, die blendende Gipfelpyramide des Wetterhorns, auch Hasli-Jungfrau genannt. Zur Beruhigung für nicht Bergtüchtige: bis Schwarzwaldalp, noch etwas höher gelegen als das Hotel Rosenlaui, reicht eine gut befahrbare Strasse, die in der Hochsaison auch Postautoverkehr hat.

► Les Wellhörner et les Wetterhörner
Quand on prend le chemin qui part de Meiringen en direction de la Grande Scheidegg, on peut s'attendre à de grandes différences d'altitude, mais aussi à un panorama tonifiant : tout d'abord, sur la gauche, la dentelure étonnamment grâcieuse des Engelhörner et puis, vers Rosenlaui, le groupe dominant des Wellhörner et des Wetterhörner.
Nous sommes ici sur le flanc gauche de la vallée, au-dessus de Rosenlaui. Au centre de l'image, celle qu'on voit de plus près : la terrible paroi rocheuse du Klein-Wellhorn (2685 m) qui fut escaladée pour la première fois, pendant l'été 1950, par la légendaire cordée Ernst Reiss / Dölf Reist. A l'arrière : le Gross-Wellhorn (3191 m), à sa gauche : le Dossenhorn (3188 m). Entre les deux : le déblai imposant du glacier de Rosenlaui. A l'extrême droite, surplombant le tout, se dresse l'éblouissant sommet pyramidal du Wetterhorn, appelé aussi Hasli-Jungfrau. Que les non-montagnards se consolent : une bonne route carossable empruntée pendant la haute saison par le bus postal mène jusqu'à la Schwarzwaldalp, un peu plus haut que l'hôtel Rosenlaui.

► Wellhörner and Wetterhörner
If you take the route from Meiringen towards the Grosse Scheidegg you can expect some rather steep gradients, but also some enchanting views. First of all come the improbable-looking crags of the Engelhörner, and then, near Rosenlaui, the splendid Wellhörner and Wetterhörner group.
Here we are standing on the left side of the valley above Rosenlaui. In the centre of the picture, and closest to the camera, is the fearsome rocky face of Klein-Wellhorn (8,810 ft), which was first climbed in the summer of 1950 by the legendary team Ernst Reiss/Dölf Reist. Behind it is Gross-Wellhorn (10,466 ft), and on the left Dossenhorn (10,457 ft). Between them is the imposing Rosenlaui Glacier. On the extreme right rises the fantastic, pyramid-shaped peak of the Wetterhorn (also called the Hasli-Jungfrau), dominating all the others. A comforting thought for the not-so-active: there is a good road, which, in the high season, also has a postal bus service, leading right up to the Schwarzwaldalp, somewhat higher than the Rosenlaui Hotel.

◀ Lauteraarhorn
Zweifellos: der erste Blick wird von dem strahlenden Gipfel gefesselt. Es ist das Lauteraarhorn (4042 m), ein Nachbar des Finsteraarhorns, das mit seinen 4273 m den höchsten Gipfel der Berner Alpen darstellt.
Und doch: wenn wir nach der Chronik vorgehen wollen, wie sie in der Erforschung der Alpenwelt dargestellt ist, müssen wir das Augenmerk auf den Gletscherstrom richten. Mehrere Zuflüsse vereinten sich zum Unteraargletscher, der geröllübersät talwärts stösst. Auf eben diesem Gletscher wurden Mitte des letzten Jahrhunderts von ernsthaften Forschern unter härtesten Bedingungen die ersten Gletscherbeobachtungen und -messungen vorgenommen und bewiesen, dass die Gletscher tatsächlich fliessen. Die Namen dieser Forscher sind in der Umwelt verewigt. Wir finden ein Escher-, ein Scheuchzer-, ein Gruner-, Studer-, Agassiz- und ein Hugihorn sowie gleichbenannte Joche und Grate. Der Unteraargletscher ist heute am untersten Ende vom Grimsel-Stausee überflutet, der es dem Touristen ermöglicht, die Lauteraar-Hütte (2392 m) ein gutes Stück weit im Motorboot zu erreichen.

◀ Le Lauteraarhorn
Il n'y a aucun doute : le regard est immanquablement attiré par ce sommet rayonnant. C'est le Lauteraarhorn (4042 m), voisin du Finsteraarhorn qui, avec ses 4273 m est le plus haut pic des Alpes bernoises.
Et pourtant: si nous voulons respecter la chronique relatant la découverte du monde alpin, nous devons diriger notre attention sur le fleuve glaciaire. Plusieurs affluents se rencontrent pour former le glacier de l'Unteraar, qui, parsemé d'éboulis, se lance vers la vallée. Au milieu du siècle dernier et dans des conditions très dures, des chercheurs très sérieux ont fait, sur le glacier, les premières observations et mesures glaciaires, et ils ont prouvé que les glaciers se déplaçaient réellement. Les noms de ces savants ont été immortalisés par l'environnement. Nous trouvons un Escherhorn, Scheuchzerhorn, Grunerhorn, un Studerhorn, Agassizhorn et un Hugihorn ainsi que des arêtes et des cols de mêmes noms.
L'extrême pointe du glacier de l'Unteraar est inondée aujourd'hui par le barrage du Grimsel, qui permet aux touristes, grâce à un bateau à moteur, de faire un bon bout de chemin vers la cabane de Lauteraar (2392 m).

◀ Lauteraarhorn
What a fascinating view of the superb Lauteraarhorn (13,258 ft) – a neighbour of Finsteraarhorn (14,016 ft), the highest peak in the Bernese Oberland!
One of the great landmarks in Alpine research was reached in the middle of the last century when scientists investigated and measured the glacier that pours down the valley before us in this picture, and succeeded, under extremely difficult conditions, in proving that glaciers really flow.
Fed by a number of minor glaciers, the main flow, called the Unteraargletscher, moves inexorably downhill, covered with detritus. The names of the scientists who carried out basic research here are immortalized in features of the surrounding landscape: various peaks, cols, and other formations are named after them: the Escher, Scheuchzer, Gruner, Studer, Agassiz, and Hugi peaks, for example.
The lowest part of the Unteraargletscher is now flooded by the Grimsel Reservoir, which, by the way, enables the tourist to cover a fair amount of the way to the Lauteraar Hut (7,846 ft) by motorboat.

Oberaargletscher
Oberaarhorn! – Finsteraarhorn! – Lauteraarhorn! – Man könnte die Reihe der Aarhörner noch fortsetzen. Aber diese Namen werden als Beweis dafür genügen, dass wir uns im Herzen des Berner Oberlandes, im Quellgebiet der Aare befinden. Und sie erklären jedem Grimselfahrer, warum er immer wieder vor Staumauern und Stauseen steht, die, zusammen mit den Zentralen Handeck und Innertkirchen, die Kraftwerke Oberhasli darstellen.
Hier befinden wir uns sozusagen ein Stockwerk höher als auf dem letzten Bild, nämlich am Oberaargletscher. Er strahlt in jener Reinheit, die man von einem Gletscher erwartet, und auch das Gletschertor entspricht den klassischen Vorstellungen.
Der Gipfel zur Rechten: das Oberaarhorn (3658 m). Zur Linken: der Nollen (3410 m) und das Oberaarrothorn. Dazwischen das Oberaarjoch, ein Übergang auf den Studer- und den Walliser-Fiescherfirn und zur Finsteraarhorn-Hütte. In den Felsen rechts des Jochs birgt sich als Stütz- und Ruhepunkt die Oberaarjoch-Hütte auf 3258 m.

Le glacier de l'Oberaar
Oberaarhorn ! – Finsteraarhorn ! – Lauteraarhorn ! – On pourrait continuer la série des Aarhörner. Mais ces quelques noms suffiront à montrer que nous nous trouvons au cœur de l'Oberland bernois, dans la région des sources de l'Aar. Et ils expliquent aux voyageurs empruntant le Grimsel pourquoi ils se retrouvent sans arrêt devant des barrages et des lacs-réservoirs qui composent, avec les centrales de Handeck et d'Innertkirchen, le centre hydro-électrique d'Oberhasli.
Ici, nous sommes pratiquement à l'étage au-dessus par rapport à la précédente illustration, c'est-à-dire au bord du glacier de l'Oberaar. Il rayonne de cette pureté à laquelle on s'attend de la part d'un glacier et la porte glaciaire, elle-même, correspond à l'image classique que l'on s'en fait.
Le sommet à droite : l'Oberaarhorn (3658 m). A gauche : le Nollen (3410 m) et l'Oberaarrothorn. Entre les deux se dresse l'Oberaarjoch, le passage vers le Studerfirn, le Fiescherfirn du Valais et vers le refuge du Finsteraarhorn. Dans les rochers à droite du Joch se cache le refuge de l'Oberaarjoch (3258 m).

Oberaargletscher
Oberaarhorn! – Finsteraarhorn! – Lauteraarhorn! – the names alone betray the fact that we are in the catchment area of the River Aare, the heart of the Bernese Oberland. The area is rich in water, a fact that is illustrated by all the dams and reservoirs that the traveller encounters on his way to the Grimsel Pass. They serve for the production of "white coal" in the valley power stations.
Here we are at the Oberaargletscher – one storey higher, so to speak, than in the previous picture. It gleams in all the purity one expects from a glacier, and the archway at the base is of classical regularity.
The peak on the right is Oberaarhorn (11,998 ft). On the left is Nollen (11,185 ft), and Oberaarrothorn. Between them is the Oberaar Saddle, giving access to the Studer and Walliser-Fiescherfirn and to the Finsteraarhorn Hut. Ensconsed in the rock to the right of the Saddle is the Oberaarjoch Hut at 10,686 ft, a base and resting point for the mountaineer.

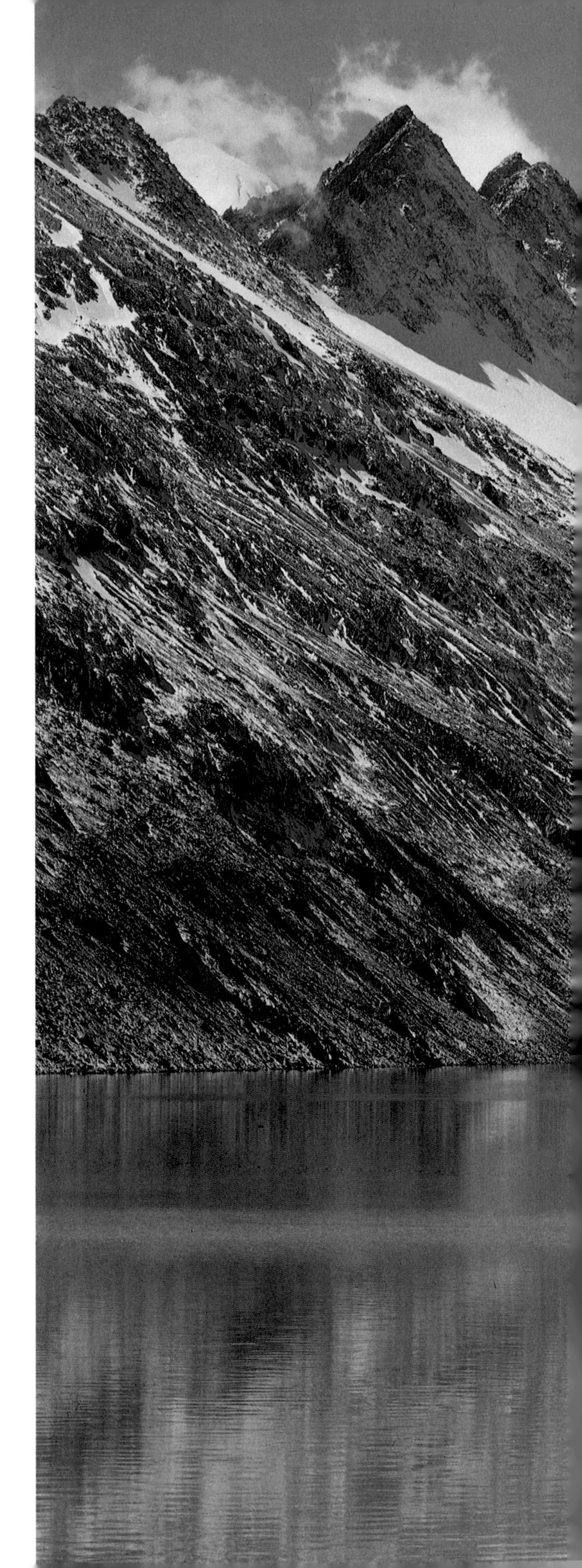

Steinlimmi – Gwächtenhorn
Einst war dieses Gebiet dem Wanderer kaum erreichbar. Seit dem Bau der Sustenstrasse, die das Haslital mit dem Urnerland verbindet, ist es ohne Beschwerde zugänglich geworden. Vierhundert Meter unter der Passhöhe finden wir das Berghotel Steingletscher. Von dort wandern wir direkt südwärts, den kleinen Gletschersee links liegen lassend, und schon eine Stunde später stehen wir in einer imposanten Hochgebirgswelt.
Der Bergtüchtige wird dem Wegweiser zur Tierberglihütte (2797 m) folgen, die einen ganzen Gipfelkranz vom Sustenhorn bis zum Giglistock erschliesst. Hier im Bild ist es das Gwächtenhorn (3375 m), das dominiert. Der beschaulichere Wanderer aber wird dem ausgeprägten Weg weiter folgen, bis ... ja, bis die Wegspur im Eis des Steinlimmigletschers verschwindet. Staunend steht er vor dem geöffneten Maul, dem der Bach entfliesst; ein Gletschertor, wie es zahlreiche gibt in den Alpen, aber selten so leicht erreichbar.

Le Steinlimmi et le Gwächtenhorn
Autrefois cette région était pratiquement inaccessible. Elle est devenue facilement abordable depuis la construction de la route du Susten qui relie la vallée de Hasli avec le pays d'Uri. A quatre-cents mètres au-dessous du col, nous trouvons l'hôtel montagnard du Steingletscher.
De là, nous allons directement vers le sud, laissant sur la gauche le petit lac glaciaire, et une heure après, nous approchons déjà un univers impressionnant de hautes montagnes.
Le routinier suivra le panneau en direction du refuge du Tierbergli (2797 m) qui donne accès à toute une couronne de pics, du Sustenhorn au Giglistock. Ici domine le Gwächtenhorn (3375 m). Le randonneur plus contemplatif continuera le sentier marqué jusqu'à ce que ... la piste se perde dans la glace du glacier du Steinlimmi. Avec surprise il considère la gueule ouverte d'où s'écoule le ruisseau : une porte glaciaire comme il y en a tant dans les Alpes, mais rarement d'aussi accessible.

Steinlimmi – Gwächtenhorn
Not so long ago, this region was practically inaccessible to the hiker. But since the building of the Susten Pass road, which connects the Hasli Valley with the Uri region, it is open to all. 1,300 ft below the Pass we find the Steingletscher Hotel. From there we walk due south, leaving the small glacial lake on our left, and an hour later we find ourselves in the world of the high mountains. Experienced mountaineers will follow the signs to the Tierbergli Hut (9,174 ft) which is the key to a whole range of peaks from Sustenhorn to Giglistock. In the picture we have Gwächtenhorn (11,070 ft). The less ambitious walker, however, will follow the (not very) beaten track until ... yes, until it disappears into the ice of the Steinlimmi Glacier. He will be amazed to find himself standing right in front of the open mouth of the glacier from which the stream flows: a glacial arch like many others in the Alps, but extremely easy to get at.

► Fünffingerstöck
Wie oft hat man es schon erlebt: an den berühmten Passstrassen stauen sich Autokolonnen, alle Parkplätze sind besetzt, den Privatwagen und Reisecars entströmen Menschenmassen, zuweilen glaubt man sich auf einem Karneval. Wandert man aber auch nur eine halbe Stunde seitab, findet man sich in völliger Weltabgeschiedenheit. Auch jetzt haben wir die Sustenstrasse mit all ihrer Betriebsamkeit beim Hotel Steingletscher verlassen, aber diesmal in entgegengesetzter Richtung, nordwärts, hinein ins Obertal. Bald haben wir dieses Bild mit dem verträumten Hublenseelein und den trotzigen Fünffingerstöcken vor uns, die 3000 m hoch in den Himmel ragen. Die Namen von Berggipfeln verlieren sich häufig im mystischen Dunkel. Hier haben die ersten Betrachter wohl festgestellt, dass diese Zacken von gewissen Standorten aus sich wie die Finger einer gespreizten Riesenhand darbieten. Dem gewiegten Kletterer eröffnen sie erlesene Routen, dem stillen Betrachter ein unvergessliches Bild.

► Les Fünffingerstöck
Combien de fois n'en a-t-on pas fait l'expérience : les colonnes de voiture forment des bouchons sur les routes des cols connus, tous les parkings sont occupés, des masses de touristes se pressent hors des voitures et des cars et on a, quelquefois, l'impression d'assister à un carnaval. Après une demi-heure de descente, on retrouve une solitude absolue. A l'hôtel du Steingletscher nous avons quitté la route du Susten et son trafic, mais nous avons pris la direction opposée, vers le nord, en entrant dans la haute vallée. Bientôt, nous avons, devant nous, cette image avec le petit lac endormi du Hublen et les cimes insolentes des Fünffingerstöck qui dressent leurs 3000 m vers le ciel. Les noms des pics se perdent souvent dans la nuit mystique des temps. Les premiers hommes à contempler ce sommet ont remarqué que, d'une certaine perspective, ces crêtes représentaient les doigts tendus d'une main géante. L'alpiniste expérimenté y trouvera des pistes de qualité, l'amateur de silence et de beauté, une image inoubliable.

► Fünffingerstöck
It is a common enough experience: traffic-jams on the famous pass roads, overflowing car parks, masses of people climbing in and out of private cars and buses – almost like Brighton on a Bank Holiday! And yet half an hour's walk away there is not a sign of another human being. Here, too, we have left the Susten Pass road with all its traffic behind us, turning off again by the Steingletscher Hotel, but this time in the opposite direction, to the north. Soon we have this scene before us with the idyllic little Lake Hublen and the jagged mass of Fünffingerstöck (literally: Five Finger Massif) rising nearly ten thousand feet into the sky before us. The origins of the name of many peaks are lost in the mists of antiquity. The first people to see Fünffingerstock from certain angles must have fancied a resemblance to a gigantic hand reaching for the skies with outstretched fingers. They provide the skilful rock-climber with some choice routes and the gentle rambler with an unforgettable view.

►► Cornopass
Wir alle sind Zeit- und Raumraffer geworden. Nur wenige Kilometer von dieser Gegend quert der Nufenenpass (2478 m) die Grenzscheide zwischen Wallis und Tessin, im Sommer täglich von Hunderten von eiligen Autos befahren. Und hier – verträumte Einsamkeit, unbefleckte Natur. Wir befinden uns auf dem Cornopass in 2500 m Höhe, einst ein recht viel benutzter Übergang ins Bedrettotal. Wenn man sich von der Höhe südwestwärts wendet, gelangt man über den Griespass (2462 m) direkt nach Italien.
Der Cornopass ist ohne grosse Anstrengung zu erreichen. Wenig unterhalb der Nufenenpasshöhe zweigt eine Strasse rechts ab, die allerdings nur zur Errichtung eines Stauwerks gebaut wurde und deshalb für Private verboten ist. Aber bald, im Aufstieg zum Cornopass, lässt man alle Zeichen menschlichen Tuns hinter sich und geniesst prachtvolle Ausblicke in die Firnwelt des Blinnenhorns (3374 m), aber auch über das Rhonetal hinweg zu den Gipfeln des Berner Oberlandes.
Das sei allerdings nicht verschwiegen: der Abstieg ins Bedrettotal ist recht steinig und lang.

►► Le Col du Corno
Nous sommes tous devenus des Harpagon du temps et de l'espace. A quelques kilomètres de là, des centaines de voitures pressées traversent, chaque jour de l'été, le col de Nufenen (2478 m), la frontière entre le Valais et le Tessin. Et ici : une solitude pleine de rêves, une nature intacte. Nous nous trouvons à la hauteur du col du Corno (2500 m) que l'on empruntait souvent, autrefois, pour passer dans la vallée de Bedretto. En allant vers le sud-ouest, on arrive en Italie en passant par le col de Gries (2462 m).
Le col du Corno est facilement accessible. Un peu au-dessous du col de Nufenen une route tourne vers la droite : elle n'a été faite que pour permettre la construction d'un barrage, c'est pourquoi elle est interdite au public. Bientôt cependant, en montant vers le col du Corno, on abandonne derrière soi tout vestige d'activité humaine, et on a un merveilleux panorama sur le monde de névé du Blinnenhorn (3374 m) et, par-dessus la vallée du Rhône, jusqu'aux sommets de l'Oberland bernois.
Il ne faut pourtant pas le cacher : la descente vers la vallée de Bedretto est fort longue et caillouteuse.

►► Cornopass
We have all got used to covering great distances in no time at all. Only a few miles away from here the Nufenen Pass (8,128 ft) road crosses the ridge separating Valais and the Ticino, and in summer hundreds of cars a day impatiently wind their way across it. And here we find peaceful seclusion, unspoilt nature. We are at the Corno Pass (8,200 ft), once a fairly busy crossing to the Bedretto Valley. To the south west lies the Gries Pass (8,075 ft), which leads straight into Italy.
The Corno Pass is easy to reach. Just before the top of the Nufenen Pass a road turns off to the left. This was built to facilitate the construction of a dam, and is therefore not open to the general public. But soon after you have passed this turning, as you climb up to the Corno Pass, all signs of human activity cease, and there are glorious views of the snowy world of the Blinnenhorn (11,067 ft) and across the Rhône Valley to the peaks of the Bernese Oberland.
It must be admitted, however, that the way down into the Bedretto Valley is long and stony.

Lago di Morghirolo
Als Wanderer über den Cornopass, als Autofahrer über den Nufenen haben wir das Bedrettotal erreicht, und in Airolo, dem Endpunkt der Leventina, kommen auch die Reisenden mit der Gotthardbahn an. Und sie alle leben im Glauben, nun die Sonnenstube der Schweiz zu betreten.
Sicher: die Bezeichnung „Sonnenstube der Schweiz" hat ihre Berechtigung; aber auch diese Sonnenstube weist uns recht verschiedene Gesichter. Im obersten Teil der Leventina finden wir uns in einem kargen, steinigen Land, dessen Bewohner von Reben und Zypressen bloss träumen.
Das Bild macht es deutlich: wir sind dem Ticino-Fluss abwärts gefolgt. Oberhalb Faido, bei Prato, sind wir nach rechts abgezweigt hinauf nach Dalpe; und gegen das Campo Tencia wandernd, bietet sich dieses recht melancholische Bild. Aber wir befinden uns eben immer noch in der Region von Dreitausendergipfeln.

Le lac de Morghirolo
Que l'on ait choisi le sentier passant le col du Corno ou la route franchissant le Nufenen, on arrive dans la vallée de Bedretto et, à Airolo, le terminus de la Léventine, les voyageurs descendent du train du Gothard. Et tous sont persuadés de pénétrer dans le solarium de la Suisse.
Certes, l'expression « solarium de la Suisse » est justifiée ; mais il présente aussi des aspects très différents les uns des autres. Dans la partie supérieure de la Léventine, nous nous trouvons sur une terre pauvre et caillouteuse dont les habitants ne peuvent que rêver de vignes et de cyprès. Nous avons suivi le Ticino vers l'aval. Au-dessus de Faido, près de Prato, nous avons tourné vers la droite pour remonter vers Dalpe ; et quand on va à la rencontre de Campo Tencia, on peut contempler cette image fort mélancolique. Mais nous nous trouvons toujours dans la région des sommets de 3000 m.

Lago di Morghirolo
Having walked over the Corno Pass, or driven over the Nufenen Pass, we have reached the Bedretto Valley; and in Airolo, the end of the Leventina Valley, the Gothard Railway passengers arrive. And all of these converging streams of travellers believe that they have now entered Switzerland's "sunny parlour". The nickname is no doubt justified, but even this sunny parlour has its more forbidding aspects. In the upper part of the Leventina Valley we find ourselves in a barren, stony countryside whose inhabitants can only dream of vines and cypresses, as the accompanying picture shows.
We have followed the Ticino downwards. Then, above Faido and near Prato, we have turned back uphill towards Dalpe; and on the way towards the Campo Tencia we find this melancholy scene. But, we are, after all, still in the high mountains.

► Monti di Ditto
Dieses Buch erzählt von der Alpenwelt der Schweiz. Gewiss: Gipfel und Gletscher, Wände und Grate stellen sich unzweifelhaft in den Vordergrund, im Bild und im Wort. Und doch: die Alpen, vornehmlich auf ihrer Südabdachung, haben auch ihre lieblicheren, sozusagen weicheren Seiten. Wenn am Alpennordhang die Baumgrenze zwischen 1800 und 2000 m liegt, steigt sie in den südlichen Tälern bis 2400 m.
Überraschend ist vor allem die Üppigkeit, mit der die Edelkastanien bis weit in die Täler hinauf gedeihen. Die Früchte in ihren stachligen Hüllen, die hier so grosszügig verstreut sind, weisen auf den Herbst hin. Sie erinnern uns aber auch daran, dass sie für viele Bewohner der Täler eine Grundnahrung bilden. Aber auch die Bewohner der Städte im kalten Norden freuen sich jeden Winter auf die Grüsse aus dem Süden, die uns mit den Maroni und den Maronibratern erreichen.

► Monti di Ditto
C'est un livre sur le monde alpestre de la Suisse. Certes, les sommets et les glaciers, les parois et les arêtes occupent, sans aucun doute, l'avant-scène, en image ou en parole. Cependant, les Alpes, en particulier leurs pentes sud, ont aussi un aspect plus aimable, pour ne pas dire plus doux. Si, sur la pente nord des Alpes, la limite des derniers arbres est située entre 1800 et 2000 m, elle remonte, dans les vallées sud, jusqu'à 2400 m.
Il est étonnant surtout de voir la profusion de châtaigniers qui poussent très haut dans les vallées. Les fruits dans leurs cosses dardées de piquants, qui parsèment ici le sol, dénoncent l'automne. Ils nous rappellent aussi qu'ils constituent la nourriture de base de nombreux habitants des vallées. Mais ceux qui habitent les froides cités du nord se réjouissent aussi, chaque hiver, en dégustant les bons marrons chauds qui leurs apportent un peu de soleil du sud.

► Monti di Ditto
This book is about the Swiss Alps, so it is only natural that peaks and glaciers, ridges and rockfaces take precedence. And yet the Alps also have their more idyllic, their softer aspects, especially on the southern slopes. While, on the north sides, the treeline lies at between about 6,000 and 6,600 ft, it rises up to 7,900 ft in the southern valleys.
It is surprising how well the chestnut flourishes far up into the valleys. The nuts scattered so liberally on the ground in their prickly cases indicate the season clearly enough. They still form a staple food for many of the mountain dwellers in this region, and when they are baked and served up in the wintertime in colder northern countries they bring a touch of the Ticino sun with them.

►► Bignasco
Wenn man, vor allem im Ausland, vom Tessin spricht, erntet man in der Regel als Echo ein sonniges Lächeln: „Ja, natürlich, Lugano, Locarno, Ascona, der Lago Maggiore!" – Sicher, das ist Tessin, aber doch nur ein Teil davon, sozusagen die Postkarte. Aber für den, der sich noch eine Liebe für Landschaft und Natur erhalten hat, ist der andere Teil, nämlich die Tessiner Täler, nicht weniger wichtig.
Hier sind wir weit ins Valle Maggia vorgestossen, nach Bignasco, wo sich das Tal in zwei Arme trennt, ins Val Bavona, talaufwärts gesehen, nach links, das Val Lavizzara nach rechts. Das Bild legt Zeugnis ab für zahlreiche Dörfer in anderen Tälern. Sie leben aus einer alten Kultur heraus, sie verfügen vor allem von alters her über eine Baukunst, die den einheimischen Granit zum hervorragenden Baumaterial adelte, das den Jahrhunderten trotzt. Wie hätten sonst solche Brücken, wie hätten diese romanischen Kirchen entstehen können? Und das Gelände, die Vegetation ringsum lassen alle Kargheit vergessen.

►► Bignasco
Si l'on parle du Tessin, à l'étranger surtout, un sourire ensoleillé vous répond : « Oui, naturellement, Lugano, Locarno, Ascona, le lac Majeur !» – Bien sûr, c'est aussi le Tessin, mais une partie seulement: sa carte postale, pour ainsi dire. Pour l'amoureux de la nature et du paysage cependant, l'autre partie, c'est-à-dire les vallées du Tessin, ne sont pas moins importantes.
Ici, nous avons pénétré dans la vallée de la Maggia, jusqu'à Bignasco où la vallée se divise en deux bras, le val Bavona qui remonte vers la gauche et le val Lavizzara, à droite.
La vie des villages de ces vallées est marquée par une vieille culture, et ils ont gardé surtout une architecture traditionnelle qui a donné ses lettres de noblesse au granit local pour en faire un matériau de construction extraordinaire bravant les siècles. Ces ponts et ces vieilles églises romanes sont autant de preuves des qualités de ce granit. L'environnement, la végétation de cette région font oublier toute pauvreté.

►► Bignasco
When the name Ticino is mentioned, especially abroad, it usually stimulates a sunny smile and a stream of familiar names: Lugano, Locarno, Ascona, Lago Maggiore. – Of course, they are also part of Ticino, but only a part – the picture postcard part, as it were. But for those who have retained a feeling for nature and unspoilt countryside, the Ticino valleys are no less important.
Here we have travelled far into the Valle Maggia to Bignasco, where, looking upstream, the valley forks left to Val Bavona, and right to Val Lavizzara. This picture is characteristic of the many villages to be found in the Ticino valleys. They can look back on a long cultural tradition which, as we see in our picture, also produced a form of architecture based on local granite that thought in terms of centuries. Churches and bridges like this were built to last. And the countryside and vegetation soon dismiss all thoughts of barrenness.

Val d'Antabia
Wir haben das Val Bavona für unser weiteres Vordringen gewählt. Bei San Carlo, einem charakteristischen Flecken auf 960 m Höhe, trieb uns die Entdeckerfreude weiter, über unzählige Stufen aus Granit hinein ins Val d'Antabia. Den Beinen wollen diese Stufen mörderisch vorkommen, aber sie haben den Vorzug, uns rasch höher und höher zu bringen zu den Laghetti d'Antabia, in eine kalte, steinige Welt, die nur noch im Sonnenschein freundliche Aspekte aufweist.
Der Pizo Fiorera vor uns reicht bereits wieder an die Dreitausendergrenze und ist auch wieder Grenzberg zum italienischen Val Formazza, wie das eigentlich deutschsprachige Pomat, schon im Mittelalter von Walsern besiedelt, heute benannt ist.

Le val d'Antabia
Nous avons choisi le val Bavona pour y poursuivre notre avancée. Près de San Carlo, un hameau caractéristique situé à 960 m d'altitude, le plaisir de la découverte a continué à nous pousser sur les innombrables marches de granit qui conduisent dans le val d'Antabia. Ces marches sont mortelles pour les mollets mais elles ont l'avantage de conduire, très vite, de plus en plus haut aux laghetti d'Antabia, dans un univers froid et caillouteux auquel, seule, la lumière du soleil donne quelque charme.
Le Pizo Fiorera qui se dresse devant nous atteint déjà la limite des 3000 m, et c'est aussi le pic frontalier avec le val italien de Formazza, nom actuel du Pomat ; cette région à vrai dire germanophone fut, dès le moyen âge, peuplée par des Walser.

Val d'Antabia
We have picked the left arm of the fork – Val Bavona – as our route back into the high mountains. Near San Carlo, a characteristic Ticino village at 3,150 ft, our enthusiasm took us on over countless granite steps into Val d'Antabia. These steps are devilish to climb, but they have the advantage of bringing us quickly up to the Laghetti d'Antabia, a cold, stony world which needs sunshine to look at all friendly. The Pizo Fiorera ahead of us is getting on for ten thousand feet, and is once again a border mountain between Switzerland and Italy. On the other side is Val Formazza, as the German-speaking area of Pomat, which was already settled by the Wals people in the Middle Ages, is now called.

► Niva – Valle di Campo
Bosco-Gurin ist von den Touristen entdeckt worden. Den Flecken, den wir hier vor uns haben, hat einzig unser Fotograf entdeckt. Es ist Niva im Valle di Campo, ein Paralleltal zu Bosco-Gurin, das man erreicht, wenn man in Cerentino links anstatt rechts fährt. Nein, hier ist nichts auf Fremdenverkehr zugeschnitten. Die Häusergruppe über dem Talgrund genügt sich selbst und seinen anspruchslosen Bewohnern.
Und doch: welcher Sinn für Harmonie und Proportionen hat hier die einheimischen Baumeister geleitet; und wie grosszügig gab der eigene Boden das nötige Baumaterial ab! Bald nach diesem Dörfchen, bei Cimalmotto, nimmt das Strässchen ein Ende, und dann führt nur noch ein Fussweg weiter bergan, hinüber ins Val Antigorio, das bei Domodossola mündet.

► Niva – la vallée di Campo
Les touristes ont découvert Bosco-Gurin. Notre photographe a été le seul à repérer le hameau que nous avons devant nous. C'est Niva dans la vallée di Campo, une vallée parallèle à Bosco-Gurin, que l'on atteint lorsque, à Cerentino, on prend la gauche au lieu d'aller vers la droite. Non, rien ici n'a été préfabriqué pour le touriste. La petite agglomération dominant le fond de la vallée se suffit à elle-même et à ses habitants aux prétentions modestes.
Et cependant : les constructeurs locaux ont fait preuve ici d'un tel sens de l'harmonie et des proportions ! Et les matériaux de construction ont été si généreusement fournis par les alentours! Peu après ce village, près de Cimalmotto, la petite route se termine, relayée par un sentier pédestre qui grimpe jusqu'au val Antigorio et débouche près de Domodossola.

► Niva – Valle di Campo
Bosco-Gurin has been discovered by the tourists. But the hamlet we now have before us has only been discovered by our photographer. It is Niva in the Valle di Campo – a parallel valley to Bosco-Gurin – which you get to by turning left at Cerentino instead of right. No, there is nothing "touristy" about this little village. The cluster of houses in the valley is sufficient unto itself and its unexacting inhabitants.
And yet – what a sense of harmony and proportions the builders must have had, and what a wealth of local building material they had to draw on. The road comes to an end soon after this hamlet, near Cimalmotto, and then there is only a path leading on up the mountain and down into Val Antigorio, which brings you to Domodossola.

◀ Tamaro
Monte Tamaro! – Ein Vorposten der Alpenkette, südlich des Lago Maggiore, hart an der Grenze zu Italien. Hier befinden wir uns bereits im Abstieg vom Gipfel (1962 m), das freundliche Rifugio Tamaro ist in Sichtweite. Es ist ein recht kahler Berg, in den ausgebrannten Hängen ist die Vegetation dürftig, aber dafür gewährt er einen weiten Blick hinab ins Tal des Ticino und darüber hinweg in die vielgestaltige Gipfelwelt der Tessiner Berge.
Der Gipfel ist von Indemini aus zu erreichen, aus dieser Sicht am rechten Berghang, und nach Indemini gelangt man auf einer abenteuerlichen Strasse von Vira aus. Dieses Dorf gehört geografisch bereits zu Italien, politisch aber zur Schweiz. Die Schweizerfahne, die über dem Rifugio Tamaro weht, ist also für einmal mehr als blosse Dekoration. Und wahrhaftig: dieses Dorf lohnt trotz – oder wegen – seiner Weltabgeschiedenheit und seines Zerfalls einen Besuch. Die engen Gässchen zwischen brüchigen Steinmauern könnten eine grossartige Kulisse für einen Gruselfilm darstellen. Es fehlt indessen nicht an Versuchen, das Dorf am Leben zu erhalten.

◀ Tamaro
Monte Tamaro! – Un avant-poste de la chaîne des Alpes, au sud du lac Majeur, tout près de la frontière italienne. Nous avons déjà amorcé la descente (1962 m), l'aimable Rifugio Tamaro n'est plus très loin. C'est une montagne assez dénudée, la végétation est misérable sur les pentes brûlées, mais elle laisse largement entrevoir la vallée du Ticino et au-delà, les formes variées des sommets des montagnes tessinoises.
On peut accéder au sommet en partant d'Indemini situé, d'ici, sur la pente droite de la montagne, et on arrive à Indemini en prenant la route aventureuse qui part de Vira. Géographiquement, ce village fait partie de l'Italie et politiquement, de la Suisse. Le drapeau suisse flottant sur le Rifugio Tamaro est donc plus qu'une simple décoration. Et, en effet : ce village malgré et peut-être à cause de sa situation isolée par rapport au reste du monde et de son délabrement mérite bien une visite. Les ruelles étroites entre les murailles croulantes pourraient être le décor merveilleux d'un film à suspense. Entre-temps, on s'efforce activement de sauver ce village.

◀ Tamaro
Monte Tamaro! – An outpost of the Alpine chain south of Lago Maggiore, close to the border of Italy. Here we are on our way down from the summit (6,435 ft), and can already see the hospitable Rifugio Tamaro. It is a rather bare mountain, with the sparse vegetation on the slopes dried out by the sun, but it makes up for this by providing a view right down into the Ticino Valley and further on to the varied outline of the Ticino mountains.
The peak is reached from Indemini, down to the right on our picture, and Indemini is reached by an exciting road from Vira. The village of Indemini belongs geographically to Italy but politically to Switzerland. The Swiss flag that is hoisted at the Rifugio Tamaro is for once more than just decoration. And truly: This village is well worth a visit despite – or because of – its remoteness and its state of decay. The narrow streets between crumbling stone walls would make a fabulous setting for a horror film! However, various efforts are being made to preserve the village and keep it alive.

Bosco-Gurin
Ein Dorf am Ende der Welt, und zugleich eine Welt für sich. Zunächst das „Ende der Welt". Unbestritten ist, dass Bosco-Gurin das höchstgelegene Tessiner Dorf ist. In Cevio im Maggiatal biegt man scharf westlich ab und steigt – und steigt – und steigt auf immerhin recht guter Strasse über tausend Meter an und findet ganz erstaunt das gastlich warme Dorf, das heute rund 100 Einwohner zählt.
Und nun die „Welt für sich". Bosco-Gurin ist ein Walserdorf, also eine Siedlung jener lange geheimnisumwitterten Volksgruppe, die sich in den unwirtlichen Gegenden im Vorarlberg, im Piemont, in Graubünden festgesetzt hat, und eben auch zuoberst im Tessin. Die neueste Forschung hat festgestellt, dass die Walser ursprünglich Walliser waren, die im Hochmittelalter von den einst mächtigen Herren von Vaz als Kolonisten begrüsst und mit mancherlei Freiheiten ausgestattet wurden. Aber erstaunlich ist, wie diese Walser ihrem Brauchtum und auch ihrer Sprache, die man fast als uralemannisch bezeichnen könnte, treu blieben – auch heute noch eine Fundgrube für Sprachwissenschaftler.

Bosco-Gurin
Un village du bout du monde qui est un monde en soi. Prenons d'abord « le bout du monde »! Il est indéniable que Bosco-Gurin est le village le plus élevé du Tessin. A Cevio, dans la vallée de la Maggia, on vire fortement en direction de l'ouest et on monte et monte et monte sur une bonne route, il est vrai, au-dessus de 1000 m pour avoir la surprise de trouver le village chaudement hospitalier qui compte, aujourd'hui, 100 habitants en tout et pour tout. Et maintenant, parlons du « monde en soi ». Bosco-Gurin est un village des Walser, c'est-à-dire une colonie de cette peuplade longtemps mystérieuse qui s'était fixée dans les régions inhospitalières du Vorarlberg, du Piémont, des Grisons et, pour commencer, dans le Tessin. Les dernières recherches ont montré que les Walser étaient, à l'origine, des Valaisans que les puissants seigneurs de Vaz avaient été heureux de recevoir comme pionniers, en plein moyen âge, et auxquels ils avaient octroyé pas mal de libertés. Mais il est étonnant que les Walser aient conservé leurs coutumes et leur langue que l'on pourrait presque appeler vieil alémanique : elle est encore actuellement la mine d'or des linguistes.

Bosco-Gurin
A village at the end of the world, and at the same time a world of its own. At the end of the world, because it is the highest village in the Ticino. We turned sharply to the west at Cevio in the Maggia Valley, and climbed – and climbed – and climbed on relatively goods roads for over 3,000 ft until we reached this hospitable little village that now has about a hundred inhabitants. And, despite its smallness, it is a world of its own, for Bosco-Gurin is inhabited by Wals people – for a long time an almost legendary tribe who had settled in barren areas of the Vorarlberg, Piedmont, and the Grisons and in this corner of Ticino.
The latest research suggets that the Wals were originally Valaisans who were welcomed as colonists in the High Middle Ages by the then mighty rulers of Vaz, and granted a number of privileges. But the most amazing thing is the extent to which these people have preserved their customs and their language, which could almost be described as primeval Alemmanic, and which is still a source of fascination to linguists.

Corippo
Das Valle Verzasca, eines der grossen Bergtäler im Tessin; Corippo, dessen kleinste Gemeinde, aber keineswegs seine unansehnlichste. Im Gegenteil: das Dorf mit seinen fünfzig Einwohnern, das auf einer Terrasse hoch über dem Talgrund klebt, erfreut sich einer Auszeichnung, wie sie keinem anderen Tessinerdorf zuteil wurde. 1975, im Jahre der europäischen Denkmalpflege, wurde Corippo mit drei anderen schweizerischen Gemeinden als Beispiel für eine mustergültige Restauration und Erhaltung ausgezeichnet. Der Grosse Rat des Kantons Tessin gewährte einen Kredit von sieben Millionen, um neues Leben in das alte Dorf zu bringen und um seine Eigenart zu bewahren.
Doch was sagen Auszeichnungen? Was vermögen Kredite? – Auch ohne diese Fakten beweist uns das Bild, dass dieses Corippo mit seinen Steinhäusern rings um die Kirche, mit seinen engen, gewundenen Gässchen ein Erdenflecken ist, wie er im modernen Zivilisationsprozess kaum noch eine Existenzberechtigung hat und gerade deswegen zur Kostbarkeit wurde.
Kann sich ein moderner Stadtmensch das Dasein in einem solchen Bergnest überhaupt vorstellen? Wohl höchstens in den seltenen Momenten, da er gehetzt, verdrossen ist, erbittert über den Lauf der Welt. Aber normalerweise schreckt ihn die Vorstellung, in einer solchen Abgeschiedenheit und Einfachheit leben zu müssen. Gewiss, ein solches Dasein fordert manchen Verzicht; doch es birgt andererseits einen Reichtum des Erlebens an dem natürlichen Geschehen im Wechsel der Jahreszeiten, aber auch an menschlicher Wärme, die unendlich viel ersetzen von dem, was die Grossstadt anbietet.
Wie gelangt man zu diesem verzauberten Dorf? Es ist von Locarno aus über Gordola und Sonogno auf der Strasse, auch mit dem Postauto, erreichbar.

Corippo
La vallée de la Verzasca est l'une des plus grandes vallées tessinoises ; Corippo est la plus petite commune, mais pas la moins jolie. Au contraire, ce village de cinquante habitants accollé à une terrasse haute-perchée, au-dessus du fond de la vallée, a été distingué comme aucun village du Tessin ne l'a été. En 1975, l'année de la restauration européenne des monuments, Corippo ainsi que trois autres communes suisses a eu l'honneur d'être cité comme étant l'exemple type d'une restauration et d'une conservation modèles. Le Grand Conseil du canton du Tessin a octroyé un crédit de sept millions pour donner une nouvelle vie au vieux village et lui conserver son originalité.
Mais que signifient les distinctions ? Que peuvent les crédits ? Même sans cela, notre photographie montre bien que Corippo, avec ses maisons de pierre groupées autour de l'église, ses ruelles étroites et sinueuses est un lieu anachronique dans le processus moderne de notre civilisation : c'est pourquoi il est devenu un trésor précieux.
Le citadin moderne peut-il seulement se représenter le mode d'existence d'un nid haut-perché comme celui-ci ? Peut-être pendant les rares moments de sa vie où il est surmené, écrasé et désabusé par le cours du monde. Mais habituellement l'idée de devoir vivre dans cette solitude et cette simplicité le remplit d'angoisse. Certes, une telle forme de vie demande pas mal de sacrifices, mais elle offre aussi un grand enrichissement apporté par le rythme naturel des changements de saisons et par la chaleur humaine, qui remplacent bien des plaisirs citadins.
Comment peut-on rejoindre ce village enchanté ? Une route y mène à partir de Locarno par Gordola et Sonogno, et le car postal l'emprunte aussi.

Corippo
Valle Verzasca is one of Ticino's finest valleys, and Corippo, with its fifty inhabitants, is Valle Verzasca's smallest community, but by no means its least picturesque. On the contrary, it has achieved a distinction shared by no other Ticino village. In 1975, European Heritage Year, Corippo, together with three other Swiss communities, was given an award as a model of good restoration and preservation. The Council of the Canton of Ticino provided a credit of seven million francs to revive the old village and to preserve its character. But credits and awards mean little in themselves. Knowing about them does not enable us to appreciate Corippo more. Perched on a terrace high above the valley, bed, with its stone houses clustered round the church, with its narrow, winding streets, Corippo is a phenomenon that has scarcely any justification left in our modern age – and precisely for that reason has achieved a rarity value beyond price.
Can a modern townee even imagine what it is like to live in a tiny mountain village like this? Perhaps he occasionally has a sudden longing for such a place when he is overwrought or embittered about the way of the world. But normally he would be horrified at the idea of having to live in such loneliness and simplicity. Such a life certainly fails to offer some of the comforts of town life; but its protagonists would argue that it more than makes up for this by the close proximity of nature with all the delights of seasonal change and of the human companionship and warmth that a small community can offer.
How is this fairytale village reached? – by bus or car from Locarno via Gordola and Sonogno.

San Salvatore
Es wäre nicht ungerechtfertigt, das Buch mit diesem Bild abzuschliessen; haben wir doch wirklich den südlichsten Eckpfeiler der schweizerischen Alpenwelt vor uns, den San Salvatore über dem Luganersee. Dem Besucher von Lugano hat sich diese Silhouette wohl unauslöschlich eingeprägt. Wir sehen sie hier im Abendlicht, bald wird die Lichterreihe aufleuchten, die den Verlauf der Drahtseilbahn kennzeichnet, welche zum Gipfel hinaufführt, der immerhin eine Höhe von 915 m erreicht, während der Seespiegel des Luganersees auf 274 m liegt.
Der San Salvatore ist sicher ein gezähmter Berg. Aber wenn wir von seinem Gipfel aus zuerst nordwärts, in die Alpenwelt hineinschauen und dann den Blick südwärts richten, gegen die Po-Ebene, dann wird uns bewusst, dass wir uns auf dem markanten Scheidepunkt zweier Welten befinden.

San Salvatore
Notre ouvrage pourrait se terminer sur cette image ; puisque nous avons, devant nous, le pilier extrême-sud des Alpes, le San Salvatore dominant le lac de Lugano. Le visiteur n'oubliera plus jamais cette silhouette. Nous la voyons ici, dans la lueur du crépuscule ; bientôt s'allumera le défilé lumineux marquant la ligne du funiculaire qui monte au sommet ; il a atteint tout de même une hauteur de 915 m alors que le lac est situé à 274 m par rapport au niveau de la mer.
Le San Salvatore est certainement une montagne domptée. Mais si, de son sommet, nous dirigeons d'abord notre regard dans la direction nord des Alpes, puis vers le sud, sur la plaine du Pô, nous prenons conscience du fait que nous nous trouvons à la charnière bien dessinée de deux mondes.

San Salvatore
There would be every justification for finishing the book with this picture, for we have the most southerly bastion of the Swiss Alps before us: Monte San Salvatore, rising above Lake Lugano. This silhouette leaves an indelible impression on the minds of visitors to Lake Lugano. It is evening, and soon the string of lights will go on that marks the course of the cableway leading up to the peak, which rises to the respectable height of 3,002 ft, the surface of Lake Lugano being 900 ft above sea level.
Monte San Salvatore has certainly been tamed, but once you are on the summit, and look first northwards towards the Alps and then southwards towards the Po Valley, you realize that you are standing at a dividing point between two worlds.

Lago Maggiore
Ein Bild zum Ausruhen. Und nicht nur der Betrachter ruht aus, sondern auch ein wildes Alpenwasser. Über den See hinweg sehen wir die Einmündung der Maggia in den Lago Maggiore, der mit seinen 193 m Meereshöhe den tiefsten Punkt der Schweiz darstellt. Die Maggia aber begann ihren Lauf am Fusse des Cristallina in einer Höhe von 2500 m. Was für Wirbel, was für Sprünge musste sie hinter sich bringen, wie oft musste sie sich durch hartes Gestein fressen, wie viele Bäche und Bächlein von links und von rechts nahm sie auf, zuletzt noch die Melezza aus dem Centovalli.
Doch nun hat sie ein weiches Bett und milde Ufer gefunden. Von hier aus gesehen liegt Locarno rechts, Ascona links der Maggiamündung. Zwei der vielen klangvollen Namen, die den Ruhm des Tessins rechtfertigen.
Ein anderer Name, der Ausstrahlung hat, ist zweifellos Brissago, und zwar nicht nur wegen seiner aromatischen, unwahrscheinlich langen und ebenso dünnen Zigarren, die dort seit über hundert Jahren hergestellt werden. Brissago, 10 km von Locarno hart an der italienischen Grenze gelegen, weist als besondere Kostbarkeit zwei vorgelagerte Inseln mit subtropischer Vegetation auf, die von den sonnenhungrigen Nordländern mit Vorliebe besucht werden. Eine davon wurde zu einem botanischen Garten umgewandelt, ein alter „Palazzo" zum Restaurant; die andere birgt die Ruinen einer kleinen romanischen Kirche.
Doch wir wollen uns nicht besitzergreifend gebärden. Der weitaus grösste Teil des Lago Maggiore liegt auf italienischem Staatsgebiet und reicht fast bis zur Po-Ebene.

Le lac Majeur
Quelle image reposante ! – Non seulement, le spectateur y trouve le repos, mais aussi un sauvage cours d'eau alpestre. Au loin nous apercevons l'embouchure de la Maggia dans le lac Majeur qui, situé à 193 m au-dessus du niveau de la mer, représente le point inférieur de la Suisse. La Maggia a pris son cours, au pied du Cristallina, à une hauteur de 2500 m. Que de tourbillons, de sauts elle a dû faire ! Combien de fois elle a dû se frayer un chemin à travers la roche coriace ! Que de ruisseaux elle a accueillis, de droite à gauche, le dernier étant la Melezza du Centovalli.
Mais à présent, elle a trouvé un lit douillet et une rive calme. Vu d'ici, Locarno est à droite, Ascona à gauche de l'embouchure de la Maggia. Deux de ces noms prestigieux qui justifient la gloire du Tessin.
Un autre nom d'un grand éclat est certainement Brissago, et il ne doit pas seulement ce renom à ses cigares aromatiques, incroyablement longs et minces, dont la fabrication est plus que centenaire. Brissago se trouve à 10 km de Locarno et tout près de la frontière italienne, et il possède un trésor : deux îles à la végétation subtropicale très appréciées des nordistes avides de soleil. L'une d'elle a été transformée en jardin botanique, et d'un vieux « palazzo » on a fait un restaurant ; l'autre cache les ruines d'une petite église romane.
Mais n'étalons pas des droits de propriétaire ! La plus grande partie du lac Majeur est en territoire italien et touche presque la plaine du Pô.

Lago Maggiore
Another point of rest in our book. And not only for the viewer, but also for a wild Alpine stream that tumbles into the lake at the other side: the Maggia. Lake Maggiore, at 633 ft above sea level, is the lowest point in Switzerland, but the Maggia began its course at the foot of the Cristallina at an altitude of 8,200 ft. What a tortuous way, what leaps and falls it has survived, through how much hard rock has it cut, and how many little tributaries have joined it – the last being the Melezza from the Centovalli – before it finally finds repose in Lago Maggiore?
From our point of view here, Locarno lies to the right, and Ascona to the left of the mouth of the Maggia: two of the many sonorous names on which the fame of Ticino is based.
Another name of renown is Brissago, and not just because of the aromatic, amazingly long and thin cigars that have been made here for over a hundred years. Six miles from Locarno, and close to the Italian border, Brissago's special feature consists of two little islands in the lake with subtropical vegetation which are very popular with sun-hungry people from the north. One of them has been transformed into a botanical garden with an old "palazzo" as restaurant; on the other are the ruins of a small Romanesque church.
But we Swiss must not boast about Lago Maggiore too much: by far the greater part of it, stretchig south almost to the Po Valley, is Italian.

Mesocco
Die San-Bernardino-Route ist heute zu einer der meistbefahrenen Nord-Süd-Verbindungen geworden. Der Autofahrer, der das Tal der Moesa durchbraust, ist fasziniert von der kühnen Strassenanlage, von den Galerien und den eleganten Viadukten. Aber vielleicht verwendet er doch auch einen nachdenklichen Augenblick auf die Ruinen unterhalb des Hauptortes Mesocco, zu deutsch Misox, die auf einem talbeherrschenden Felskopf ins Auge fallen.
Sie sind Zeugen einer grossen, aber auch gewalttätigen Vergangenheit. Das Castello di Mesocco wurde von den Grafen von Sax-Misox erbaut. Die Festung galt als uneinnehmbar. 1489 wurde sie mit der ganzen Talschaft dem Mailänder Grafen Trivulzio verkauft. Aber bereits 1525 musste sie auf Befehl der Drei Bünde, denen dieser Stützpunkt der Macht Unbehagen bereitete, zerstört werden, und sie leisteten gründliche Arbeit. Erhalten blieb einzig die Kirche Santa Maria del Castello, die samt ihrem Fries mit Monatsbildern aus dem 15. Jahrhundert noch heute sehenswert ist.
Urkundlich ist die Kirche erstmals 1219 erwähnt. Der ursprüngliche Bau liegt aber zweifellos wesentlich weiter zurück, und die Kirche, wie sie sich heute darstellt, ist das Ergebnis mehrerer Renovationen. Das Misox war schon sehr früh besiedelt, wie es die Ausgrabungen in Castaneda beweisen. Dort traten Siedlungsteile zutage, die man der südfranzösischen Eisenkultur zuordnen muss. Es ist anzunehmen, dass der Bernardinopass schon in vorrömischer Zeit als Alpenübergang benutzt wurde, da er mit bloss 2000 m Höhe günstige Voraussetzungen bot. Seine Bedeutung zur Römerzeit und im Mittelalter kann nicht nur vermutet, sondern durch viele Spuren bewiesen werden. Wer sich die Zeit nimmt, im Hauptort Mesocco einen Augenblick zu verweilen, wird an den stattlichen Häusern erkennen, dass Tal und Dorf auf eine würdige Geschichte zurückblicken können.

Mesocco
La route du St-Bernard qui relie le nord au sud est actuellement une des plus empruntées. Quand l'automobiliste parcourt la vallée de la Moesa, il est fasciné par les constructions audacieuses de la route, par les galeries et les viaducs élégants. Mais peut-être s'attarde-t-il aussi un moment à contempler les ruines situées au-dessus du chef-lieu Mesocco, en allemand Misox; on ne peut manquer de les voir, dressées sur un promontoire dominant la vallée.
Elles témoignent d'un passé prestigieux mais terrible.
Le château de Misox fut construit par les comtes de Sax-Misox. La forteresse passait pour imprenable. En 1489, elle fut vendue, avec toute la vallée du comté, au comte milanais Trivulzio. Mais en 1525, les trois ligues grisonnes que ce puissant point stratégique inquiétait ordonnèrent sa destruction qui fut menée avec soin et rigueur. Il ne resta plus que l'église Ste-Marie-du-Château qui, aujourd'hui encore, mérite une visite pour ses fresques représentant les allégories des mois de l'année.
L'église est mentionnée pour la première fois en 1219 dans les archives. Mais le bâtiment initial a été certainement construit avant cette date, et l'église telle qu'elle est aujourd'hui, est le résultat de plusieurs rénovations. Le Misox a été habité très tôt comme en témoignent les fouilles faites à Castaneda. On y a mis à jour, en partie, des habitations proches de la culture de l'âge de fer dans le Sud de la France. Il est à supposer que le col du St-Bernard a déjà été emprunté avant l'époque romaine puisqu'il n'atteint que 2000 mètres. Son importance à l'époque romaine et au moyen âge n'est pas seulement hypothétique mais réelle comme en témoignent beaucoup de vestiges. Si l'on a le temps de passer un moment à Mesocco, on constatera à l'imposante architecture de ses maisons que la vallée et le village ont eu une noble histoire.

Mesocco
The San Bernardino route is now one of the busiest north-south connections. The motorist who dashes through the Moesa Valley will be fascinated by the daring road construction, the galleries, and elegant viaducts. But it is also worth his while also sparing a thought for the ruins of a fortress built on a rocky ledge dominating the valley and the main village of Mesocco (Misox in German). They are reminders of a great, but also violent past. The Castello di Mesocco was built by the Counts of Sax-Misox, and was considered to be impregnable. In 1489 it was sold together with the whole valley to Count Trivulzio of Milan. But less than fifty years later, in 1525, the fortress was demolished on the orders of the Grisons "Leagues", who regarded it as a source of danger. A thorough job was done, the only part surviving being the church of Santa Maria di Castello, which, with its 15th century frescoes depicting the months of the year, is worth seeing.
The first document mentioning the church is dated 1219. The original church was no doubt built considerably earlier than that, and the present building is the result of several renovations. Excavations in Castaneda show that the valley was settled at a very early date. Some of the discoveries point to the South French Iron Age. It can be assumed that the Bernardino Pass was already in use in pre-Roman days, as its altitude of under 6,500 ft makes it fairly easy to negotiate. Its importance in Roman times and in the Middle Ages is well established. The village of Mesocco, with its large, impressive houses, provides evidence enough of the valley's long and interesting history.

Braggio im Calancatal
Es ist ein fast aussichtsloses Unterfangen, einem Ausländer die schweizerische Geografie beibringen zu wollen. Geschichtliche Gegebenheiten schufen Kantone, die weder praktisch noch logisch erscheinen – und trotzdem eine Einheit darstellen.
Am extremsten wird diese Eigenart wohl am Bündnerland deutlich. Warum gehören südlich gewandte, italienisch sprechende Täler zum Kanton Graubünden? Darüber müsste man ein Buch, nicht eine Bildlegende schreiben.
Kaum hat man Bellinzona verlassen, stösst man vor ins bündnerische Misox, oder eben ins Val Mesolcina. Aber schon bei Roveredo zweigt ein Seitental, ebenfalls bündnerisch, ab, das Calancatal, wirtschaftlich sicher einer der benachteiligtsten Flecken der Schweiz. Aber verrät dieser Kirchenbau nicht auch Grösse? Er steht in Braggio, einem Dorf am linken Berghang gelegen, immerhin in jüngster Zeit von Arvigo aus mit einer Seilbahn erreichbar.

Braggio dans le val Calanca
Il est pratiquement impossible de vouloir expliquer la géographie de la Suisse à un étranger. L'évolution historique a créé des cantons peu pratiques ou illogiques, qui cependant forment une unité.
Les Grisons illustrent le mieux ce phénomène. Pourquoi des vallées orientées vers le sud et italophones font-elles partie du canton des Grisons ? Il faudrait écrire un livre sur ce sujet et non pas seulement une légende.
A peine a-t-on quitté Bellinzona que l'on atteint le Misox grison ou bien plutôt le val Mesolcina. Aux environs de Roveredo débouche une vallée latérale, grisonne elle aussi, le val Calanca dont l'économie est certainement une des plus faibles de la Suisse. Pourtant, quelle prestance a cette église ! Elle se trouve à Braggio, un village situé sur la pente gauche qu'un téléphérique relie depuis peu de temps à Arvigo.

Braggio in the Calanca Valley
It is an almost hopeless task to try to teach Swiss geography to a foreigner. Historical circumstances created Cantons which appear to be neither practical nor logical – and yet they nevertheless represent coherent units.
This paradox is most clearly illustrated in the Grisons (or Graubünden, as it is called in German). Why do southern-orientated, Italian-speaking valleys belong to the Grisons? To answer this would require a book, and not a caption.
We have hardly left Bellinzona in the Ticino before finding ourselves in Val Mesolcina, or Misox, as the German language has it. Then, in Roveredo, a side valley branches off to the left: Calanca Valley, surely one of the economically most disadvantaged areas in Switzerland, and yet the church in our picture is a clear enough indication that the region is not poor in other ways. The church is in Braggio, a village on the left side of the valley, and now accessible by cable railway.

► Rheinwald – Splügen
„Die Geschichte Graubündens ist in ihrem Kern und Wesen eine Geschichte seiner Pässe", schrieb vor rund hundert Jahren der Bündner Historiker Pater Conradin von Planta. Diese Feststellung hat auch heute noch ihre volle Gültigkeit, und sie wurde mit dem Durchstich des San-Bernardino-Strassentunnels erhärtet. Durch den Tunnelbau wurde das Hochtal Rheinwald, eine walserische Enklave, dem internationalen Touristenstrom bekannt.
Aber schon lange vorher, zur grossen Zeit der Säumer-Transporte, waren die beiden Passstrassen San Bernardino und Splügen, die vom Hauptort Splügen ausgehen, vielbereiste Übergänge. Hier sind wir den Splügenpass aufwärts gefahren. Nach den ersten Windungen haben wir den Wagen parkiert und sind steil nach links gegen die Surettaseen (2270 m) aufgestiegen. Dabei wurde uns dieser Ausblick auf den Kalkberg und das Teurihorn zuteil.

► La haute vallée du Rhin Postérieur (Rheinwald) – Splügen
« L'histoire des Grisons est entièrement l'histoire de ses cols », écrivit, il y a quelques cent ans, l'historien grison le Père Conradin von Planta. Cette constatation est toujours valable : elle a été confirmé par la percée du tunnel routier du Saint-Bernard. Grâce à sa construction, la haute vallée du Rhin Postérieur, une enclave des Walser, a été ouverte à la grande masse du tourisme international.
Mais longtemps avant, à la grande époque du trafic transalpin, on empruntait très souvent les deux routes des cols Saint-Bernard et Splügen, qui partent du chef-lieu Splügen. Nous avons remonté ici le col de Splügen. Après avoir dépassé les premiers virages, nous avons poussé notre ascension, vers la gauche, en direction des lacs de Suretta (2270 m). De là, nous eûmes cette vue sur le Kalkberg et le Teurihorn.

► Rheinwald – Splügen
"The history of the Grisons is fundamentally a history of its passes", wrote the Grisons historian Pater Conradin von Planta, about a hundred years ago. This comment is still valid today, and has been underlined by the construction of the San Bernardino road tunnel. The tunnel opened up the mountain valley of Rheinwald, a Valaisan enclave, to international tourism.
But the two pass roads San Bernardino and Splügen were well frequented long before that time. Here we have driven up the Splügen pass road from Splügen. After the first few bends we parked the car, climbed up left towards the Suretta Lakes (7,446 ft), and were rewarded with this view of Teurihorn and Kalkberg.

►► Am Schamserberg
Das Schams! – Eine Talschaft im Bündnerland, die, wie eigentlich jede, ihren ganz besonderen Charakter aufweist. Um die geografische Lage zu fixieren: das Schams liegt, etwas vereinfacht gesagt, zwischen zwei Schluchten des Hinterrheins, nämlich zwischen der Rofflaschlucht und der Via Mala. Und um ein ganz besonderes Stichwort zu geben: im Schams liegt Zillis mit seiner Kirche, die bereits im Jahr 830 nachweisbar ist. Beachtet wird sie aber nicht vor allem um ihres Alters willen, sondern wegen ihrer Deckenmalereien, die – für einmal darf das Wort gebraucht werden – weltberühmt sind.
Und der Schamserberg? Das ist kein Gipfel, sondern die linke Talflanke, die bis in die Höhe von 1600 m mit Dörflein besiedelt ist, welche von alter Kultur und bewahrter Eigenständigkeit zeugen. Hier schauen wir von einem mit Fresken geschmückten Kirchlein hinab auf das wohl kleinste der Dörflein, Casti, und hinauf zur Höhe, wo sich die Silhouette von Wergenstein abzeichnet.

►► Le Schamserberg
Le Schams ! – Une vallée des Grisons qui, comme toutes les autres, présente un caractère particulier. Sa situation géographique : le Schams est pour ainsi dire situé entre deux gorges du Rhin Postérieur, c'est-à-dire entre la gorge de Roffla et la Via Mala. Pour spécifier : c'est dans le Schams que se trouve Zillis et sa petite église construite avant 830. Elle n'est pas seulement connue pour son grand âge, mais aussi et surtout pour ses fresques de plafonds qui sont, on peut le dire, mondialement réputées.
Et le Schamserberg ? Ce n'est pas un pic mais la pente gauche de la vallée, couverte, jusqu'à une hauteur de 1600 m, de petits villages qui ont conservé une vieille culture et un caractère original. C'est d'une petite église, ornée de fresques, que nous apercevons le plus petit de ces hameaux, Casti, et que nous voyons, sur les hauteurs, se dessiner la silhouette de Wergenstein.

►► On Schamserberg
Schams – a Grisons valley which, like all the others, has a character of its own. It lies between two of the Hinterrhein gorges: the Roffla Gorge and the Via Mala, and contains one of the gems of Switzerland – the church in Zillis, which is documented back to the year 830. However, it is not the age of the church which makes it world famous, but the Romanesque ceiling paintings it contains.
And Schamserberg? Well, it is not a peak, but the left flank of the valley, which is dotted with villages up to an altitude of 5,250 ft. They reveal a long tradition of regional culture and independence. Here we are looking down from a chapel decorated with frescoes at what is probably the smallest of the villages, Casti, and up towards the horizon where the silhouette of Wergenstein is faintly traced.

Thomasee
Nein, das ist nicht einer der unzähligen, sondern ein ganz besonderer Bergsee, nämlich der Quellsee des Rheins. Hier, in dieser stillen Berglandschaft, nimmt der Vorderrhein seinen Anfang, und weil er sich im rätoromanischen Sprachgebiet befindet, müssten wir ihn korrekterweise Lai de Tuma nennen.
Und wo befindet sich nun diese Wiege des Rheins? Erreichen wir zunächst über Disentis, das mit seinem altberühmten Kloster beeindruckt, den Oberalppass (2044 m), der das Vorderrheintal mit dem Urnerland verbindet. Das kann sowohl auf der gutausgebauten Passstrasse wie mit der Oberalpbahn geschehen, die von Disentis nach Andermatt führt und ihre Fortsetzung über die Furka ins Wallis findet. Es ist einer der imposantesten Schienenwege, auf dem in der Sommersaison der „Glacier-Express“ verkehrt, eine Direktverbindung zwischen St. Moritz und Zermatt. Dass dieses Stück Eisenbahngeschichte in dem im Bau befindlichen Furkatunnel gegenwärtig eine zwielichtige Fortsetzung erfährt, ist eine besondere schweizerische Angelegenheit und vor allem ein Politikum.
Bleiben wir lieber auf der Oberalp. Steigen wir von der Passhöhe südwärts an, gegen die Höhen des Six Madun, erreichen wir über karge, reichlich mit Geröll übersäte Bergwiesen diesen Erdenflecken auf 2344 m Höhe, Ende der Welt und zugleich Ursprung eines Stromes, der Geografie und Geschichte Europas geprägt hat. Und im selben Gebiet, also im Gotthardmassiv, beginnt der andere europäische Strom, die Rhone, ihren Lauf. Darum darf man ohne Übertreibung feststellen: wir befinden uns hier im Herzen Europas, und wenn man das Gotthardmassiv als das europäische Wasserschloss bezeichnet, ist das kein falsches Bild. Nicht nur Rhone und Rhein, sondern auch die Aare, die Reuss und der Ticino entquellen diesem Zentralmassiv.

Le lac de Thoma
Non, ce n'est pas un lac alpin quelconque, comme il y en a beaucoup, mais c'est le lac où le Rhin prend sa source. Dans ce calme paysage alpestre commence le Rhin Antérieur, et comme nous nous trouvons en pays rhéto-roman, nous devrions l'appeler lai de Tuma.
Où se trouve-t-il exactement, ce berceau du Rhin ? Passons d'abord par Disentis, près du cloître impressionnant qui jouit d'une vieille renommée, pour rejoindre le col de l'Oberalp (2044 m), liaison entre la vallée du Rhin Antérieur et le pays d'Uri. On peut choisir la route du col bien carrossable ou la voie ferroviaire de l'Oberalp qui mène de Disentis à Andermatt et continue vers le Valais en empruntant la Furka. C'est une des voies ferrées les plus impressionnanantes sur laquelle passe, pendant la saison estivale, « le Glacier-Express » reliant directement St-Moritz et Zermatt. Que ce bout d'histoire ferroviaire trouve une suite problématique dans le tunnel de la Furka qui est actuellement en construction est une affaire propre à la Suisse et surtout un fait politique.
Mais restons plutôt sur l'Oberalp. Prenons la pente sud du col pour remonter vers les hauteurs du Six Madun que nous atteignons après avoir traversé des alpages pauvres couverts de pierraille : nous sommes au bout du monde (à 2344 m), et au début d'un fleuve qui a marqué la géographie et l'histoire de l'Europe. C'est dans cette région aussi, le massif du St-Gothard, que l'autre fleuve européen prend sa source : le Rhône. C'est pourquoi on peut affirmer, sans exagérer, que nous sommes ici au cœur de l'Europe : il n'est pas erroné de dire que le massif du Gothard est le château d'eau européen. Non seulement le Rhône et le Rhin mais aussi l'Aar, la Reuss et le Ticino prennent leurs sources dans ce massif central.

Lake Thoma
No, this is not just another little Alpine lake, but a very special one – the source of the River Rhine, or, to be more precise, of the Vorderrhein.
As this lake lies in the region where the Romansh language is spoken, we should really call it Lai de Tuma.
And where is this cradle of the Rhine located? Coming from Disentis, with its impressive, ancient abbey, we climbed to the Oberalp Pass (6,704 ft), which connects the Vorderrhein Valley with Canton Uri. A well-constructed pass road or the Oberalp railway can be used for this first stretch. The railway line runs from Disentis to Andermatt, and continues over the Furka Pass into Valais. It is one of the most impressive lines in Switzerland; the "Glacier Express" runs along it in the summer season, directly connecting St. Moritz and Zermatt. At present a Furka tunnel is being constructed – a venture that is proving highly controversial.
But back to Oberalp. If we climb from the top of the pass in a southerly direction towards the Six Madun, we come to the barren mountain meadow covered with debris which we see in our picture. At 7,688 ft, it is both the end of the world and the beginning of a river that has sjaped the geography and history of Europe. And in this same area – the Gothard Massif – the other great European river begins: the Rhône. That is why it is no exaggeration to say that here we are in the heart of Europe, and if we call the Gothard Massif *the* European watershed we are also not overstating the case, for not only the Rhône and Rhine, but also the rivers Aare, Reuss, and Ticino have their sources in this central massif.

Rheinschlucht
Hier hat der junge Rhein bereits einen bewegten Weg hinter sich und ist durch zahlreiche Zuflüsse zum ansehnlichen Wasser geworden. Nachdem er Ilanz, das sich mit Recht und mit Stolz die erste Stadt am Rhein nennt, durchrauscht hat, wird er erneut zum Wildwasser. In prähistorischer Zeit sperrte der Flimser Bergsturz dem Vorderrhein den Weg ab, und in jahrtausendelanger Erosionsarbeit bahnte sich das Wasser ein neues Bett, eine tiefe, gewundene Schlucht, die bei Isla-Carrera und Versam zu einem grossartigen landschaftlichen Erlebnis wird. Unmittelbar nachher, bei Reichenau, vereinigt er sich mit seinem Zwillingsbruder, dem Hinterrhein, der einen ebenso stürmischen Weg hinter sich hat.
Im Hintergrund erkennen wir den 2213 m hohen Crap Sogn Gion mit seinem rundgebauten Gipfelrestaurant. Von Laax-Murschetg aus erreicht man mit der grössten Luftseilbahn der Alpen die „Weisse Arena“, eines der schönsten Skigebiete der Schweiz. Seit Sommer 1978 führt vom Crap Sogn Gion eine weitere Bahn zum Vorabgletscher, so dass nun in dieser Region ganzjährig Skisport möglich ist.

Les gorges du Rhin
Ici, le jeune Rhin a déjà parcouru un chemin aventureux et il s'est largement enrichi de nombreux affluents. Après avoir traversé Ilanz qui se vante, à juste titre, d'être la première ville du Rhin, il redevient un torrent. A l'époque préhistorique, un énorme éboulement rocheux forma un bouchon qui coupa la route au Rhin Antérieur, là où se trouve maintenant la ville de Flims ; grâce à un travail érosif qui dura des millénaires, les eaux se creusèrent un nouveau lit, une gorge profonde et tortueuse qui forme un paysage extraordinaire aux environs d'Isla-Carrera et de Versam. Un peu plus tard, près de Reichenau, il rejoint son frère jumeau, le Rhin Postérieur, qui, lui aussi, a eu un chemin fougueux.
A l'arrière-plan, nous reconnaissons le Crap Sogn Gion (2213 m) et la rotonde de son restaurant. A partir de Laax-Murschetg on arrive, grâce au plus grand téléphérique des Alpes, sur « l'arène blanche », l'un des plus beaux domaines skiables de la Suisse. Depuis l'été 1978, un autre téléphérique conduit du Crap Sogn Gion jusqu'au glacier du Vorab, de sorte que l'on peut y skier toute l'année.

The Rhine Gorge
Now the Rhine has left its turbulent infancy behind, and with the addition of many small tributaries has grown to a respectable size. After passing Ilanz, which proudly calls itself the first town on the Rhine, it becomes a torrent again. In prehistoric times the Vorderrhein was blocked by a massive landslide at Flims, and had to cut itself a deep gorge, forming a magnificent piece of landscape near Isla-Carrera and Versam. Directly after this it joins its twin brother, the Hinterrhein, which has also led a very turbulent life so far.
In the background of our picture we have the Crap Sogn Gion (7,260 ft), surmounted by a round restaurant. From Laax-Murschetg the biggest cableway in the Alps takes visitors up to the "White Arena", one of Switzerland's finest skiing areas. Since the summer of 1978 a further cableway connects Crap Sogn Gion with the Vorab Glacier, so that in this region skiing is now possible throughout the year.

► Bei Arosa
Das Schanfigg, das recht wildgeformte Tal der Plessur, das von Chur aus zunächst in östlicher Richtung verläuft, ist eine Welt für sich. Und der hellste Stern im Schanfigg: Arosa! – Vor hundert Jahren war es eine aussterbende Bergsiedlung, im 13. Jahrhundert von Walsern erschlossen. Unterdessen wurde es für den Sommer- wie für den Wintertourismus entdeckt. Heute ist es Endpunkt der Chur – Arosa-Bahn und weist, obschon auf 1742 m gelegen, mit seinen 2600 Einwohnern fast städtischen Charakter auf.
Aber Arosa ist weit mehr als ein Fremdenplatz. Es erschliesst mit seinem Netz von Skiliften, Sessel- und Gondelbahnen ein vielfältiges Wandergebiet. Und das Bild beweist es: verträumte, unberührte Landschaften sind immer noch charakteristisch für die Gegend von Arosa. Hier blicken wir vom unteren Prätschsee hinüber in die Gegend von Langwies.

► Aux environs d'Arosa
Le Schanfigg, la vallée aux formes quelque peu sauvages de la Plessur, part, de Coire, en direction de l'est : c'est un monde en soi. Et la plus brillante vedette du Schanfigg est Arosa. Il y a cent ans, c'était un hameau montagnard en voie d'extinction ; les Walser l'avaient fondé, au 13ème siècle. Puis, le tourisme hivernal et estival l'a découvert. Aujourd'hui, c'est le terminus de la ligne Coire – Arosa, et bien qu'il soit situé à 1742 m, il a, avec ses 2600 habitants, un caractère presque citadin.
Mais Arosa est plus qu'un centre touristique. Avec son réseau de téléskis, de télésièges et de téléphériques, il donne accès à de multiples régions de randonnées. L'image le montre bien : des paysages romantiques à l'état naturel caractérisent encore les environs d'Arosa. Nous contemplons ici, du lac inférieur de Prätsch, la région de Langwies.

► Near Arosa
Schanfigg Valley, through which the river Plessur runs from the east to join the Rhine at Chur is a world of its own. And the brightest star in the Schanfigg Valley is the resort Arosa. Founded in the 13th century, it was dying out a hundred years ago, but was saved by tourism, and is now a renowned summer and winter resort. Today it is the terminus of the Chur – Arosa railway line, and, although situated at 5,904 ft has an almost urban character with its 2,600 inhabitants. But Arosa is far more than a tourist centre. With its network of ski lifts, chair lifts and cable cars it gives access to a large and varied region for the rambler. Our picture shows the kind of idyllic, unspoilt landscape that is still characteristic of the area around Arosa. Here we are looking from the lower Lake Prätsch across towards Langwies.

◄ Tiejer Fluh
Wir haben von den versteckten Schönheiten um Arosa gesprochen. Es ist daher gerechtfertigt, diese Umgebung noch in anderer Richtung zu durchstreifen. Diesmal sind wir von Arosa aus östlich gewandert, durch den prächtigen Tiejer Wald hinauf zur Alp Tieja auf 2000 m, wo ein halbes Dutzend Hütten und Ställe darauf hinweisen, dass auch hier noch die Weide genutzt wird.
Was uns aber vor allem beeindruckt: das wahrhaft trutzige Bollwerk der Tiejer Fluh (2781 m), die durch häufigen Steinschlag das karge Weidland bedrängt. Die durch Steine beschwerten Dächer deuten darauf hin, dass hier mit ungestümem Wetter zu rechnen ist. Der Kampf des Menschen gegen die Naturgewalten wird auf diesem Bild besonders eindringlich sichtbar.

◄ La Tiejer Fluh
Nous avons parlé des beautés cachées des environs d'Arosa. Il est donc juste de traverser cette région dans l'autre sens. Cette fois-ci nous avons pris, d'Arosa, la direction de l'est, à travers la magnifique forêt de Tieja pour remonter à 2000 m, sur l'alpe de Tieja, où une demi-douzaine de cabanes et d'étables indiquent que l'alpage est encore utilisé.
Ce qui nous impressionne cependant plus que tout, cest le bastion véritablement rébarbatif de la Tiejer Fluh (2781 m) qui bombarde souvent les maigres pâturages d'éboulements rocheux. Les toits renforcés de pierres sont la preuve que le temps peut être ici très peu clément. Cette vue donne une idée de la lutte que les hommes doivent mener contre les éléments.

◄ Tiejer Fluh
This shot complements the last, and helps to show how varied the landscape is in this area. This time we set out eastward from Arosa. We have walked through the splendid Tieja Forest up to Alp Tieja at 6,560 ft where half a dozen huts and sheds show that the pastures are still used.
The most impressive feature of the landscape here, however, is the vast bulwark of Tiejer Fluh (9,122 ft), which is a constant source of danger to the surrounding pastureland due to falling rocks. The stones used for weighting down the roofs show that stormy weather is nothing unusual here. Man's battle against the forces of nature is starkly reflected in this scene.

Pfäfers
Wir haben den Rhein in seinen wilden Ursprüngen kennengelernt. Hier meldet er im weitgeschwungenen Tal seinen Anspruch an, zum Strom zu werden, und er nimmt auch schon sein späteres Schicksal voraus, Grenzstrom zu sein. Zunächst ist er es allerdings erst zwischen den Kantonen St. Gallen und Graubünden. Wir befinden uns auf der linken Talflanke, also auf St. Galler Boden, genau bei Pfäfers, und schauen über das Rheintal hinweg nach Malans. Hinter der St.-Georgs-Kapelle erkennt man den Eingang ins Prättigau.
Pfäfers, ein stattliches Dorf mit fast 2000 Einwohnern, liegt am Eingang zum Taminatal. Wer ans Taminatal denkt, denkt auch an die Taminaschlucht und vor allem an Bad Ragaz mit seinen heilkräftigen Wassern, die schon zur Römerzeit bekannt und besucht waren. Unterhalb Pfäfers führt denn auch der Römerweg über eine Naturbrücke über die tiefeingefressene Taminaschlucht hinunter zur Quelle der Ragazer Therme, die mit einer Temperatur von 37 Grad dem Berg entquillt.

Pfäfers
Nous avons connu le Rhin sauvage de ses débuts. Ici, dans une large vallée, il va devenir un fleuve et il commence sa destinée frontalière : entre les cantons de St-Gall et des Grisons d'abord. Nous sommes sur la pente gauche de la vallée, c'est-à-dire en terre de St-Gall, près de Pfäfers plus exactement, et nous apercevons Malans, à l'arrière-plan de la vallée du Rhin. Derrière la chapelle de St-Georges on reconnaît le Prättigau.
Pfäfers est une grosse bourgade de presque 2000 habitants et elle se trouve à l'entrée de la vallée de la Tamina. Si l'on pense à la vallée de la Tamina, on évoque aussi les gorges de la Tamina et surtout Bad Ragaz et ses eaux aux vertus curatives que les Romains connaissaient et utilisaient déjà. Au-dessous de Pfäfers, une voie romaine emprunte un pont naturel pour traverser les gorges de la Tamina et rejoindre la source thermale de Ragaz, qui jaillit de la montagne à une température de 37 degrés.

Pfäfers
We have seen the Rhine in its wild beginnings. Here it is already spreading into middle age and is practising for its later role as a frontier river with the less important function of separating the Cantons of St. Gall and Grisons. We are on the left side of the river, in St. Gall territory directly by Pfäfers, and are looking across the Rhine Valley towards Malans. Behind St. George's Chapel we can see the entrance to the Prättigau region.
Pfäfers, a good-sized village with nearly 2,000 inhabitants, is at the entrance to the Tamina Valley. Nearby is the well-known Tamina Gorge, and Bad Ragaz, which was already frequented in Roman times for its healing waters. Below Pfäfers a Roman way leads across a natural bridge over the deep Tamina Gorge to the source of the Ragaz thermal spring which emerges from the mountain at a temperature of 37° C.

Rheinebene mit Gonzen
Noch einige hundert Meter, und wir befinden uns im Ausland, und zwar im Fürstentum Liechtenstein, das ja allerdings in vielfacher Hinsicht mit der Schweiz verbunden ist. Wir stehen hier am rechten Rheinufer, unweit des Dorfes Fläsch, etwas unterhalb des historischen Übergangs Luziensteig.
Der Berg, der sich so imposant aus der Ebene auftürmt, liegt aber jenseits des Rheins. Es ist der Gonzen (1830 m), auf dessen unterstem Sporn das Städtchen Sargans mit dem stolzen Schloss liegt. Der Berg hat seine besondere Geschichte, weil dort bis vor kurzem Eisenerz gewonnen wurde. Er hat aber auch bis in die Gegenwart und in die Zukunft hinein seine besondere Bedeutung, da er einen Kernpunkt des militärischen Abwehrsystems an der schweizerischen Ostflanke darstellt.

La plaine du Rhin et le Gonzen
Encore une centaine de mètres et nous serons à l'étranger, c'est-à-dire dans la principauté du Liechtenstein qui entretient avec la Suisse de nombreux liens. Nous nous trouvons ici sur la rive droite du Rhin, non loin du village de Fläsch, un peu au-dessous du passage historique de Luziensteig.
La montagne qui fait surgir sa masse imposante de la plaine se trouve cependant de l'autre côté du Rhin. C'est le Gonzen (1830 m) : sur son éperon inférieur, se dresse la petite ville de Sargans avec son fier château.
La montagne a une histoire particulière puisque, récemment encore, on en extrayait du minerai de fer. Mais elle a encore et continuera à avoir une importance particulière parce qu'elle représente un point stratégique du système de défense à l'extrémité est de la Suisse.

The Rhine Valley with Mt. Gonzen
If we were to go on a few hundred yards from here we would be abroad – in the Principality of Liechtenstein, a country which has a lot in common with Switzerland. Here we are on the right bank of the Rhine not far from the village of Fläsch, and somewhat below the historical pass of Luziensteig.
The mountain which rises so imposingly from the broad valley is on the other side of the Rhine. It is Mt. Gonzen, just over 6,000 ft high, near the foot of which lies the small town of Sargans, with its proud castle. The mountain is interesting for various reasons. Until recently it was a source of iron ore, but its main importance is as a strategic key to the military defence system of eastern Switzerland.

◄ Alvier
Wir sind dem Rhein weiter talwärts gefolgt, wo er bereits die Schweiz vom Fürstentum Liechtenstein scheidet. Bei Trübbach haben wir das Rheintal auf die Schweizer, präziser gesagt auf die St. Galler Seite verlassen, hinauf nach Azmoos, und haben den Gonzen bestiegen, der auf dieser Flanke keineswegs furchterregend aussieht, aber dennoch eine prachtvolle Aussicht bietet.
Der Felsenkamm, den das Bild zeigt, ist der Alvier, wie er sich im Abstieg vom Gonzen darbietet. Allerdings: die besondere Aufnahme wurde auch durch besondere Bedingungen ermöglicht. Eine ausgeprägte Föhnlage rückte den Berg im letzten Sonnenlicht in überraschende Nähe. Der Alvier, der mit seiner höchsten Erhebung 2345 m erreicht, bildet die markante Fortsetzung der Churfirsten in östlicher Richtung.

◄ L'Alvier
Nous avons remonté la vallée du Rhin, à l'endroit où il sépare déjà la Suisse de la principauté du Liechtenstein. Près de Trübbach, nous avons quitté la vallée sur le côté suisse, ou plus précisément sur le côté de St-Gall, pour remonter vers Azmoos ; puis, nous avons escaladé le Gonzen qui, sur ce flanc, n'a pas du tout l'air redoutable et offre cependant une vue merveilleuse.
Cette crête rocheuse, c'est l'Alvier, tel que l'on peut le voir en redescendant du Gonzen. La prise de vue doit toutefois son caractère particulier à des conditions spéciales. Un fort temps de foehn semble faire avancer la montagne dans les dernières lueurs du couchant. L'Alvier, dont le plus haut sommet atteint 2345 m, forme, vers l'est, la suite marquante des Churfirsten.

◄ Alvier
We have followed the Rhine downstream to the point where it forms the frontier between Switzerland and Liechtenstein. From Trübbach we left the Rhine Valley, and via Azmoos, climbed Mt. Gonzen (see previous picture). From this side Mt. Gonzen does not look nearly as awesome, but it does provide a splendid view, as our picture shows.
The rocky ridge is called Alvier. It is only fair to point out that this particular photograph was taken under very favourable conditions. The föhn wind had cleared the air with the effect of bringing the whole ridge, bathed in the evening sunlight, optically much closer. Alvier, which is 7,700 ft at its highest point, forms a striking east-west rampart.

Cavlocosee
Um vom Engadin zu sprechen, beginnen wir richtigerweise an seinem obersten Punkt. Passhöhen können sehr verschiedene Gesichter haben. Wenn man vom Bergell her Maloja in 1815 m Höhe erreicht, hat man nach der Überwindung einer fast atemberaubenden Steilrampe die Gewissheit, auf einer Passhöhe zu sein. Aber die Neigung ins Engadin ist so zahm, dass man kaum von einem Pass zu sprechen geneigt ist.
Doch Maloja ist ein reizvoller Flecken, und zwar im Sommer wie im Winter. Noch reizvoller ist seine Umgebung. Wer eine gute Stunde in südlicher Richtung bergan wandert, sieht unvermutet den Cavlocosee vor sich, dessen Ufer von keinem menschlichen Eingriff befleckt sind. Von hier aus bieten sich dem forschen Gänger lockende Ziele an. Sei es empor zur Forno-Hütte (2574 m), die ein grossartiges Tourengebiet erschliesst, oder der lange, recht harte Marsch über den Murettopass hinüber ins Veltlin bis nach Sondrio.

Le lac de Cavloco
Pour parler de l'Engadine, nous commençons, comme il se doit, par son point supérieur. Les cols peuvent avoir des aspects différents. Si, parti du Bergell, on atteint, à Maloja, une hauteur de 1815 m, on a, après avoir franchi une paroi vertigineusement raide, la certitude de se trouver sur un col. Mais la pente en direction de l'Engadine est si faible que l'on ose à peine parler de col. Maloja est un coin charmant, été comme hiver. Sa région est encore plus belle. Si l'on fait une bonne marche d'une heure vers le sud, on rencontre tout à coup le lac de Cavloco dont les rives n'ont pas été touchées par la main de l'homme.
Un marcheur décidé peut, de là, choisir plusieurs buts de promenade prometteurs. Que ce soit la cabane de Forno (2574 m) à partir de laquelle on peut faire toute une série de tours magnifiques, ou bien la longue et rude marche empruntant le col de Muretto pour rejoindre Sondrio dans le Valtellina.

Lake Cavloco
When describing the Engadine, it is best to start at the most southerly point. Here we find a good illustration of how the character of a pass can vary. When you reach Bergell (the Bregaglia Valley) at an altitude of 5,953 ft, coming from Maloja after an almost breathtakingly steep gradient, you have no doubt that you are at the top of a pass. Then the descent into Engadine is so gentle that you do not feel that you are on a pass road at all.
Maloja is a charming spot in summer and in winter, and the surrounding countryside is even more delightful. A good hour's walk uphill to the south brings you suddenly to Lake Cavloco, whose shores have so far not been spoiled. The hardy walker has a whole range of routes to choose from here: up to the Forno Hut (8,443 ft), for instance, which is the starting point for some magnificent tours, or the long and tough route over the Muretto Pass towards Sondrio in the Veltlin Valley.

Sils
Der Inn hat seinen langen, langen Lauf, der am Piz Lunghin beginnt und bei Passau in der Donau endet, begonnen. Zunächst durchfliesst er das Oberengadin, das durch seine herbe Schönheit Weltruf erlangt hat. Hier hat er den Silsersee bereits verlassen und strebt dem Silvaplanersee zu. Diese Seelandschaft hat Maler wie Segantini angezogen, aber auch Friedrich Nietzsche fand auf der Halbinsel Chasté arbeitsgesegnete Zuflucht. Sein einstiges Wohnhaus ist noch heute als Museum und Herberge für Studenten erhalten.
Das Dorf Sils, genauer Segl Baselgia, fügt sich in vollendeter Harmonie in die Landschaft ein. Hier mündet auch das Fextal, das um seiner Unberührtheit willen von naturverbundenen Menschen gerühmt wird. Der Piz de la Margna (3159 m) rundet das Bild in imposanter Weise.

Sils
L'Inn a commencé son long cours au Piz Lunghin pour finir dans le Danube, à Passau. D'abord, il traverse la Haute-Engadine dont la rude beauté est mondialement connue. Ici, il a déjà quitté le lac de Sils et se dirige vers le lac de Silvaplana. Ce paysage lacustre a attiré des peintres comme Segantini, et Friedrich Nietzsche trouva, lui aussi, sur la presqu'île de Chasté une retraite laborieuse. Son ancienne demeure est aujourd'hui un musée et abrite aussi des étudiants de passage.
Le village de Sils, plus précisément Segl Baselgia, s'harmonise parfaitement avec le paysage. C'est ici que débouche aussi le Val Fex, particulièrement apprécié des amis de la nature pour son caractère naturel intact. Le Piz de la Margna (3159 m) complète harmonieusement le paysage.

Sils
The Inn has begun its long course which starts at the Piz Lunghin and ends in the Danube at Passau in Bavaria. First it flows through the Upper Engadine, an area world famous for its austere beauty. Here it has already passed through Lake Sils, and is flowing towards Lake Silvaplan. This lake landscape has attracted many painters, one of the best-known being Segantini; and Friedrich Nietzsche, too, stayed and worked here during the summers of 1881–1888; the house he lived in is now a museum and student hostel. The village of Sils – or, as it is locally called, Segl Baselgia, merges perfectly with the countryside. The Valley of the Fex, which joins the Inn here, is a favourite among people seeking unspoilt country. Piz de la Margna (10,362 ft) rises majestically in the background.

► Ova dal Vallun – Julierpass
In Silvaplana, am unteren Ende des gleichnamigen Sees, zweigt der Julier links ab und strebt sogleich in strengen Kurven bergwärts. Dieser Pass, der das Engadin mit Mittelbünden verbindet, ist sicher einer der traditionsreichsten Alpenübergänge. Sein Ursprung verliert sich in sagenhafter Vergangenheit, aber keineswegs sagenhaft, sondern geschichtlich belegbar ist die Bedeutung, die ihm zur Römerzeit zukam. Auf der Passhöhe (2264 m) zeugen die Säulen aus Speckstein deutlich dafür. Es sind Bruchstücke einer einzigen Säule, die vermutlich dem Kaiser Augustus geweiht war.
Abseits der vielbefahrenen Passstrasse hat sich das lebhafte Bergwasser Ova dal Vallun seinen eigenen Weg gebahnt, der von unwirtlichen Steinwüsten in prächtige Lärchenwälder hinabführt. Im Hintergrund erkennen wir den Piz Corvatsch (3451 m), der seit der Erschliessung durch die Bahn von Surlej aus wohl der meistbesuchte Gipfel des Engadins ist.

► Ova dal Vallun – Le col du Julier
A Silvaplana, à l'extrême pointe du lac de même nom, le Julier tourne à gauche et monte à l'assaut de la montagne, en virages impressionnants. Ce col qui relie l'Engadine aux Grisons moyens est certainement l'un des passages alpins le plus riche en traditions. Ses origines remontent à une époque légendaire ; cependant, l'histoire, et non plus la légende, témoigne de l'importance qu'il avait au temps des Romains. Au sommet du col (2264 m), les piles cylindriques de stéatite en sont la preuve évidente. Ce sont les tronçons d'une colonne unique, dédiée, pense-t-on, à l'empereur Auguste.
A l'écart de la route du col très fréquentée, l'impétueux torrent d'Ova dal Valluns s'est creusé son propre chemin, qui conduit d'un désert de pierrailles aride à de magnifiques forêts de mélèzes. A l'arrière-plan, nous reconnaissons le Piz Corvatsch (3451 m) qui est le sommet le plus visité de l'Engadine depuis l'aménagement de la ligne de Surlej.

► Ova dal Vallun – Julier Pass
In Silvaplana, at the lower end of the lake of the same name, the road to the Julier Pass turns off left and immediately starts to snake its way steeply uphill. This pass, which connects Engadine with central Grisons, is certainly one of the most traditional Alpine passes. Its origins lie far back before recorded time, but from the Roman period onwards its history is documented. The soapstone pillars at the top of the pass (7,426 ft) are of Roman provenance. They are parts of a single column that was probably dedicated to Emperor Augustus.
The lively mountain stream Ova dal Vallun, shown in our picture, has carved its own way downwards to one side of the busy pass road from the arid, stony heights to these lovely larch woods. In the background is Piz Corvatsch (11,320 ft), which, since it has been made more accessible by the railway from Surlej, is probably Engadine's busiest peak.

◀ Albula – Dschimels
Der Name Albula ist gefallen. Ein vielschichtiger Begriff! Ein Bergwasser, ein Tal, ein Bahntunnel, aber vor allem auch eine der schönsten Passstrassen der Schweiz. Bereits Bergün, romanisch Bravuogn, auf 1367 m, der eigentliche nördliche Ausgangspunkt des Albulapasses, lohnt mit seinem prächtigen Dorfbild einen Besuch. Dann fährt man bergwärts, über den Flecken Preda hinaus, und erreicht in weiten Schleifen den Palpuognasee, der für seinen Forellenreichtum bekannt ist. Passaufwärts fahrend hat man die imposanten Spitzen des Piz Dschimels (2782 m) vor sich, denen wir uns über Crap Alp genähert haben. Die Namen machen es deutlich: wir befinden uns wieder in einem rein romanischen Sprachgebiet und können uns mit dem besonderen Wohllaut der schweizerischen Quarta-Lingua vertraut machen.

◀ Albula – Dschimels
Nous avons évoqué Albula. C'est un concept multiple : un torrent montagnard, une vallée, un tunnel ferroviaire, mais surtout une des plus belles routes de col de la Suisse. Bergün, Bravuogn en romanche, situé à 1367 m de hauteur, la véritable pointe nord du col de l'Albula, mérite que l'on visite sa magnifique architecture urbaine. Puis, on remonte, en passant par le hameau de Preda pour accéder, sur une route en lacets, au lac de Palpuogna, célèbre pour ses truites. En remontant le col on a, devant soi, les pointes imposantes du Piz Dschimels (2782 m) que nous avons approché, en passant par Crap Alv. Ces noms indiquent que nous nous trouvons en pays purement romanche, et nous pouvons nous familiariser avec cette quatrième langue suisse.

◀ Albula – Dschimels
We have already mentioned Albula, a name that can mean many things: a mountain stream, a valley, a railway tunnel, and, above all, one of the finest pass roads in Switzerland. On your way there it is well worth stopping at Bergün – Bravuogn in Romansh – which, at 4,484 ft, represents the northerly beginning of the Albula, and is a most attractive village. The road climbs up to the hamlet of Preda, and on to Lake Palpuogna, renowned for its trout. Further up still we come to a point where we can see the imposing peak of Piz Dschimels (9,125 ft), which we have approached via Crap Alp. The names betray the fact that we are again in a Romansh-speaking area and can enjoy the special character and sound of this fourth official language.

Albulapass
Wir haben die Passhöhe bereits überschritten und schauen zurück zum Berggasthaus auf 2313 m Höhe. Auch hier, wie so oft, belebt ein See, der die Strasse säumt, die Steinwüste der Passhöhe. Wenn wir weiterrollen, dem Engadin entgegen, empfiehlt es sich, vorsichtig zu fahren; denn recht oft rennt Ihnen ein Murmeltier über den Weg. Wenn nicht, halten Sie dort einen Augenblick an, wo ein langes Geländer die Strasse talwärts absichert, und Sie schauen auf den Weideboden hinab. Ziemlich sicher werden Sie von dort aus die drolligen Miniaturbären bei Frass und Spiel und Kampf beobachten können. Nach dieser Pause fahren Sie vergnügt an rauschenden Wassern und schönen Lärchenwäldern vorbei dem Engadin entgegen, das Sie in La Punt erreichen.

Le col d'Albula
Nous avons dépassé les limites du col et apercevons derrière nous l'auberge montagnarde située à 2313 m de hauteur. Ici, comme souvent, un lac, en bordure de la route, anime le désert pierreux du col. Il faut être prudent pour continuer à rouler en direction de l'Engadine ; car une marmotte traverse assez souvent votre route. Sinon, arrêtez-vous un moment à l'endroit où un long parapet longe la route et plongez vos regards vers les pâturages. Vous pourrez très certainement observer les drôles d'ours miniatures en train de manger, de jouer ou de se battre. Après cette récréation, vous croiserez en chemin des cascades bruissantes et de belles forêts de mélèzes, en roulant vers l'Engadine que vous rejoindrez à La Punt.

Albula Pass
We have already crossed the top of the pass and are looking back at the Guest House at 7,587 ft. As in so many places in the Alps, a lake adds perspective to the scenery stretching out here in a stony waste along the road. Driving on towards Engadine, it is better to go carefully in view of the marmots that often scamper across the road. If you do not see one on the road, stop for a while at the point where a long balustrade lines the valley-side of the road, and look down at the meadows. You will almost certainly catch sight of the comical little creatures grazing and playing. From this point on it is a charming drive along a noisy stream and past lovely larch woods towards Engadine, which you reach at La Punt.

◄ Piz Bernina – Piz Roseg
Von Silvaplana aus führt ein traumhafter Pfad – für einmal sei die Bezeichnung gestattet – hinüber nach Pontresina: die Fuorcla Surlej, die auf 2755 m hinaufführt. Aber jede Mühe wird entschädigt durch Ausblicke, wie wir einen davon hier im Bild haben. Links erkennen wir den Piz Bernina, mit 4049 m der höchste Gipfel des Bündnerlandes. Das weisse Band, das sich über den Felsen zum Gipfel hinaufzieht, ist für unzählige Alpinisten auch ein Traumpfad: der Biancograt. Aber bei Sturm oder Vereisung ist er kein Traum mehr, oder doch sicher kein schöner. Es vergeht kaum ein Jahr, ohne dass er Opfer fordert. Rechts davon thront der Piz Roseg (3939 m), und die breite Zunge, die ins Tal hinunter leckt, ist der Tschiervagletscher mit seinen gewaltigen Seitenmoränen. Die Tschierva-Hütte, von der aus man – neben anderen Gipfeln – den Biancograt angeht, liegt auf dem rechten Ufer des Gletschers.

◄ Piz Bernina – Piz Roseg
A partir de Silvaplana, un sentier fabuleux – que l'on me permette cette expression – mène à Pontresina: la Fuorcla Surlej, qui grimpe à une hauteur de 2755 m. Mais la peine que l'on a, est récompensée par des points de vue tels que celui-ci. A gauche, nous reconnaissons le Piz Bernina : il est, avec ses 4049 m, le plus haut sommet du pays grison. Le ruban blanc qui grimpe jusqu'au sommet à travers les rochers est le chemin rêvé des alpinistes : le Biancograt. Toutefois, pendant les jours de tempêtes et de gel, il deviendrait plutôt un mauvais rêve. Il ne se passe pas d'année sans qu'il ne réclame de victimes. A droite trône le Piz Roseg (3939 m), et la large langue qui s'étire vers la vallée est le glacier de Tschierva avec ses puissantes moraines latérales. Le refuge de Tschierva, à partir duquel on attaque le Biancograt et d'autres sommets, se trouve sur la rive droite du glacier.

◄ Piz Bernina – Piz Roseg
There is a superb path leading across from Silvaplana to Pontresina: the Fuorcla Surlej, which takes you up to 9,036 ft. It is a strenuous walk, but the effort is amply repaid by views like the one in our picture. On the left is Piz Bernina, the highest mountain in the Grisons (13,281 ft). The white band that runs up the left-hand ridge to the peak, the Biancograt, is a dream route for countless alpinists. But it can be a nightmare in a storm: hardly a year passes without it claiming at least one victim. To the right is Piz Roseg (12,920 ft), and the broad tongue of ice stretching down into the valley is the Tschierva Glacier, with its tremendous lateral moraines. The Tschierva Hut, from which the Bianco Ridge and other peaks can be climbed, is on the right-hand side of the glacier.

◀ Morteratschgletscher
Welches ist die schönste Jahreszeit im Engadin? Wenn wir dieses Bild betrachten, fällt es nicht schwer, eine Antwort zu finden. Wer Sinn hat für Kontraste und Farben, erfährt im Herbst die beglückendsten Tage. Selbst wenn man es längst weiss: das Gold der Lärchen überrascht immer wieder.
Wir haben das Haupttal des Inn verlassen und sind über Pontresina hinaus vorgestossen, obschon der stattliche Ort mit seinen 1800 Einwohnern und der traditionellen Gastlichkeit einen Aufenthalt durchaus lohnt. Bald haben wir das Bild vor uns: den Morteratschgletscher, der aus der Eiswelt zwischen Piz Bernina – auf dem Bild ganz rechts – und Piz Palü (3909 m) ganz links herabströmt. Die Boval-Hütte (2495 m), in zwei strengen Stunden von Morteratsch her erreichbar, erleichtert den Zugang zu den höchsten Regionen Graubündens.

◀ Le glacier de Morteratsch
Quelle saison est la plus belle dans l'Engadine ? En regardant cette image la réponse nous vient facilement. Si l'on a le sens des contrastes et des couleurs, c'est en automne que l'on y sera le plus heureux. Même si on le savait déjà : l'or des mélèzes provoque toujours le même enchantement.
Nous avons quitté la vallée principale de l'Inn et nous avons dépassé Pontresina, bien que cette grosse bourgade de 1800 habitants, traditionnellement hospitalière, mérite bien que l'on y séjourne plus longuement. Et bientôt, nous y voilà : le glacier de Morteratsch qui s'écoule du monde glaciaire, situé entre le Piz Bernina, à l'extrème droite, et le Piz Palü (3909 m), tout à gauche. Le refuge de Boval (2495 m) que l'on atteint après deux bonnes heures de marche, au départ de Morteratsch, facilite l'accès vers les régions supérieures des Grisons.

◀ Morteratsch Glacier
What is the finest season in Engadine? Looking at this picture makes the answer easy. For anyone who enjoys contrast and colour, autumn provides the greatest delights. The golden foliage of the larches is a fresh surprise every time. We have left the main valley of the Inn, and have reluctantly passed through Pontresina, for this sizeable place with its 1,800 inhabitants and traditional hospitality would be a pleasant place to stay in. Soon afterwards we have this view before us: Morteratsch Glacier, which flows out of the icy wastes between Piz Bernina – on the extreme right of the picture – and Piz Palü (12,822 ft) on the extreme left. The Boval Hut (8,184 ft), two hard hour's walk from Morteratsch, gives easier acces to the highest regions in the Grisons.

Piz Palü
Dieses Bild müsste eigentlich vom Fotografen selbst kommentiert werden. In trübseliger Stimmung und bei noch trüberem Wetter fuhr er von Pontresina aus den Berninapass aufwärts. Bei der Talstation der Diavolezzabahn parkte er, und fast zum Trotz liess er sich durch strömenden Regen und Donnergepolter bergwärts tragen schier ohne Hoffnung auf eine gelungene Aufnahme. Und da, oben bei der Bergstation, geschah das Wunder: plötzlich wurde das schwarze Gewölk von der Abendsonne durchbrochen, und sie goss ein Licht aus . . . Nun, es wäre naiv, dieses Licht beschreiben zu wollen. Der Piz Palü war nicht mehr eine „weisse Hölle", wie es ein berühmter Filmtitel haben will, sondern ein Farbenspiel, das den Optimismus des Fotografen reichlich belohnte – und uns alle damit.

Piz Palü
Cette photo devrait être commentée par le photographe lui-même. De médiocre humeur et par temps plus médiocre encore, il remonta le col de la Bernina, à partir de Pontresina. Il laissa sa voiture à la station du téléphérique de la Diavolezza, située dans la vallée et, presque par défi, il se fit transporter sur les hauteurs sous la pluie et dans le vacarme du tonnerre, sans le moindre espoir de pouvoir prendre une photo réussie. Et, là-haut, sur la haute station de montagne, ce fut le miracle : soudain, les nuages noirs furent percés par le soleil qui répandit sa lumière ... Il serait bien naïf de vouloir décrire cette luminosité. Le Piz Palü n'était plus cet « enfer blanc » tel que le caractérise le titre célebre d'un film, mais un jeu de couleurs qui récompensa largement l'optimisme du photographe et nous du même coup.

Piz Palü
This shot should really be commented on by the photographer. He left Pontresina in bad weather and in a bad mood, and drove up towards the Bernina Pass. He parkec his car at the bottom of the Diavolezza cable-car, and in a fit of defiance took a car to the top through the storm without really having any hope of getting a decent shot. And at the top the miracle happened: the black clouds were suddenly pierced by the evening sun, and a light effect was created which . . . well, it would be foolish to try and describe it.
The Piz Palü was no longer a "White Hell", as a famous film title has it, but a display of colours which more than repaid the photographer – and us, too – for his perseverance.

Guarda – Val Tuoi
Nun haben wir das Unterengadin erreicht. Zunächst haben wir Guarda am linken Talhang aufgesucht, ein Dorf, dem das Glück zuteil wurde, von allen Zerstörungen verschont geblieben zu sein. Dadurch hat es in seinen Häusern, aber auch in seinen Menschen eine Kultur und eine Harmonie erhalten, die der Besucher sogleich wohltuend empfindet. Guarda ist übrigens die Heimat von Selina Chönz, der Dichterin des weltweit bekannt gewordenen „Schellen-Ursli“ und seiner Nachfolger, die von Alois Carigiet in unnachahmlicher Weise illustriert wurden. Aber wir sind bereits über das Dorf hinaus vorgestossen ins Val Tuoi, der schäumenden Clozza entlang. Im Talabschluss trotzt der Piz Buin (3312 m), über dessen Gipfel die Grenze zu Österreich verläuft, und dahinter öffnet sich das weite Silvretta-Gebiet, das durch die Tuoi-Hütte (2250 m) zugänglich gemacht wird.

Guarda – Val Tuoi
Nous sommes maintenant dans la Basse-Engadine. D'abord, nous sommes allés rendre visite à Guarda, sur la pente gauche de la vallée, un village qui a eu la chance d'échapper à toutes les destructions. C'est pourquoi il a gardé dans ses maisons et aussi auprès de ses habitants une culture et une harmonie qui enchantent le visiteur. Guarda est d'ailleurs le village natal de Selina Chönz, la poétesse du mondialement célèbre « Schellen-Ursli » et de ses descendants, magistralement illustrés par Alois Carigiet. Mais nous avons déjà dépassé le village pour pénétrer dans le val Tuoi, en suivant le cours écumant de la Clozza. Au bout de la vallée, surgit le fier Piz Buin (3312 m) sur le sommet duquel court la frontière autrichienne, et à l'arrière s'ouvre le vaste domaine de la Silvretta où l'on peut accéder à partir du refuge de Tuoi (2250 m).

Guarda – Tuoi Valley
We have now arrived in Lower Engadine. First we visited Guarda, on the left side of the valley, a village that has been completely preserved in its original state. The long cultural tradition appears to have "rubbed off" on the people here, who seem particularly cultivated and well-balanced. Guarda, by the way, was the hometown of Selina Chönz, writer of the world-famous "Schellen-Ursli" and its sequels, which were illustrated so brilliantly by Alois Carigiet. But we have already passed on into the Tuoi Valley, following the foaming Clozza. At the end of the valley rises Piz Buin (10,863 ft) – the border to Austria runs across its peak – and behind it is the Silvretta region, which can be explored from the Tuoi Hut (7,380 ft).

► S-chanf
Eine völlig andere Stimmung. Kalt ist der Himmel, kalt wirkt das Tal, und trotzdem weilen wir immer noch im Oberengadin. Der wasserarme Inn beweist, dass wir uns im tiefen Winter befinden, und die untergehende Sonne vermag der Landschaft nur noch spärliche Lichter aufzusetzen.
Das Dorf im Vordergrund: S-chanf, ein typisches Strassendorf, das den Passanten aber mit seiner klassischen Dorfanlage, zusammengesetzt aus würdigen Bürger- und eigenartigen Bauernhäusern, entschädigt. Es liegt am Ausgang des wildreichen Val Trupchun, das zum schweizerischen Nationalpark gehört.
Im Hintergrund erkennen wir Zuoz, das einst Hauptort des Oberengadins war. Aber noch heute ist es eines der am besten erhaltenen Engadiner Dörfer. Die prachtvollen Häuser – fast muss man von Palästen sprechen – der früher einflussreichen Bündner Familien machen aus Zuoz ein Musterbeispiel bündnerischer Wohnkultur. In Zuoz findet sich auch das Liceum Alpinum, das über die Landesgrenzen hinaus einen guten Namen geniesst.

► S-chanf
Voilà une atmosphère tout à fait différente. Le ciel est froid tout comme la vallée, et pourtant nous sommes encore dans la Haute-Engadine. Les maigres eaux de l'Inn indiquent que nous sommes en plein cœur de l'hiver, et le soleil couchant éclaire chichement le paysage.
Le village à l'avant-plan : S-chanf, un village-rue typique qui dédommage, cependant, le passant par son agencement classique : de nobles demeures bourgeoises et des maisons paysannes à l'aspect particulier. Il se trouve à la sortie du Val Trupchun, riche en gibier, faisant partie du Parc national suisse.
A l'arrière-plan, nous reconnaissons Zuoz, l'ancien chef-lieu de la Haute-Engadine. Aujourd'hui c'est l'un des villages engadinois les mieux conservés. Les somptueuses demeures – on devrait presque dire: palais – où habitaient autrefois les familles grisonnes influentes font de Zuoz l'exemple type de l'habitat grison. A Zuoz, se trouve aussi le Liceum Alpinum dont la renommée dépasse les frontières du pays.

► S-chanf
Here we have a completely different atmosphere. Cold sky, cold valley – and yet we are still in Upper Engadine. The low level of the Inn shows that we are in the depths of winter here and the setting sun has little power to pick out highlights in the landscape.
The village in the middle distance is S-chanf, a typical Franconian-type village stretched out along the road, and consisting of dignified burgher's houses and farmhouses full of character. It lies at the mouth of the Val Trupchun, which is part of the Swiss National Park, and is teeming with game.
In the background is Zuoz, once the capital of Upper Engadine. It is still one of the best preserved of the Engadine villages. The splendid houses – they could almost be called palaces – of formerly influential Grisons families make Zuoz a picturebook example of traditional Grisons culture. The Liceum Alpinum, which enjoys an international reputation, is also in Zuoz.

►► Samnaun
Bei Finstermünz verlässt der Inn die Schweiz, hinüber ins Nachbarland Österreich, Innsbruck entgegen. Aber vorher, nach Martinsbruck/Martina, zweigt eine Strasse links ab, die in recht abenteuerlicher Fahrt auf 1835 m hinaufführt ins Tal von Samnaun, das mit seinen Nebenweilern 600 Einwohner aufweist. Bevor im Jahre 1912 diese 14 km lange Strasse gebaut wurde, war Samnaun von der Schweiz aus überhaupt nicht zugänglich und fast so etwas wie verwunschenes, verlorenes Land. Daher war es Zollausschlussgebiet und ist es bis heute geblieben. Als Folge davon wurde es, wenigstens im Sommer, zum Rummelplatz für beutegierige Automobilisten.
Dem Tal wird damit Unrecht getan. Das Bild beweist es; ist es doch landschaftlich überaus reizvoll und bietet im Sommer wie im Winter prächtige Ziele. Hier ist ein früher Schnee in die herbstliche Landschaft gefallen, so dass sich der Schmelzkopf (2723 m) recht abweisend darbietet.

►► Samnaun
A Finstermünz, l'Inn quitte la Suisse pour passer chez son voisin autrichien, en direction d'Innsbruck. Mais, auparavant, après Martinsbruck/Martina, une route vire vers la gauche et grimpe aventureusement jusqu'à 1835 m dans la vallée de Samnaun qui, avec tous ses hameaux, compte 600 habitants au total. Avant la construction, en 1912, de cette route longue de 14 km, Samnaun n'était pas du tout abordable par la Suisse, et c'était, en quelque sorte, un pays perdu. C'est pourquoi cette région jouissait d'une franchise de douane qu'elle a gardée aujourd'hui encore. Il en résulte que des automobilistes profiteurs s'y rassemblent, en été du moins.
Cela lui vaut fort mauvaise réputation. Et pourtant on voit bien que le paysage y est attrayant et plein de ressources, été comme hiver. Ici, une neige précoce a recouvert le paysage automnal ce qui donne un air rébarbatif au Schmelzkopf (2723 m).

►► Samnaun
The Inn leaves Switzerland at Finstermünz, flowing into Austria towards Innsbruck. But before the border, after Martinsbruck/Martina, a road turns off left and takes you via some hair-raising bends up to Samnaun at over 6,000 ft. Samnaun, which, together with the surrounding area, has a population of 600, was not accessible from Switzerland at all until 1912, when the 8-mile road was built, and was therefore a kind of magical, lost patch of territory. For that reason it was also a duty-free area, and has remained so to this day, so that, in summer, at least, it has become a stamping ground for bargain-hunting motorists.
The valley deserves better than this, as our picture shows. It is a beautiful area in summer and winter. Here there has been an early fall of snow in autumn so that Schmelzkopf (8,931 ft), looks rather forbidding.

ASA
VALBELLA

Tarasp
Schuls, romanisch Scuol, Tarasp und Vulpera stellen touristisch gesprochen eine Einheit dar, die durch ihre Heilquellen und Hotels einen vorzüglichen Ruf geniesst. Aber wer Inn-abwärts fährt, wird zunächst von einem imposanten Bau gefesselt, der auf einem Felskopf thront und fast das ganze Unterengadin überblickt: Schloss Tarasp!
So bewegt wie die Geschichte Graubündens ist auch die Vergangenheit dieses Bauwerks. Gegründet wurde das Schloss in grauer Vorzeit vermutlich von einem Vintschgauer Adelsgeschlecht, das damit Macht und Machtwillen in Stein demonstrierte. Den freiheitsliebenden Bündnern war diese Feste ein Dorn im Fleisch, sie wurde verschachert und zeitweilig sogar als Steinbruch benützt. Erst Ende des 19. Jahrhunderts fand es in dem Dresdener Grossindustriellen Lingner einen Besitzer, der die Einzigartigkeit des Sitzes zu würdigen wusste. Er erwarb das Schloss samt Umgelände und liess es, genau nach dem überlieferten Vorbild, in neuem Glanze erstehen. Es ist bewohnbar und dem Besucher zugänglich.

Tarasp
Schuls, Scuol en romanche, Tarasp et Vulpera forment un ensemble touristique réputé pour ses sources thermales et ses hôtels. Mais, si l'on descend le long de l'Inn, on est d'abord fasciné par une imposante construction trônant sur un piton rocheux, surplombant presque toute l'Engadine le château de Tarasp !
Son passé est aussi mouvementé que l'histoire des Grisons. Le château fut construit, à une époque reculée, sans doute par une famille noble du Vintschgau qui manifestait, dans la pierre, sa puissance et sa volonté de puissance. Cette forteresse était comme un couteau remué dans la plaie des Grisons épris de liberté ; elle fut démantelée et l'on s'en servit même de carrière. Ce n'est qu'à la fin du 19ème siècle qu'elle trouva acquéreur en la personne d'un riche industriel de Dresde, Lingner, qui sut estimer l'originalité de ce lieu. Il acheta le château et son domaine, et le fit reconstruire d'après les anciens plans. Il est habitable et on peut le visiter.

Tarasp
Schuls – Scuol in Romansh – Tarasp, and Vulpera form a single unit from the tourist point of view, and enjoy an excellent reputation based on their mineral waters and hotels. As you travel downstream along the Inn, your attention is immediately attracted by a striking building enthroned on a rocky outcrop from which the whole of Lower Engadine can be surveyed: it is Schloss Tarasp.
The turbulent history of the Grisons is reflected in this castle. It is presumed to have been founded by a noble Vintschgau family: a demonstration of power in stone.
It was a thorn in the side of the freedom-loving Grisons people, was sold, and at times even used as a quarry.
It was not until the end of the 19th century that, in the Dresden industrialist Lingner, it found an owner who appreciated its unique character. He had it restored to its original glory. It is still occasionally lived in, and is open to the public.

► Sertigpass
Ein freundlicher Wanderweg, an dessen Rand die vertraute weiss-rote Markierung, die den Berggänger zuversichtlich stimmt und die er – vor allem im Nebel – oft verzweifelt sucht und freudig willkommen heisst.
Wohin weist sie, diese Markierung? Von Davos-Frauenkirch sind wir aufgebrochen, hinein ins Sertigtal. Oberhalb des Sertig Dörfli auf 1860 m Höhe sind wir abgeschwenkt ins Chüealptal, und wenn wir der Markierung weiter folgen, gelangen wir über den Sertigpass (2739 m) hinüber ins Val Funtauna, dessen Wasser schliesslich im Inn münden. Sozusagen parallel dazu, von Davos Dorf aus, erreicht der Scalettapass durch das Dischmatal dasselbe Ziel .
Im Chüealptal haben wir uns einen Blick rückwärts gegönnt und das Alplihorn und das Leidbachhorn – beides knappe Dreitausender – ins Auge gefasst.

► Le col de Sertig
C'est un sentier de randonnée sympathique marqué de ces signes blanc-rouge bien connus qui rassurent le marcheur, qu'il cherche désespérément, surtout dans le brouillard, et qu'il retrouve avec joie.
Quel chemin indique-t-elle, cette démarcation ? Nous sommes partis de Davos-Frauenkirch, en direction du Sertigtal. Au-dessus du petit village de Sertig nous avons tourné vers le Chüealptal, et si nous continuons à suivre la démarcation, nous atteindrons le col den Sertig (2739 m) pour passer dans le Val Funtauna dont les eaux s'écoulent dans l'Inn. Parallèlement en quelque sorte, à partir de Davos-Village, on rejoint le même but par le col de Scaletta et par le Dischmatal.
A Chüealptal, nous nous sommes permis de jeter un regard en arrière pour admirer l'Alplihorn et le Leidbachhorn qui atteignent tous deux les 3000 m.

► Sertig Pass
A pleasant path for walking, with the trusty white and red mark at the wayside which gives the mountain walker confidence and which – especially in fog – he often desperately seeks and rejoices to find.
Where does this mark point to? We started out from Davos-Frauenkirch and walked up into Sertig Valley. Above the village of Sertig Dörfli at 6,100 ft, we turned off into Chüealp Valley, and if we now follow the marks we will cross Sertig Pass (8,984 ft) into Val Funtauna, whose stream flows into the Inn. The same goal can be reached from Davos Dorf via the Scaletta Pass in the parallel Dischma Valley. In Chüealp Valley we have cast a glance backwards and are looking at Alplihorn and Leidbachhorn, both getting on for 10,000 ft.

◀ **Sulzfluh**
Was ist wichtiger: der Berg oder die Hütte? – Diese Frage entscheidet die persönliche Veranlagung und oft auch das Wetter. Der Berg: die Sulzfluh (2817 m); mit ihrem sichtbar griffigen Fels ist sie für jeden Kletterfreudigen eine Herausforderung. Sie ist einer jener Gipfel, die unter der Bezeichnung „Rhätikon“ zusammengefasst werden und die häufig die Grenzscheide zwischen Vorarlberg, der Schweiz und Liechtenstein bilden.
Die Hütte: die Gerschina-Hütte (2221 m), die von St. Antönien her in zweieinhalb Stunden erreichbar ist und die prächtige Gipfel und Übergänge erschliesst. Aber wer weiss schon, wo St. Antönien liegt? St. Antönien ist mehr eine Talschaft als ein Dorf, die in einer Höhe von rund 1500 m liegt; eine typisch walserische Streusiedlung, häufig von Lawinen bedroht und von Küblis im Prättigau auf einer zuweilen etwas kitzligen Strasse erreichbar.

◀ **La Sulzfluh**
Qu'est-ce qui a le plus d'importance : la montagne ou le refuge ? C'est une question de tempérament et aussi de conditions atmosphériques. La montagne, la Sulzfluh (2817 m) dont la roche offre de nombreuses prises, lance un défi à tout alpiniste. Elle est un de ces sommets appelés globalement « le Rhätikon » (Alpes rhétiques), qui forment souvent la frontière entre le Vorarlberg, la Suisse et le Liechtenstein.
Le refuge de Gerschina (2221 m) que l'on peut rejoindre en deux heures et demie à partir de St-Antönien et qui ouvre l'accès à des sommets et des passages magnifiques. Mais qui sait où se trouve St-Antönien ? C'est plus une vallée qu'un village, située à une hauteur de 1500 m : un habitat dispersé typique des Walser, souvent menacé par les avalanches, et auquel l'on peut accéder, en partant de Küblis en Prättigau, sur une route qui vous donne souvent le frisson.

◀ **Sulzfluh**
What is more important: the mountain or the Hut? – This can only be given a subjective answer, and this, in turn, is often decided by the weather. The mountain (Sulzfluh: 9,240 ft), with its rough surface rock is clearly a challenge to every rock-climber. It is one of the peaks that are often collectively called the "Rhätikon", and that form the border between Vorarlberg, Switzerland, and Liechtenstein at a number of places.
The Hut is the Gerschina-Hütte (7,285 ft), which can be reached in two and a half hours from St. Antönien and gives access to the whole area. But who knows where St. Antönien is? St. Antönien is more a whole valley than a village, and lies at an average altitude of about 4,900 ft; it is a typical Valaisan village, scattered over a wide area, frequently threatened by avalanches, and accessible from Küblis in Prättigau on a road that is quite tricky at times.

Wiesner Alp
Man nennt den Kanton Graubünden das Land der hundert Täler. Das ist sicher eine etwas oberflächliche Zählung, aber sie weist deutlich und mit vollem Recht auf die Vielgestaltigkeit dieser Alpenregion hin. Hier befinden wir uns im Tal des Landwassers, das vom Davoser Hochtal der Albula zustrebt und das durch die grossartige Anlage der Rhätischen Bahn dem Verkehr erschlossen wurde und deren kühne Brücken noch heute Bewunderung finden.
Allerdings: hier befinden wir uns nicht mehr im Tal, sondern hoch darüber. Die Station Wiesen im Talgrund liegt auf 1197 m, das Dorf, auf guter Fahrstrasse auch von Tiefencastel her erreichbar, liegt bereits zwischen prachtvollen Tannen- und Lärchenwäldern auf 1450 m. Aber der Fotograf ist noch einmal 500 m hoch gestiegen, um den Frieden der Wiesner Alp für uns einzufangen.

L'Alpe de Wiesen
On appelle le canton des Grisons le pays aux cent vallées. C'est un compte assez superficiel mais il prouve, avec raison, la diversité de cette région alpestre. Ici, nous nous trouvons dans la vallée du Landwasser qui, à partir de la haute vallée de Davos, s'étire en direction de l'Albula ; la construction audacieuse de la ligne de chemin de fer rhétique a permis l'accès de cette région, et aujourd'hui encore, les ponts hardis de cette ligne sont dignes d'admiration.
Nous ne sommes pourtant plus dans la vallée mais très au-dessus. La station Wiesen, dans la vallée, est à une hauteur de 1197 m, et le village que l'on peut rejoindre sur une bonne route partant de Tiefencastel, se trouve déjà à une hauteur de 1450 m, au milieu de magnifiques forêts de sapins et de mélèzes. Le photographe poursuivit son escalade de 500 m pour nous faire connaître l'atmosphère paisible de l'alpe de Wiesen.

Wiesner Alp
The Canton of Grisons is called the country of the hundred valleys. This is certainly no more than a superficial count, but it does characterize the variety of scenery to be found in the Alpine region. Here we are in the valley of the River Landwasser which flows towards the River Albula from Davos, and which was opened up for tourism by the Rhaetian Railways, an enterprising engineering feat whose bridges still excite admiration today.
However, here we are no longer in the valley, but high above it. Wiesen station down in the valley lies at 3,926 ft, while the village, which can also be reached by a good road from Tiefencastel, is at 4,756 ft in the midst of magnificent fir and larch woods. But the photographer climbed a further 1600 feet to capture the peace of the Wiesner Alp for us.

Soglio
Vom Engadin her erreichen wir über den Malojapass das Bergell, italienisch Bregaglia, eines der vier Täler, die zusammen Italienisch-Bünden bilden. Und fast an der italienisch-schweizerischen Grenze, bei dem Weiler Spino zwischen Promontogno und Castasegna, führt ein Strässchen hinauf nach Soglio. Eine seltsame Welt auf 1100 m Höhe mit südlicher Vegetation zwischen hochragenden Gipfeln. Die dicht zusammengedrängten Häuser und Ställe geben plötzlich den Blick frei auf den grossen Dorfplatz, der von den vornehmen Palazzi der alten Adelsfamilie Salis-Soglio umrahmt wird. Einer davon ist seit langem den Besuchern als Hotel geöffnet. Die Vornehmheit und Grosszügigkeit der Räume, die urtümliche Umwelt, die Grösse der Landschaft, all das macht aus Soglio ein Erlebnis besonderer Art, das unter vielen andern auch Segantini – in Soglio entstand sein Bild „Werden" – und Rilke als Beglückung empfanden.

Soglio
Depuis l'Engadine, en passant par le col de Maloja, on rejoint le Bergell, en italien Bregaglia, l'une des quatre vallées qui forment dans leur ensemble les Grisons italiens. Et tout près de la frontière italo-suisse, aux environs du hameau Spino situé entre Promontogno et Castasegna, une petite route conduit vers les hauteurs de Soglio. C'est un monde étrange, à une hauteur de 1100 m, recouvert, entre les hauts sommets, d'une végétation méridionale. Les maisons et les étables, étroitement serrées les unes aux autres, laissent entrevoir brusquement la grande place du village, qui est entourée par les élégants palazzi de la vieille famille noble de Salis-Soglio. L'un d'entre eux sert depuis longtemps d'hôtel où peuvent loger les visiteurs. La distinction et les proportions généreuses des salles, l'environnement authentique, la grandeur du paysage, font de Soglio un lieu privilégié qui a ravi, entre autres, Segantini (il y a peint son tableau « Devenir ») et Rilke.

Soglio
Coming from Engadine via Maloja Pass, we arrive in Bergell – Bregaglia in Italian – one of the four valleys that comprise Italian Grisons. And just before the Italian border at the hamlet of Spino, between Promontogno and Castasegna, a road turns off to Soglio. It brings us into a strange world at 3,600 ft with southern vegetation and surrounded by towering peaks. The houses and barns, huddled close together, suddenly make way for the large village square, framed with the elegant houses of the old aristocratic Salis-Soglio family. One of them has long been a hotel. The elegance and scale of the rooms, and the unspoilt majesty of the countryside, make Soglio a very special experience which Segantini – his picture entitled "Werden" (Becoming) was painted in Soglio – Rilke, and many others have enjoyed.

► Bondascatal
Wenn der Alpinist ans Bergell denkt, dann denkt er in der Regel an Klettereien. Und tatsächlich: der blanke, zuverlässige Granit bietet dem schwindelfreien Könner grossartige Möglichkeiten. Bereits weit unten im Bergell, bei Promontogno, zweigt das Bondascatal nach Süden ab.
Hier haben wir es im Bild, und der Talabschluss bietet eines der berühmtesten Klettergebiete, das wir bereits von Soglio aus betrachteten: die Sciora-Gruppe.
Aber schon der Aufstieg zur Sciora-Hütte (2117 m) ist keineswegs leicht und vor allem im Frühjahr durch Lawinen gefährdet. Doch auch der Vorsichtige kann im Bondascatal glückliche Stunden verbringen. Und Promontogno, wie eigentlich alle Bergeller Dörfer, bietet viel an Gastlichkeit, Eigenart und Kultur. Denken wir nur an die Künstlerdynastie der Giacometti, die in Stampa, gleich oberhalb Promontogno, beheimatet ist.

► Le val Bondasca
L'alpiniste qui évoque le Bergell pense généralement à des escalades. En effet, le granit lisse et solide offre un véritable champ d'action au spécialiste qui n'est pas sujet au vertige. Au fin fond du Bergell déjà, près de Promontogno, le val Bondasca se dirige vers le sud. Nous le voyons ici ; le bout de la vallée forme l'une des plus célèbres régions d'alpinisme, visible déjà à partir de Soglio : le groupe du Sciora.
L'ascension qui conduit à la cabane du Sciora (2117 m) n'est pas facile non plus, surtout au printemps, à l'époque des avalanches. Mais les plus prudents, eux aussi, peuvent passer des heures agréables dans le val Bondasca. Et Promontogno, comme tous les villages du Bergell, est intéressant pour son hospitalité, son caractère original et sa culture. Il suffit de penser à la dynastie d'artistes des Giacometti, originaire de Stampa situé directement après Promotogno.

► Bondascatal
To the alpinist the name Bergell is usually associated with rock-climbing. And it is true: the smooth, reliable granite of the area provides the experienced mountaineer with marvellous climbs. The Bondasca Valley branches off to the south down in Bergell near Promontogno. Our picture shows the end of the valley, which forms one of the most famous rock-climbing regions, and which we have already seen from Soglio: the Sciora Group.
Even the approach to the Sciora Hut (6,944 ft) is anything but easy, and is liable to avalanches especially in the spring. But the careful climber, too, can enjoy himself in the Bondasca Valley. And Promontogno – like all the Bergell villages, in fact – provides a wealth of hospitality, character, and culture. We only have to think of the dynasty of artists, the Giacomettis, who come from Stampa, just above Promontogno.

◄◄ Poschiavo
Das Val di Poschiavo, zu deutsch das Puschlav, wurde – und wird – gelegentlich als das „verlorene Tal" bezeichnet. Das hat einen Schein von Berechtigung, wenn man an seine geografische Lage zur übrigen Eidgenossenschaft denkt. Liegt es doch von der Schweiz aus gesehen tatsächlich „hinter" der Bernina, und es kann vorkommen, wenn im Winter Berninabahn und -pass unterbrochen sind, dass ein Ratsherr aus dem Puschlav zwei Tage reisen muss, um an einer Sitzung in Chur teilzunehmen.
Trotzdem: wer sich das Tal und vor allem den Hauptort Poschiavo anschaut, hat nie das Gefühl, dass sich die Puschlaver verloren vorkommen. Das Tal, das bei Tirano ins Veltlin mündet, ist nach Italien weit offen, und in den Bauten spiegelt sich ein unverkennbares Selbstbewusstsein. Ausserdem bietet das Tal – hier zwischen Poschiavo und Viano – landschaftliche Schönheiten, die allein schon das Selbstbewusstsein rechtfertigen würden.

◄◄ Poschiavo
Le val di Poschiavo, en allemand das Puschlav, fut et est encore quelquefois appelé « la vallée perdue ». A juste titre, lorsque l'on songe à sa situation géographique par rapport à la Confédération. Du point de vue de la Suisse, il se trouve, en effet, « derrière » la Bernina et, en hiver, il peut arriver, quand le col et la ligne de la Bernina sont coupés, qu'un notable de Puschlav doive voyager, deux jours durant, pour prendre part à une réunion à Coire.
Et pourtant, en regardant la vallée et surtout le chef-lieu Poschiavo, on n'a pas l'impression que les habitants de Puschlav se sentent perdus. La vallée qui débouche dans le Valtellina, aux environs de Tirano, est largement ouverte sur l'Italie ; et les constructions manifestent une conscience de soi évidente. La vallée – ici entre Poschiavo et Viano – possède un grand nombre de beautés naturelles qui, en elles-mêmes, justifient cette bonne conscience de soi.

◄◄ Poschiavo
The Val die Poschiavo – Puschlav in German – is still sometimes called the "lost valley", a reference to its geographical position in relation to the rest of the Confederation. For from the point of view of Switzerland it lies "behind" the Bernina Pass, and it can happen in winter, when the Bernina railway line and road are blocked, that a councillor from Puschlav has to travel for two days to attend a council meeting in nearby Chur.
However, anyone visiting the valley and the main village of Poschiavo never has the feeling that the local inhabitants feel lost in any way. The valley, which opens into the Veltlina area at Tirano, is wide open to Italy, but the buildings there reflect a strong feeling of local character and pride. The pride could also partly derive from the consciousness of living in a particularly lovely spot: our picture was taken between Poschiavo and Viano.

◄ Bennau
Die Schweiz als Staat ist in jeder Beziehung, sprachlich, konfessionell, ethnisch, ein recht kompliziertes Gebilde. Sie ist es auch geografisch. So spricht man von einer Urschweiz, einer Innerschweiz, einer Zentralschweiz. Was soll man sich darunter vorstellen?
Die Urschweiz besteht aus den drei Kantonen Uri, Schwyz und Unterwalden (zwei Halbkantone Ob- und Nidwalden), die man auch die drei Waldstätten nennt. Sie beschworen 1291 den Bund, der zum Kern der Eidgenossenschaft wurde. Zur Zentral- oder Innerschweiz zählen aber auch die Kantone Luzern und Zug, die 1332 und 1352 der Eidgenossenschaft beitraten.
Hier nähern wir uns der Innerschweiz von Norden, genau gesagt vom Zürichsee her. Bei Biberbruck trennt sich die Strasse; ein Zweig führt nach Einsiedeln, der andere, dem wir zunächst folgten, über den Sattel hinüber zum Zuger- und Vierwaldstättersee. Das freundliche Dörflein in voralpinem Gelände im letzten Abendlicht: Bennau! – Eines von vielen.

◄ Bennau
L'Etat suisse est une construction fort compliquée à tous égards ; du point de vue linguistique, confessionnel et ethnique. Elle l'est aussi géographiquement. Ainsi, on parle d'une Suisse primitive, d'une Suisse intérieure, d'une Suisse centrale. Qu'est-ce que cela veut dire ? La Suisse primitive se compose de trois cantons : Uri, Schwyz et Unterwald (deux demi-cantons : Obwalden et Nidwalden) que l'on appelle aussi les Waldstätten. En 1291, ils conclurent le pacte fondamental qui est le noyau de la Confédération. Les cantons de Lucerne et de Zoug, qui se rattachèrent en 1332 et 1352 à la Confédération, font partie de la Suisse centrale ou intérieure. Ici nous approchons, par le nord, la Suisse intérieure, c'est-à-dire le lac de Zurich. La route se divise à Biberbruck ; un embranchement conduit en direction d'Einsiedeln, l'autre, que nous prenons d'abord, traverse le col vers le lac de Zoug et le lac des Quatre-Cantons. Ce petit village pré-alpin, aimable dans le crépuscule, est Bennau : un parmi tant d'autres.

◄ Bennau
Switzerland is a complicated state in every way – as far as language, religion, ethnography and even geography are concerned. Thus the Swiss speak of Original Switzerland, Inner Switzerland, and Central Switzerland. What does this mean?
Original Switzerland consists of the three Cantons Uri, Schwyz, and Unterwalden (the latter divided into two half cantons: Obwalden and Nidwalden). They were the three areas that signed a mutual assistance pact in 1291 which formed the original basis of the Confederation. Central or Inner Switzerland are these three Cantons plus the Cantons of Lucerne and Zug, which joined the Confederation in 1332 and 1352.
Here we are approaching Inner Switzerland from the north – or, to be more precise, from Lake Zurich. The road divides at Biberbruck; one branch leads to Einsiedeln, the other, which we followed at first, across the saddle to Lake Lucerne and Lake Zug. The friendly village in the lower regions of the Alps, seen here in the light of the setting sun, is Bennau – one of many attractive villages in this area.

► Sarnersee
Wer von Luzern aus dem Brünigpass zustrebt, folgt zunächst den Ufern des Vierwaldstättersees, den er bei Alpnach verlässt. Aber bald, auf einer ersten Talstufe, stösst er auf den Sarnersee, der mit seinem naturhaften Ufergelände die Landschaft zur vollendeten Harmonie rundet.
Das tönt etwas poetisch. Aber ein echter Poet, nämlich Heinrich Federer, hat den Sarnersee mit hohem Lob bedacht. Freilich, er verbrachte den grössten Teil seines Lebens an seinen Ufern, nämlich in Sachseln, und die Beschreibung seiner Wanderung um den See zählt zu den literarischen Perlen.
Wenn man von Sachseln spricht, steht allerdings ein anderer, noch grösserer Name im Vordergrund: Niklaus von der Flüh, der Einsiedler von der Ranft, nach den Burgunderkriegen Bewahrer der Eidgenossenschaft und 1947 heiliggesprochen. Seine Gebeine ruhen in der Pfarrkirche zu Sachseln.
Am unteren See-Ende liegt Sarnen, Hauptort des Halbkantons Obwalden, das mit seinen schönen Bauten auf eine grosse Vergangenheit hinweist.

► Le lac de Sarnen
Quand on quitte Lucerne en direction du col de Brünig, on suit d'abord les rives du lac des Quatre-Cantons que l'on abandonne à Alpnach. Mais bientôt, sur la première marche de la vallée, on rencontre le lac de Sarnen dont les rives naturelles contribuent à la complète harmonie du paysage.
Voilà qui est bien poétique ! Un vrai poète, Heinrich Federer, a chanté les louanges du lac de Sarnen. Il a passé, bien sûr, la plus grande partie de son existence sur ses rives, à Sachseln, et la description de sa randonnée autour du lac compte parmi les chefs-d'œuvre littéraires.
Un autre nom, plus célèbre encore, représente mieux Sachseln : Nicolas de Flue, l'ermite de la Ranft, le mainteneur de la Confédération après la guerre avec les Bourguignons et canonisé en 1947. Ses ossements reposent dans l'église abbatiale de Sachseln.
A la pointe inférieure du lac se trouve Sarnen, chef-lieu du demi-canton d'Obwalden et dont les belles constructions témoignent d'un passé glorieux.

► Lake Sarn
The way to the Brünig Pass from Lucerne follows the shore to the tip of the lake at Alpnach. From there it is not far to another lake – Lake Sarn – which, with its unspoiled shores forms a harmonious entity with the landscape.
That sounds a bit poetic. But a real poet, Heinrich Federer, praised Lake Sarn to the skies. Mind you, he spent most of his life on its shores at Sachseln; his descriptions of walks round the lake are some of the pearls of Swiss literature.
To the Swiss, Sachseln is associated with another, greater name: St. Nicholas of Flüe, the hermit of Ranft, who saved the Confederation from disintegration after the wars with Burgundy, and was canonized in 1947. His remains rest in the parish church of Sachseln.
Sarnen, the capital of the Half Canton Obwalden, lies at the lower end of the lake. Its fine buildings bear witness to a great past.

Sihlsee
Wir sprachen vorhin ganz beiläufig von Einsiedeln. Dabei müsste man ein umfangreiches Kapitel schreiben, um dieser über tausendjährigen Kulturstätte auch nur einigermassen gerecht zu werden. Es waren Benediktinermönche, die bei der verlassenen Zelle des angeblich 861 ermordeten Eremiten Meinrad im 10. Jahrhundert das Stift gründeten. Das Kloster in seiner gegenwärtigen Gestalt mit der beherrschenden Stiftskirche wurde nach den Plänen K. Moosbruggers am Anfang des 18. Jahrhunderts errichtet und gilt als einer der schönsten Barockbauten.
Das Kloster Einsiedeln war durch alle Zeiten hindurch ein weitausstrahlendes kulturelles Zentrum. Ein sprechender Beweis dafür ist die imposante und wohlbetreute Bibliothek, die unter anderem 1200 Handschriften und 600 Inkunabeln aufweist. Das Gymnasium mit Internat sorgt dafür, dass diese Schätze des Wissens auch in die Zukunft ausstrahlen. Die Klosterleute vergruben sich aber nie in ihren Zellen und in weltabgewandter Frömmigkeit, sondern standen den wirtschaftlichen Gegebenheiten und den Forderungen des Alltags aufgeschlossen gegenüber, sei es in der Forst- oder der Landwirtschaft, in der Vieh- wie in der Pferdezucht.
Einsiedeln hat bis in unsere Tage hinein seinen Rang als Wallfahrtsort erhalten. Der grossartige Kirchenbau zusammen mit der Gnadenkapelle für die Schwarze Madonna zieht alljährlich einen Strom von Pilgern aus aller Welt an. Und wem es vergönnt war, einer Aufführung von Calderons „Welttheater“ vor der doppeltürmigen Kirchenfassade zu erleben, wird Einsiedeln nie vergessen, gleichgültig, welcher Konfession er angehört.
Doch Einsiedeln ist nicht nur ein kulturelles und religiöses, sondern auch ein touristisches Zentrum. Es liegt auf 900 m in einer offenen Hochtallandschaft, die durch den Sihlsee, den uns das Bild nahebringt, besondere Weite und Eigenart gewinnt. Und wenn wir seinen Ufern folgen, gelangen wir in das weite Gebiet der Ibergeregg und des Hochybrig, ein gut erschlossenes Skiparadies, das bis zu 2200 m ansteigt.

Le lac de Sihl
Au passage, nous avons incidemment évoqué Einsiedeln. Il faudrait pourtant consacrer tout un chapitre à cet endroit d'une culture plus que millénaire, pour lui rendre tout l'hommage qu'il mérite. Des moines bénédictins fondèrent l'abbaye au 10ème siècle près de la cellule abandonnée de l'hermite Meinrad assasiné, dit-on, en 861. Le cloître actuel, dominé par son église abbatiale, a été érigé selon les plans de K. Moosbrugger, au début du 18ème siècle, et passe pour être l'une des plus belles constructions du baroque.
Le cloître d'Einsiedeln a été, de tous temps, un centre culturel de grande renommée. Une preuve en est l'imposante bibliothèque fort bien tenue qui renferme, entre autres, 1200 manuscrits et 600 incunables. Le lycée et son internat veillent à ce que ces trésors de la science continuent à propager leur influence. Les moines ne s'enfermaient jamais dans leurs cellules, pieusement retirés du monde, mais ils restaient ouverts aux réalités économiques et aux exigences de la vie quotidienne que ce soit dans le domaine forestier ou bien agricole, dans l'élevage du bétail ou des chevaux.
Einsiedeln est resté, jusqu'à nos jours, un lieu de pèlerinage. La magnifique église et la Sainte-Chapelle consacrée à la Vierge noire attirent, chaque année, des foules de pèlerins venus du monde entier. Pour qui a eu la chance d'assister à une représentation du «Grand Théâtre du monde» de Calderon, donnée devant la façade de l'église aux deux tours, Einsiedeln restera inoubliable, quelque soit la confession religieuse à laquelle on appartienne.

Lake Sihl
We have mentioned Einsiedeln in passing. But, in fact, a lengthy chapter would be needed to do any kind of justice to this town, which has been a cultural centre for over a thousand years. It was Benedictine monks who founded the monastery in the 10th century at the site of the cell occupied by the hermit who is said to have been murdered here in 861. The abbey in its present form, dominated by the church, was built at the beginning of the 18th century to plans by K. Moosbrugger, and ranks as once of Europe's the most remarkable Baroque buildings.
Einsiedeln Monastery has been an influential cultural centre since its foundation. An elequent proof of this is the imposing and well-organized library which, among many other treasures, contains 1,200 manuscripts and 600 incunabula. The secondary school with boarding facilities ensures unbroken continuity of centuries of learning. Despite their learning, the monks at Einsiedeln have never turned their backs on the world, but have always been conscious of economic necessities and the demands of everyday life, and have pursued many practical activities in forestry and agriculture, cattle and horse breeding, for example.
Einsiedeln has maintained its position as a pilgrimage centre right into our own times. The magnificent church and the Chapel of Mercy for the Black Madonna attracts a stream of visitors throughout the year from all over the world. And anyone who has been privileged to see a performance of Calderon's "El gran teatro del mundo" against the background of the twin-towered facade of the church will never forget Einsiedeln, no matter what his religious leanings may be.

Vierwaldstättersee
Wie heisst es doch im Volkslied „Vo Luzärn gäge Wäggis zue“, das in übermütiger Laune in ganz Europa angestimmt wird: „Wo mer si ufe Rigi cho, louft is es Sennemeiteli no.“ Damit sollte eigentlich der Krieg entschieden sein, der unter Geografen und Linguisten unentwegt weiterschwelt: heisst es „die Rigi“ oder „der Rigi“? – Für den Normalschweizer hat das Volkslied recht: der Rigi ist männlich, obschon Sprachwissenschaftler das Gegenteil behaupten. Wenden wir uns lieber dem Bild zu, wie es sich uns vom Rigi aus bei Sonnenuntergang darbieten kann. Über einer dichten Nebeldecke, unter der sich der Vierwaldstättersee birgt, strahlt eine wahrhaft goldene Sonne und hebt die Gipfelkette des Pilatus – der Hauptgipfel rechts ist das Wahrzeichen Luzerns – als scharfgeschnittene Silhouette vom Abendhimmel ab.

Le lac des Quatre-Cantons
La chanson populaire « Vo Luzärn gäge Wäggis zue » devrait, en fin de compte, mettre terme à la guerre qui sévit, de tout temps, entre les géographes et les linguistes : doit-on dire « le » ou « la » Rigi ? Le Suisse moyen donne raison à la chanson : le Rigi est masculin, bien que les savants linguistes prétendent le contraire.
Consacrons-nous plutôt au paysage tel que nous pouvons l'apprécier depuis le Rigi, dans le couchant. Au-dessus d'une épaisse couche de brouillard, sous laquelle se cache le lac des Quatre-Cantons, rayonne un véritable soleil d'or, et il fait ressortir, dans le ciel crépusculaire, les silhouettes précises du Pilate dont le plus haut sommet est le sigle de Lucerne.

Lake Lucerne
This dramatic shot was taken from the Rigi, an island mountain, as the Germans call it, between the three lakes of Lucerne, Zug, and Lauerz. With its highest point – the Rigi-Kulm – rising to 5,896 ft, it has been famous for more than a century as a vantage point. An ascent of Rigi was de rigueur for generations of visitors to Switzerland – in the early stages by foot or on horseback, or even in a sedan chair, later by rack and pinion railway. The "right" thing to do was to spend the night up there to see the sunrise over the Alps.
Our picture shows that sunset can be just as thrilling. The golden sun casts a mysterious light over the mist above Lake Lucerne, and emphasizes the outline of the Mount Pilatus chain – the main peak on the right is Lucerne's symbol.

Urnersee

„Es lächelt der See, er ladet zum Bade. Der Knabe schlief ein am grünen Gestade." Ja, so sagt es Friedrich Schiller mit den ersten Worten des „Wilhelm Tell". Aber wenig später heisst es: „Da rast der See und will sein Opfer haben." Beide Male ist vom Urnersee die Rede, den wir hier vor uns haben. Und wirklich: an seinem obersten Ende, bei Flüelen, da kann er lächeln. Aber dort, wo er von Felswänden eingeengt ist, kann er auch rasen, besonders wenn, um noch einmal mit Schiller zu sprechen, „der graue Talvogt", also der Föhn, losbricht.
Genug der Zitate. Sie beweisen, dass wir uns hier auf geschichtsträchtigem Boden befinden. Nicht weit von hier ragt das Riff aus dem See mit der Inschrift: „Dem Sänger Tells – die Urkantone." Am gegenüberliegenden Ufer ist die sagenhafte Tellsplatte, und darüber hin führt die Axenstrasse, die einst als Wunder des Strassenbaus galt und noch heute imposant ist. Über den Bergrücken hinweg grüssen die Wahrzeichen von Schwyz, die beiden Mythen.

Le lac d'Uri

«Le sourire du lac invite à la baignade. Le jeune enfant s'endort sur le vert du rivage.» Ce sont les premiers mots du «Guillaume Tell» de Schiller. Mais peu après, il ajoute: «Le lac fait éclater sa rage et réclame sa victime.» Il s'agit par deux fois, du lac d'Uri que nous avons, ici, devant nous. Effectivement, il est tout sourire, à son extrême pointe, près de Flüelen. Mais là où il est serré entre les parois rocheuses, il peut se mettre en colère, surtout lorsque pour citer encore Schiller «le bailli gris de la vallée», c'est-à-dire le foehn exerce son influence.
Assez de citations! Elles montrent que nous nous trouvons ici sur une terre au lourd passé historique. Pas très loin, un récif surgit du lac, portant l'inscription: «Les cantons primitifs – au chanteur de Tell». De l'autre côté du lac, il y a la légendaire Tellsplatte et au-delà, l'Axenstrasse qui passait autrefois pour une construction miraculeuse des Ponts et Chaussées et qui est fort imposante, aujourd'hui encore. Derrière le dos des montagnes, les deux symboles de Schwyz, les deux Mythen, nous saluent.

Lake Uri

"The lake wears a smile, so calm are its waters", writes Friedrich Schiller at the beginning of his "William Tell". But soon afterwards it says: "The lake is raging, and demands a victim". In both cases Lake Uri is meant – the lake shown in our picture. And it is true: at its southern end, near Flüelen, it can smile, But, where the rock advances right up to its shores and traps it, it can also rage, especially when the "föhn" wind is blowing. Nor far from where we are now there is a reef in the lake which bears an inscription: "Dem Sänger Tells – die Urkantone" (To Tell's Bard – the First Three Cantons). Yes, this is historical ground. On the opposite ashore is the legendary ledge – Tellsplatte – where Tell leaped shore from the boat in which he was being taken to prison, and the Axenstrasse, which was considered an engineering triumph when it was built in the last century, and is still most impressive. In the background of our picture we can see the symbols of Canton Schwyz: the twin peaks of the Mythen.

Grossmythen
Hier haben wir nun den Grossen Mythen ganz aus der Nähe vor uns, und die Nebelschleier scheinen seine Bedeutung noch zu erhöhen. Anderseits weist der deutlich erkennbare Zickzackweg darauf hin, dass seine Besteigung kein alpinistisches Abenteuer darstellt. Und das Gasthaus Holzegg, vom Kantonshauptort Schwyz aus leicht erreichbar, das wir unten ganz rechts erkennen, sieht sogar überaus einladend aus.
Doch selbst dem Laien wird die seltsame Felsstruktur auffallen, und dem Fachmann gibt sie einige Rätsel auf; stellen doch die beiden Mythen, geologisch und morphologisch betrachtet, zwei ortsfremde Gipfel dar. Sie bestehen aus Kalken des Mesozoikums und liegen auf den dunklen Schiefern des tertiären Flyschs. Ihre eigenwilligen Formen heben sich schroff von den beschwingten Schieferhängen der Talmulde ab.

Le Grossmythen
Le voilà tout près de nous maintenant, le Grossmythen, et les voiles de brouillard, qui l'enveloppent, accentuent encore son importance. Cependant le chemin en zigzag que l'on voit grimper jusqu'à son sommet montre bien que son escalade n'est plus une aventure alpine. Et l'auberge du Holzegg – on la distingue en bas, tout à droite – paraît être fort accueillante ; on peut facilement la rejoindre à partir du chef-lieu de canton, Schwyz.
Mais un non-initié sera intrigué, lui aussi, par la curieuse structure des roches, qui pose des énigmes au spécialiste ; géologiquement en effet, les deux Mythen sont des corps étrangers, dans cette région. Ils sont en calcaire du secondaire et reposent sur les ardoises sombres du flysch tertiaire. Leurs formes étranges contrastent rigoureusement avec l'aspect enjoué des hauteurs d'ardoise dressées dans la cuvette de la vallée.

Grossmythen
Here we have a close-up of Grossmythen, and the mist clinging to its surface only serves to heighten its importance. On the other hand, the zig-zag line of the path climbing its flank makes it clear that an ascent does not call for great mountaineering skill. And the Holzegg Gasthaus, which we can see in the bottom right-hand corner, and which is easily reached from the Canton's capital, Schwyz, looks most inviting.
And yet even the layman will notice the unusual rock structure which experts are still puzzling about; are the two Mythen geologically and morphologically alien structures? They consist of Mesozoic limestone on a base of dark slaty flysch of the Tertiary period. Their unusual configurations are in strong contrast to the smooth slaty slopes of the valley.

► Salez-Alp
Bei Flüelen haben wir den Urnersee verlassen und gleich nachher Altdorf erreicht, den Urner Kantonshauptort. Die stattliche Ortschaft mit ihren 8000 Einwohnern ist in der politischen Vergangenheit fast lebendiger als in der politischen Gegenwart. Was wäre Altdorf ohne sein Tell-Denkmal und ohne das erneuerte Tellspielhaus, das für die Festspiele immer wieder Scharen von Besuchern aufnimmt. Aber Altdorf lebt keineswegs bloss von der Geschichte. Verkehrsmässig ist es zwar ruhiger geworden, da die Autokolonnen heute auf einer Umfahrungsstrasse dem Gotthard zustreben. Aber es hat auch eine Umgebung, die zum Verweilen verlockt. Ein prächtiger Erdenflecken wird durch die Seilbahn auf die Eggberge erschlossen. Wer von der Bergstation zur Salez-Alp weiterwandert, geniesst nicht nur die geruhsame Alplandschaft, sondern auch den Ausblick. Von links nach rechts erkennen wir die Kleine und die Grosse Windgälle, Gross- und Klein-Ruhen.

► L'Alpe de Salez
Près de Flüelen, nous avons quitté le lac d'Uri pour rejoindre, peu après, Altdorf, le chef-lieu du canton d'Uri. Cette grosse bourgade de 8000 habitants a eu autrefois une politique plus vivante qu'aujourd'hui. Que serait Altdorf sans son monument dédié à Tell et sans son théâtre renové portant le même nom, qui attire des foules de visiteurs à l'occasion de ses festivals.
Mais Altdorf ne vit pas que de son histoire. Du point de vue du trafic, il a retrouvé le calme puisque les colonnes de voitures empruntent aujourd'hui un périphérique, en direction du St-Gothard. Mais ses environs invitent à y séjourner. Le téléphérique permet d'accéder à une région magnifique. Si l'on quitte la station de montagne pour poursuivre vers l'alpe de Salez, on a, non seulement le calme d'un paysage alpestre, mais aussi cette vue. De gauche à droite, nous reconnaissons la Kleine et la Grosse Windgälle, le Grossruhen et le Kleinruhen.

► Salez-Alp
We left Lake Uri at Flüelen, and soon afterwards were in Altdorf, the Canton capital. This little town, with its 8,000 inhabitants has a long and lively political history. What would Altdorf be without its Tell Monument and without its Tell Theatre, which still attracts crowds of visitors for the Festival?
But Altdorf certainly does not live off its history alone.
It is less traffic-ridden now that a by-pass to the Gothard Pass has been built, but many people still come here for the sake of the town itself and its surroundings. The cableway has opened up a splendid area in the Egg mountains. from the top of the cableway you can walk in the direction of Salez-Alp, and are rewarded by peaceful Alpine scenery, and then by the view shown here. From left to right we can see the Kleine and Grosse Windgälle, Grossruhen and Kleinruhen.

Am Klausenpass
Es ist eines der grossen Bergerlebnisse: man erwacht am Morgen unter einer grauen, bedrückenden Wolkendecke und entschliesst sich trotzdem zum Aufbruch bergwärts. Bald steckt man in dichtem Nebel, der alle Sinne lähmt. Und dann entdeckt man die Sonnenscheibe, und plötzlich, ja, wirklich plötzlich ist man in herrlichstem Sonnenschein.
Dieses Erlebnis wurde auch dem Fotografen wieder einmal zuteil. Von Altdorf aus fuhr er gegen den Klausenpass, der nach Glarus hinüberführt. Er tastete sich durch dichten Nebel, aber als er die Höhe von etwa 1400 m erreicht hatte, tat sich auf einmal eine weite, besonnte Welt auf. Wir verstehen, dass er anhielt, um das Erlebnis im Bild festzuhalten. Direkt unter sich ahnt er das Schächental und ganz links den Eingang zum tief eingeschnittenen Brunnital, darüber „die Spitzen", und weit hinten, über das Reusstal hinweg, das er soeben verliess, erkennt man das Massiv des Uri-Rotstocks.

Le col du Klausen
Voilà ce qui peut nous arriver de mieux en montagne : on se réveille, le matin, sous une couverture de nuages lourde et suffoquante, et l'on se décide pourtant à partir en escalade. Bientôt, on est enveloppé d'un épais brouillard paralysant. Et puis, on découvre le disque solaire et tout à coup, oui, tout à coup le soleil brille merveilleusement.
C'est cet événement que le photographe a vécu. Il partit d'Altdorf en direction du col du Klausen qui mène à Glaris. Il tâtonna à travers un épais brouillard, et après qu'il eut atteint une hauteur d'à peu près 1400 m, il découvrit soudain un univers largement ensoleillé. Rien d'étonnant à ce qu'il se soit arrêté pour saisir sur la pellicule cette manifestation miraculeuse. Directement au-dessous de lui, il pouvrait voir la vallée du Schächen et, tout à gauche, l'entrée de la vallée profonde de la Brunni ; au-dessus, se dressent « les Spitzen » et à l'arrière-plan au-delà de la vallée de la Reuss qu'il vient de quitter, on reconnaît le massif de l'Uri-Rotstock.

At the Klausen Pass
One of the most rewarding experiences in the mountains can be to wake up in the morning to a grey, cloudy sky, and nevertheless decide to try an ascent. Soon thick fog stifles all your senses. Then the sun gradually emerges as a watery disc, and shortly afterwards you are above the clouds in briliant sunshine.
Our photographer had the good fortune to capture such an experience for us. He set out from Altdorf on the Klausen Pass road that leads to Glarus. At first he had to feel his way through thick fog, and then, at an altitude of 4,600 ft he entered another world. No wonder he stopped to record the moment. Directly below us lies the Schächen Valley, over on the left is the entrance to the gorge-like Brunni Valley with the Spitzen above, and right in the background in the direction of Altdorf is the Uri-Rotstock Massif.

► Heitmanegg
Bei solchem Wetter ist man der Wanderlust ausgeliefert. Es braucht keine genagelten Schuhe, um das Alpdörfchen Heitmanegg auf 1860 m von der Klausenpassstrasse her zu erreichen, das auf dem Bild zu unseren Füssen liegt. Zugleich wird man dieses Ausblicks teilhaftig, der sich über das weit unten liegende Schächental hinweg darbietet.
Rechts im Bild erkennen wir den vergletscherten Einschnitt der Chammlilücke, über die man den Hüfifirn und die Hüfi-Hütte erreicht. Die Felsbastionen links davon: Chammlistock und Chammliberg (3214 m). Der lange, schneebedeckte Grat zieht sich hin bis zu den Clariden (3267 m). Dahinter, also südlich davon, öffnet sich ein weites Gletschergebiet zur Planura-Hütte, eine ideale Welt für den Sommerskifahrer. Die Planura-Hütte erschliesst aber auch die Hochwelt des Tödi-Massivs.

► Heitmanegg
C'est un temps qui invite à la randonnée. Nul n'est besoin de souliers cloutés pour rejoindre, par la route du col du Klausen, le hameau alpestre Heitmanegg situé à 1860 m. On a aussi une vue très large sur la vallée du Schächen. A droite, on reconnaît la coupure glaciaire de la Chammlilücke conduisant au Hüfifirn et à la cabane de Hüfi. A gauche se dressent deux bastions rocheux : le Chammlistock et le Chammliberg (3214 m). La longue arête neigeuse s'étire jusqu'aux Clarides (3267 m). A l'arrière, au sud, commence une vaste région glaciaire s'étendant jusqu'au refuge de Planura : le coin rêvé des amateurs de ski d'été ; le refuge de Planura ouvre aussi l'accès au massif du Tödi.

► Heitmanegg
Weather like this is ideal for walking. And you do not need nailed mountain boots to reach the little village of Heitmanegg (6,100 ft) from the Klausen Pass road which lies below our vantage point. From here you have this view over the Schächen Valley far below to the rocky world beyond. On the right we see the glacial saddle of the Chammlilücke from which the Hüfifirn and Hüfi Hut can be reached. The great rocky bastion to the left is Chammlistock and Chammliberg (10,542 ft). The long, snow-covered ridge leads to the Clariden (10,716 ft). Further back – to the south – is a wide expanse of glacial country accessible from the Planura Hut – an ideal spot for summer skiers. The Planura Hut also gives access to the high peaks of the Tödi Massif.

►► Fätschbach
Über die Klausenpasshöhe und den Urnerboden hinweg sind wir bereits ins Glarnerland vorgestossen. Während die Strasse in lebhaften Spitzkurven Linthal zustrebt, stürzt sich der Fätschbach in kühnen Sprüngen durch eine Schlucht talwärts. Beim freundlichen Gasthaus Bergli haben wir angehalten, um dem Wasserzauber näherzukommen.
Für einmal hat die Kamera nicht über-, sondern untertrieben. Die Aufnahme entstand nämlich im Herbst, als der Fätschbach die minimale Wassermenge führte. Aber zu anderen Jahreszeiten, vor allem zur Zeit der Schneeschmelze, ist dieser Wasserfall – er wird im Lokalgebrauch „Berglistüber" genannt – imposant und manchem berühmten Wasserfall durchaus ebenbürtig. Ein mächtiger Wasserstrahl ergiesst sich in ein brodelndes Becken, und weitere Wasserstrahlen aus den umliegenden Wänden ergänzen das Bild.
Aber die Aufnahme macht dafür deutlich, wie es dem Wasser gelingt, sich in unablässiger Arbeit in den Fels einzusägen.

►► Le Fätschbach
Nous nous sommes introduits dans le pays de Glaris, en passant par le col du Klausen et l'Urnerboden. Tandis que la route étale ses lacets vers Linthal, le Fätschbach bondit audacieusement à travers une gorge étroite. Nous avons fait halte dans l'aimable auberge « Bergli » pour nous rapprocher du spectacle charmant que font les eaux.
La prise de vue date de l'automne alors que les eaux charriées par le Fätschbach sont à leur minimum. Mais autrement, surtout à l'époque de la fonte des neiges, cette chute d'eau – appelée sur place le « Berglistüber » – est imposante, comparable à d'autres torrents célèbres. Un puissant jet d'eau se déverse dans un bassin bouillonnant et d'autres jets d'eau sourdant des parois complètent l'image.
La photo montre clairement comment l'eau réussit à se tailler laborieusement dans le rocher.

►► Fätschbach
We are now in the Canton of Glarus, having pressed on from the Klausen Pass and Urnerboden. While the road progresses towards the Linthal via a series of hairpin bends, the Fätschbach leaps down the side of the mountain towards the valley. We stopped at the pleasant Bergli Gasthaus in order to get to this spot.
Here the camera makes an understatement – for the shot was taken in autumn, when the Fätsch carries the least amount of water. At other times of the year, especially when the snows are thawing, this waterfall is far more impressive, and can compete with many a more famous one; then, a mighty fall of water plunges down into the seething pit, and other streams splash down from the surrounding rockfaces. But our picture clearly illustrates the way the constant movement of the water can cut into the hardest rock.

Im Sernftal
Das Bild zeugt dafür, dass uns das Glarnerland an Ursprünglichkeit nichts schuldig bleibt. Wir sind bei Schwanden ins Sernftal eingebogen und gelangten nach Elm, das nach dem verheerenden Bergsturz von 1881 wieder zum blühenden Kurort emporwuchs. Von Elm strahlen aber auch Passübergänge aus, so über den Fospass (2223 m) ins Weisstannental, über den Segnas (2627 m) oder über den Panixer (2407 m) ins Vorderrheintal. Der letztgenannte Pass weckt historische Erinnerungen; zog doch der russische General Suworow, der Gegenspieler Napoleons, im Jahre 1799 mit seinem Heer über den Panixerpass, für seine Zeit eine einmalige strategische Leistung.
Wir aber folgten einem anderen Weg, dem Richetlipass, der Elm mit Linthal verbindet. Von der Wichlenalp aus blicken wir bergwärts und erkennen rechts den Mättlenstock (2808 m) und links den Hausstock (3160 m).

Dans le Sernftal
Cette vue montre bien que le pays de Glaris ne manque pas d'originalité. Près de Schwanden nous avons tourné en direction du Sernftal et sommes arrivés à Elm qui, après les désastres provoqués par un éboulement de la montagne en 1881, est devenu un centre de villégiature extrêmement prospère. C'est d'Elm que partent toute une série de cols : le col de Fos (2223 m) vers le Weisstannental, le Segnas (2627 m) ou le Panixer (2407 m) vers le Rhin Antérieur. Ce dernier col réveille des souvenirs historiques : le général russe Souvarov, l'adversaire de Napoléon, fit passer ses armées, en 1799, par le Panixer ce qui était, pour l'époque, un exploit stratégique exceptionnel.
Mais nous prîmes une autre route, le col du Richetli qui relie Elm avec Linthal. A partir de la Wichlenalp, nous promenons nos regards vers le bas de montagne et reconnaissons, à droite, le Mättlenstock (2808 m) et à gauche, le Hausstock (3160 m).

In the Sernf Valley
The picture is proof that the Glarus region has plenty to offer in the way of wild, unspoiled countryside. We turned into the Sernf Valley at Schwanden, and came to Elm, which recovered from a disastrous landslide in 1881 and developed into a flourishing resort again. From Elm a number of passes are accessible: the Fos Pass (7,291 ft), which leads to Weisstannen Valley, the Segnas Pass (8,617 ft), or the Panixer Pass (7,895 ft) which leads to the Vorderrhein Valley. The latter has historical associations: the Russian General Sovorov, Napoleon's opponent, crossed the Panixer Pass with his army in 1799 – a great military achievement in those days.
But we took another route, over the Richetli Pass, which connects Elm with Linthal. We are looking across from Wichlenalp towards Mättlenstock (9,210 ft) on the right, and Hausstock (10,365 ft) on the left.

► Tschingelhoren
Wir haben es bereits gehört: Über Elm lagen Schatten und Licht, und auch dieses Bild ist geprägt von harten Kontrasten. Wir haben uns von Elm aus mit der Seilbahn auf Niederen emportragen lassen und sind gegen den Firstboden weitergewandert, wo sich dieser Blick auf die Tschingelhoren eröffnet, ein vielfach gezackter Felskamm, dessen Gipfel auf über 2800 m emporragen. Unter der letzten Einsattelung zur Linken erkennt man deutlich das sagenumsponnene Martinsloch als blaues dreieckiges Fenster in der dunklen Felswand. An vier Tagen im Jahr, nämlich am 12. und 13. März und dann wieder am 1. und 2. Oktober, fällt durch dieses Felsenfenster ein Sonnenstrahl genau auf den Kirchturm von Elm.
Wenn wir die ganze Kette nach links umgehen, gelangen wir über den bereits erwähnten Segnaspass hinüber nach Flims-Waldhaus.

► Les Tschingelhoren
On l'avait déjà dit: l'ombre et la lumière alternent sur Elm, et cette image aussi est imprégnée de durs contrastes.
A Elm, nous avons pris le téléphérique qui nous a transportés à Niederen et avons continué notre marche en direction du Firstboden où l'on a cette vue sur les Tschingelhoren, une crête très dentelée dont les sommets dépassent les 2800 m. Sous le dernier croupeton, à gauche, on distingue clairement le légendaire Martinsloch : une fenêtre bleue triangulaire dans la sombre paroi rocheuse. Quatre fois l'an, c'est-à-dire le 12 et le 13 mars et puis le 1er et 2 octobre, un rayon de soleil passe par cette fenêtre pour toucher exactement le clocher de l'église d'Elm.
Si nous laissons toute la crête pour prendre sur la gauche, nous passons par le col de Segnas pour arriver à Flims-Waldhaus.

► Tschingelhoren
A picture alive with light and shadow! To get it we left Elm with the cableway for Niederen, and then walked upwards to find this view of Tschingelhoren: a rugged ridge whose peaks attain 9,200 ft. Under the last saddle on the left the legendary Martinsloch (Martin's Hole) can clearly be seen as a triangular patch of sky against the dark rock-face.
On four days of the year – 12th and 13th March, and 1st and 2nd October – a ray of sunlight shines through this hole directly on the church tower at Elm.
If you walk round the whole chain to the left you come to the Segnas Pass, which we have already mentioned, and then to Flims-Waldhaus.

◀ **Blaubergstöcke**
Die Reuss entlang, durch die sagenumwobene Schöllenenschlucht, über Andermatt und Hospental, wo der Gotthardpass abzweigt, sind wir vorgedrungen ins oberste Urserental und damit ins Zentralmassiv der Alpen. Bei Realp, wo die scharfe Steigung des Furkapasses ansetzt, verzichten wir auf Reisekomfort und wandern der Albert-Heim-Hütte entgegen. Sie steht auf einem Felsblock in 2541 m und bietet dem Wanderer und dem Kletterer eine Fülle von Möglichkeiten. Wer grosse Ziele sucht, findet sie, neben andern, im Dammastock und Galenstock. Reich an Ein- und Ausblicken sind die Übergänge über die Winterlücke nach der Damma-Hütte, über die untere Büelenlücke zur Furka oder über die Lochberglücke nach der Göscheneralp. Hier wenden wir uns gegen Hospental und haben die Blaubergstöcke vor uns.

◀ **Les Blaubergstöcke**
En suivant le cours de la Reuss, à travers la percée légendaire des Schöllenen, par Andermatt et Hospental, où se trouve l'embranchement vers le col du St-Gothard, nous avons pénétré dans le val supérieur d'Urseren, et ainsi dans le massif central des Alpes. Près de Realp, où commence la rude montée du col de la Furka, nous avons renoncé au confort et avons pris la direction du refuge d'Albert Heim.
Elle se dresse sur un bloc rocheux, à 2541 m de hauteur, et offre au randonneur et au grimpeur une foule de possibilités. Celui qui a de grandes visées sera satisfait, entre autres, par le Dammastock et le Galenstock. Les passages par la Winterlücke en direction du refuge de Damma, par la Büelenlücke inférieure en direction de la Furka ou par la Lochberglücke vers l'alpe de Göschenen permettent d'avoir des points de vue extraordinaires. Ici, nous nous dirigeons vers Hospental et avons, devant nous, les Blaubergstöcke.

◀ **Blaubergstöcke**
Following the River Reuss through the legendary Schöllenen Gorge, then through Andermatt and Hospental, where the Gothard Pass road turns off, we have penetrated into the upper Urseren Valley and thus into the central massif of the Alps. At Realp, where the Furka Pass road begins to climb steeply, we dispense with more comfortable means of transport, and walk up towards the Albert Heim Hut. It stands on a great rock at 8,334 ft, and is an excellent base for walkers and rock climbers. The ambitious will find adventurous routes on Dammastock and Galenstock. The routes across the Winterlücke to the Damma Hut, across the lower Büelenlücke to Furka, or across the Lochberglücke to the Göscheneralp are all magnificent. Here we are looking towards Hospental and are facing the Blaubergstöcke.

Winterberg
Von Göschenen, dem Nordportal des Gotthardtunnels, sind wir ins Göschener Tal hineingewandert, das umrahmt wird von den Zacken des Salbitschijen, von den Winterbergen, dem Lochberg und dem Muetterlishorn, dem Göschener Alpsee entlang, einem Stausee, der durch einen gewaltigen Naturdamm gebändigt wird. Wir schlagen den Weg ein zur Damma-Hütte (2447 m), aber bevor wir diese erreichen, nehmen wir uns die Zeit, einen Blick auf die imposante Umwelt zu richten.
Vor uns haben wir die abweisende Felsmasse der Brätschenfluh, dahinter das von hier aus breitgelagerte Massiv des Dammastocks (3630 m) mit dem Dammagletscher, links aussen erkennen wir den Galenstock (3583 m). Wenn wir in der Damma-Hütte eine Nachtruhe genossen haben, sind wir vielleicht unternehmungslustig genug, um über Dammajoch oder Dammapass den Übergang zum Rhonegletscher zu wagen.

Le Winterberg
De Göschenen, la porte nord du tunnel du St-Gothard, nous avons poussé dans la vallée de Göschenen, cernée par les crêtes du Salbitschijen, par les Winterberge, le Lochberg et le Muetterlishorn, le long du lac de Göscheneralp, un réservoir d'eau endigué par un énorme barrage naturel. Nous suivons la direction du refuge de Damma (2447 m), mais avant d'y arriver nous prenons le loisir de jeter un regard sur cet environnement imposant.
Devant nous, se dresse la masse rocheuse rébarbative de la Brätschenfluh avec, à l'arrière, le massif largement étalé du Dammstock (3630 m) et le glacier du Damma ; à l'extrême gauche, nous reconnaissons le Galenstock (3583 m). Après avoir goûté le repos d'une nuit dans la cabane de Damma, nous serons peut-être suffisamment entreprenants pour tenter de passer vers le glacier du Rhône, par le Dammajoch ou le col du Damma.

Winterberg
From Göschenen, the northern portal of the Gothard Tunnel, we have turned into the Göschenen Valley, which is framed by the rugged peaks of Salbitschijen, Winterbergen, Lochberg, and Muetterlishorn, and walked along Lake Göscheneralp, a reservoir formed by a tremendous natural dam. From here we turned up towards the Damma Hut (8,026 ft), but before reaching it took time off to admire the view shown in our picture.
In front of us is the formidable rocky mass of Brätschenfluh, and behind it the broad massif of Dammastock (11,906 ft) with the Damma Glacier; on the left is Galenstock (11,752 ft). After a night's rest in the Damma Hut we may even feel adventurous enough to cross the Damma Saddle or the Damma Pass to the Rhône Glacier.

Galenstock
Wer bei schönem Wetter die Furkapasshöhe erreicht, ohne einen Augenblick anzuhalten, begeht gegenüber sich selbst, aber auch gegenüber der Umwelt ein Unrecht. Besser noch: erst eine kleine Fusswanderung rundet den Tag zum Erlebnis.
Wenn Sie ostwärts, also gegen das Urnerland blicken, stösst von rechts her der Blauberg als imposanter Riegel gegen die Passhöhe vor. Folgen Sie in gemächlicher Steigung seinem Fuss gegen die „Stotzigen Firsten", und Sie haben dieses Bild vor Augen: eines der drei Seelein, die das Quellgebiet für die Furkareuss bilden. Über die Furkastrasse hinweg ist der Blick frei auf den Galenstock über dem Sidelengletscher. Aber vielleicht bleibt Ihr Blick zunächst an den unterspülten und abgebrochenen Firnschollen haften, die darauf hinweisen, wie trügerisch solche Gebilde sein können.

Le Galenstock
Celui qui, par beau temps, rejoint le col de la Furka sans s'arrêter un instant, commet une faute envers lui-même et le monde extérieur. A dire mieux : seule une petite randonnée rend la journée intéressante.
Si l'on dirige le regard vers l'est, en direction du pays d'Uri, on aperçoit, à droite vers les hauteurs du col, l'imposant verrou du Blauberg. Que vous remontiez lentement en direction des « Stotzige Firsten », et cette image se présente à vous : l'un des trois petits lacs qui forment les sources de la Furkareuss. Au-delà de la route de la Furka et du glacier de Sidelen, la vue sur le Galenstock est libre. Mais peut-être, vous attarderez-vous à contempler les névés rongés et cassés, qui prouvent la fragilité de telles formations.

Galenstock
To ascend to the top of the Furka Pass in good weather without stopping for a while is doing an injustice to oneself and the countryside. Better still: a short walk will round off the days experience perfectly.
If you look eastwards towards Uri, Blauberg rises on the right. A gentle gradient leads up towards the "Stotzige Firsten", and presents you with this view: one of the three little lakes that form the headwaters of the Furkareuss River. Behind the lake, Galenstock towers above the Sidelen Glacier. It is also interesting to spare a glance for the broken névé blocks in the foreground, which clearly illustrate how treacherous these formations can be.

► Braunwald
Braunwald! – Der Name ist ein Begriff für alle Ruhebedürftigen. Von diesem Flecken Welt bleiben nämlich alle Motorfahrzeuge ausgesperrt. Braunwald ist nur zu Fuss oder mit der Drahtseilbahn von Linthal her erreichbar. Trotzdem – oder vielleicht gerade deshalb – hat sich Braunwald (1256 m) zum blühenden Kurort entwickelt, das mit seinen Rosengärten und Wandermöglichkeiten zu Füssen des Ortstocks (2716 m) echte Erholung anbietet. Für Freunde klassischer Musik ist Braunwald mit seinen hochstehenden Musik-Festwochen fast so etwas wie ein Wallfahrtsort geworden.
Aber nicht nur im Sommer, sondern auch im Winter bieten Braunwald und seine Umgebung, wie das Bild mit dem Höch-Turm es beweist, einen beglückenden Aufenthalt. Moderne Sportanlagen sorgen dafür, dass auch die Bewegungshungrigen auf ihre Rechnung kommen, und der Berggänger hat die Wahl zwischen vielfachen Zielen.

► Braunwald
Braunwald ! – C'est un nom cher au cœur des amateurs de repos. En effet, tous les véhicules à moteur sont exclus de ce coin de terre. On ne peut rejoindre Braunwald qu'à pied ou grâce au funiculaire de Linthal. Pourtant et peut-être à cause de cela, Braunwald (1256 m) est devenu un centre de villégiature prospère, centre récréatif idéal, avec ses jardins de roses et grâce aux nombreuses randonnées qu'il permet de faire, au pied de l'Ortstock (2716 m). Pour les amis de la musique classique, Braunwald est considéré maintenant presque comme un lieu de pèlerinage : ses semaines de festivals musicaux sont d'une qualité exemplaire.
Eté comme hiver, Braunwald et ses environs (ici le Höchturm) sont un très agréable lieu de séjour. Des installations sportives toutes modernes satisfont les amateurs d'exercice physique et le marcheur montagnard n'a que l'embarras du choix.

► Braunwald
Braunwald! – Synonym for peace and recuperation, for all motor vehicles are banned from this corner of the world. Braunwald can only be reached on foot or with the cableway from Linthal. Nevertheless – or perhaps for this very reason – Braunwald (4,120 ft), at the foot of Ortstock (8,908 ft), has developed into a flourishing resort which, with its rose gardens and rambles, ensures peaceful recuperation. Its exclusive music festival has made Braunwald into something of a place of pilgrimage for lovers of classical music.
But as our picture suggests, Braunwald is not just a summer resort: in winter, too, it is a delightful place to stay in with Höchturm providing an impressive backdrop. Modern sports facilities ensure that the active holidaymaker can burn up his excess energies, and the mountains provide a wide range of interesting walks and routes.

►► Altmann
Wenn man vom Appenzellerland spricht, denkt man vorerst an freundlich grüne Landschaften, an spielzeugartig an die Hänge gebettete Dörfer, an Trachten und Herdenglockengeläute. Das Bild beweist es: solche Klischeevorstellungen sind Halb- oder auch nur Viertelswahrheiten. Der Altmann, der mit seinen 2436 m Höhe dem benachbarten Säntis um keine hundert Meter nachsteht, ist der wuchtigste Gipfel des Alpsteingebirges, das auch das Kalkstein-Kletterparadies der Kreuzberge einschliesst.
Dieser Blick wurde uns allerdings ohne Kletterausrüstung zuteil. Von Wasserauen aus, der Endstation der Appenzellerbahn, liessen wir uns geruhsam mit der Luftseilbahn zur Ebenalp auf 1640 m emportragen. Im Abstieg zum vielbesuchten Seealpsee, den wir im schattigen Grund mehr ahnen als sehen, bietet sich dieser Blick auf den Altmann, der einen überaus wuchtigen Talabschluss und die Grenze zum Toggenburg bildet.

►► L'Altmann
Quand on évoque le pays d'Appenzell, on pense, tout d'abord, à de charmants paysages verts, à des villages disposés sur les hauteurs comme des jouets, à des costumes folkloriques et aux sons des clochettes de troupeaux.
Mais, ce ne sont que des clichés. L'Altmann qui, avec ses 2436 m, n'a rien à envier au Säntis voisin, est un sommet marquant de l'Alpstein qui englobe aussi le paradis calcaire du Kreuzberg : un régal pour les alpinistes.
Cette prise de vue cependant a été faite sans équipement de grimpeur. A Wasserauen, le terminus de la ligne de l'Appenzell, nous prîmes le téléphérique qui nous transporta mollement sur l'Ebenalp (1640 m). En descendant vers le lac de la Seealp, fort apprécié des touristes, que nous pouvons entrevoir dans l'ombre, on a cette vue sur l'Altmann qui clôt lourdement la vallée et forme frontière avec le Toggenbourg.

►► Altmann
The name Appenzell at first suggests pleasent green pastoral landscapes, toy-like villages perched on the slopes, and cowbells. Our picture shows that such ideas are only half or quarter truths. Altmann, almost 8,000 ft high, only about three hundred feet lower than the neighbouring Säntis, is a striking peak in the Alpstein Massif – which includes the limestone rock-climbing paradise of the Kreuzberge. But we got this shot without climbing-equipment. We took the cableway from Wasserauen up to the Ebenalp at 5,380 ft. As we walked down to the popular Lake Seealp, which can just be made out down in the valley from here, we had this view of Altmann, which blocks the end of the valley and forms the border to Toggenburg.

Churfirsten
In mehrfacher Hinsicht ein seltsames Bild! Zunächst einmal die Bergkette. Wo ist diese eigenwillige Gipfelreihe zu finden? Sie ist tatsächlich in der ganzen Alpenwelt einmalig. Es ist die Kette der Churfirsten, die den Walensee und das Toggenburg scheidet und deren Gipfel eine durchschnittliche Höhe von 2000 m erreichen. Vom nördlichen Ufer des Walensees ragen sie schroff in die Höhe; sanfter fallen sie gegen das Toggenburg ab, wie es das Bild, oberhalb Alt-St.-Johann aufgenommen, beweist.
Und dann die Farben, die Sicht! – Die Schwärze der Wälder, das stumpfe Weiss des Schnees sind dem Kenner ein deutlicher Hinweis: Föhnstimmung! Und wer noch zweifelt, der beachte die Wolkenbildung im klarblauen Himmel. Der klassische „Föhnfisch" zur Linken ist die Bestätigung der Föhnlage. Aller Wahrscheinlichkeit nach wird das schöne Wetter nicht anhalten.

Les Churfirsten
C'est, à plus d'un titre, une étrange image ! D'abord la chaîne de montagnes. Où peut-on trouver une suite de sommets aussi particulière ? Elle est vraiment unique dans tout le monde alpestre. C'est la chaîne des Churfirsten, qui coupe le lac de Walenstadt et le Toggenbourg, et elle atteint une hauteur moyenne de 2000 m. Ils surgissent avec raideur de la rive nord du lac de Walenstadt ; ils s'inclinent plus doucement vers le Toggenbourg, comme le montre la photo qui a été prise au-dessus de Alt-St-Johann. Et puis ces couleurs, cette vue ! L'obscurité des forêts, la blancheur mate de la neige sont autant de signes pour l'averti : il y a du foehn ! Et si vous doutez encore, regardez donc la formation de nuages dans le ciel bleuclair. Le « poisson foehn », à gauche, prouve clairement qu'il y a une zone de foehn. Il est évident que le beau temps ne durera pas.

Churfirsten
A strange picture for a variety of reasons. First of all, the chain of peaks. Where is such an extraordinary formation to be found? It really is unique – there is nothing else like it in the whole of the Alps. It is the Churfirsten chain, which separates Lake Walen from Toggenburg, and whose peaks attain an average height of 6,500 ft. They rise steeply from the northern shore of Lake Walen, dropping more gently towards Toggenburg, as the picture, taken from above Alt-St. Johann shows. And what contrasting colours, and how clear the air is – sure evidence to the expert that the föhn wind is at work, clearing the air, and improving visibility. Further proof are the cloud formations in the otherwise clear blue sky: the classical "föhn fish" on the left is absolute confirmation of föhn influence. In all probability the fine weather will not last for long.

Säntis – Blick in die Welt
Wir haben unsere Reise durch die Schweizer Alpen im Westen, am Genfersee, begonnen. Sie war weit, diese Reise, und zwangsläufig vielfach gewunden. Aber wir waren bemüht, die Regionen nach bestem Vermögen zusammenzuhalten und den grossen Flussläufen zu folgen.
Und nun sind wir auf dem östlichen Endpunkt der Schweizer Alpen, auf dem Säntis angelangt, mit seinen 2502 m ein markanter, von weitem sichtbarer Eckpfeiler. Er ist auf mehreren köstlichen Wegen erreichbar, aber am bequemsten mit der Schwebebahn von der Schwägalp aus. Auf dem Säntis finden wir ein gastliches Berghaus, das allerdings nur den Sommerbetrieb kennt, im Gegensatz zur Wetterstation, die das ganze Jahr ihren Dienst leistet.
Man bezeichnet den Säntis zuweilen als Eckpfeiler der Schweiz. Und wirklich: wer sich über den Bodensee der Schweiz nähert, wird bei günstigem Wetter als ersten Fixpunkt auf Schweizerboden den Säntis im Dunst der Ferne feststellen. Wir aber haben auf diesem Bild die andere Blickrichtung. Vom Säntis aus nehmen wir Abschied vom Schweizerland, nicht zurück, sondern vorwärts schauend, über das reich gestufte Appenzellerland hinweg auf den Bodensee, den wir unter dem Nebel erahnen. Und wenn wir uns in den Schluchten und Tälern, die wir durchstreiften, oftmals beengt fühlten, wenn wir vor Klüften und Wänden standen, so soll dieses letzte Bild beweisen, dass sich die Schweizer Alpenbewohner der Welt verbunden wissen und dass sie von ihren Gipfeln aus diese weite Welt grüssen.

Le Säntis – Regard sur le monde
Nous avons commencé notre voyage à travers les Alpes suisses dans l'ouest, au bord du lac Léman. Il a été long, ce voyage, et forcément tortueux. Nous nous sommes, cependant, efforcés de visiter les régions aussi bien que possible et de suivre les grands cours fluviaux.
Et nous voici, maintenant, à l'extrême pointe est des Alpes suisses, sur le Säntis qui, avec ses 2502 m, est un avant-poste de marque. On peut y arriver très agréablement de plusieurs manières, la plus confortable étant le téléphérique qui part de la Schwägalp. Sur le Säntis, nous retrouvons une auberge hospitalière, ouverte seulement l'été, tandis que la station météorologique fonctionne toute l'année.
On appelle quelquefois le Säntis le pilier d'angle de la Suisse. Et en effet, pour qui s'approche de la Suisse en venant du lac de Constance, le premier point fixe sur le sol suisse sera, par beau temps, le Säntis.
Nous regardons ici dans l'autre direction. Du Säntis, nous prenons congé du pays suisse, ne regardant pas en arrière mais vers l'avant, au-delà du pays d'Appenzell fortement tacheté, vers le lac de Constance que nous devinons dans le brouillard. Et si, dans les gorges et les vallées que nous avons parcourues, nous nous sentions souvent à l'étroit, si nous affrontions des précipices et des parois, cette dernière image prouve bien que les habitants des Alpes suisses se sentent reliés au monde et qu'ils le saluent, du haut de leurs sommets.

Säntis – view of the world
We began our journey through the Swiss Alps in the west, by Lake Geneva. It was a long journey, and by no means straightforward, the idea being to hold the regions together as well as possible while following the main rivers.
And now we are at the eastern end of the Swiss Alps, on Säntis, which, rising to 8,207 ft, is a striking outpost visible for a long way. It can be approached by a number of delightful routes, the most comfortable being the cable-way from Schwägalp. On Säntis there is an hospitable mountain hotel which is only open in summer – in contrast to the meteorological station, which is on duty all the year round. We are looking over Hohen Kasten and across the Rhine Valley into Vorarlberg, which belongs to Austria.
Säntis is sometimes called the cornerstone of Switzerland – and it is a fact that anyone approaching Switzerland across Lake Constance will be able to pick out Säntis in good weather as the first identifiable Swiss landmark. But we are looking the other way. We say goodbye to Switzerland from Säntis, not looking back, but forward across the richly varied landscape of Appenzell towards Lake Constance, so shrouded in mist at present that we can sense that it is there rather than see it. And if we often felt hemmed in on our journey by the narrow valleys and towering rockfaces, this last picture is intended to shwo that the Swiss Alpine people can look beyond the confines of their mountains; and from these peaks they salute mankind.

Edmond van Hoorick est Flamand et il est né, en 1932, à Waasmunster, un village situé dans le «Soete Waasland» entre Gand et Anvers. Il fut interne, à partir de onze ans, et passa ses vacances dans les fermes de ses oncles, en Wallonie et en France. Pendant les trois premières années de la guerre, il allait, tous les soirs, chez son grand-père, le peintre impressionniste Edmond Verstraeten. En 1949, à 17 ans donc, il visita à bicyclette, la Hollande, l'Allemagne, la Suisse et la France. Afin de s'offrir son premier appareil-photo, un Leica 3 M, il travailla, encore élève, au Bureau du Tourisme allemand, à Bruxelles. Pendant six mois, il travailla de jour dans les mines de Houthalen/Limbourg, ce qui lui permit d'acheter, avec son salaire, une caméra 16 mm de Paillard. Engagé comme aide-mécanicien il fit la navette sur l'océan, durant un an et demi, sur des pétroliers et des paquebots, entre les Etats-Unis, le Cuba, le Mexique, l'Allemagne, la Hollande et la France.
Plus tard, il tomba amoureux des montagnes suises et d'une Suissesse. Après avoir été employé, pendant quinze ans, en tant que laborantin et chef de laboratoire dans des laboratoires de photos-couleurs, il devint, en 1970, photographe de métier; il aime le paysage et son lourd appareil photo Sinar de grand format 20 × 25. Certains de ses collègues pensent qu'il devrait se servir d'un âne pour la transporter dans les montagnes, mais il préfère jouer à l'âne, lui-même. Il publia deux albums de photographies méditatives, «Das Lied der Sonne» («Le chant du soleil» – 4ème édition) et «Lobgesang der Wasser («L'hymne de l'eau» – 2ème édition), édités par le Fotokunstverlag Groh de Munich.

Edmond van Hoorick ist Flame und wurde 1932 in Waasmunster geboren, einem Dorf im „Soete Waasland" zwischen Gent und Antwerpen. Vom elften Lebensjahr an war er auf einem Internat und verbrachte seine Ferien auf den Bauernhöfen der Brüder seiner Mutter in Wallonien und Frankreich. Während der ersten drei Kriegsjahre war er jeden Abend bei seinem Grossvater, dem impressionistischen Kunstmaler Edmond Verstraeten. Mit 17 Jahren, 1949, machte er eine Radtour von Belgien über Holland durch Deutschland, die Schweiz und Frankreich. Das Geld für seinen ersten Fotoapparat, eine Leica 3 M, verdiente er sich als Schüler bei der Deutschen Fremdenverkehrszentrale in Brüssel. Ein halbes Jahr arbeitete er unter Tage im Kohlenbergwerk Houthalen/Limburg und erstand von seinem Verdienst eine 16-mm-Filmkamera von Paillard. Anderthalb Jahre lang schipperte er als Hilfsmechaniker auf Tankern und Frachtern zwischen den USA, Kuba, Mexiko, Deutschland, Holland und Frankreich über den Ozean.
Später verliebte er sich in die Schweizer Berge und in eine Schweizerin. Nach fünfzehnjähriger Tätigkeit als Laborant und Laborchef in Farblabors arbeitet er seit 1970 als freiberuflicher Fotograf, liebt die Landschaft und seine schwere Sinar-Kamera mit dem Grossformat 20 × 25 cm. Manche seiner Kollegen meinen, für diese Last brauche er in den Bergen einen Esel, doch den spielt er lieber selbst. Er ist Autor von zwei Bildmeditationsbüchern, „Das Lied der Sonne" (4. Auflage) und „Lobgesang der Wasser" (2. Auflage), erschienen im Münchner Fotokunstverlag Groh.

Edmond van Hoorick is Flemish, and was born in Waasmunster, a village in "Soete Waasland", between Ghent and Antwerp, in 1932. From the age of eleven he went to boarding school, and spent his holidays on farms belonging to his mother's brothers in south-east Belgium and France. During the first three war years he spent every evening with his grandfather, the impressionist painter Edmond Verstraeten. In 1949, at the age of 17, he went on a cycling tour from Belgium to Holland, Germany, Switzerland, and France. He earned the money to buy his first camera, a Leica 3 M, as a pupil working for the German Tourist Office in Brussels. He worked at the coalface in the Houthalen/Limburg mines for six months, and with his earnings bought himself a 16 mm Paillard film camera. For 18 months he was at sea as a mechanic's mate on oil tankers and freighters, visiting the USA, Cuba, Mexico, Germany, Holland, and France.
Later on he fell in love with the Swiss mountains and with a Swiss girl. After fifteen years in color film laboratories, first as laboratory assistant, later as manager, he became a freelance photographer in 1970. He is still enthusiastic about landscapes and about his heavy Sinar camera with its large-scale format of 20 × 25 cm. Some of his professional friends suggest that he really ought to have an ass to carry such a weight about in the mountains, but he prefers to play this role himself. He is the author of two photo-meditation books, "Das Lied der Sonne" ("The Song of the Sun" – 4th reprint) and "Lobgesang der Wasser" ("In Praise of Water" – 2nd reprint), published by Fotokunstverlag Groh in Munich.

Jean-Christian Spahni ist im Jahr 1923 in Genf geboren. In dieser Stadt studierte er Archäologie und Ethnographie. Danach nahm er seine Forschungen an der Universität Wien und am Londoner British Museum auf. Von 1953 bis 1959 hat er bei der spanischen wissenschaftlichen Forschungskommission mitgewirkt. In Spanien hat er die Überreste von Neandertaler- und Cro-Magnon-Menschen gefunden; er entdeckte auch einige Totenstädte aus der Jungsteinzeit und der Bronzezeit sowie mit Malereien und Ritzzeichnungen ausgestattete prähistorische Höhlen. Danach hat er Untersuchungen in den Dörfern der Sierra Nevada geleitet. Im Jahre 1960 übernahm er für drei Jahre den Lehrstuhl für Archäologie an der chilenischen Universität; gleichzeitig setzte er seine Arbeiten in der Atacama-Wüste fort. Seit 1963 ist der Spezialist für Lateinamerika in allen Ländern Süd- und Zentralamerikas tätig.
Jean-Christian Spahni hat zahlreiche Artikel für Fachzeitschriften geschrieben; ausserdem ist er Verfasser von etwa 20 Büchern, die als massgebend gelten. Im Jahre 1971 hat ihm die Académie Française einen Preis für seine Forschungen in Lateinamerika verliehen; im Jahre 1975 bekam er den Preis des Verbands der französisch sprechenden Schriftsteller für sein Werk über die Indianer der Anden. Jean-Christian Spahni erhielt auch den ersten internationalen Schallplatten-Preis der Académie Charles Cros in Paris für seine Forschungen über die musikalische Folklore.

Jean-Christian Spahni est né à Genève en 1923, ville dans laquelle il a fait toutes ses études d'archéologie et d'ethnographie. Puis il travailla à l'Université de Vienne (Autriche) et au British Museum de Londres afin de se perfectionner. De 1953 à 1959, il poursuivit ses recherches en Espagne, en qualité de collaborateur du Conseil d'investigations scientifiques. Dans ce pays, il découvrit des restes d'hommes de Néandertal et de Cro-Magnon, des nécropoles du Néolithique et de l'âge du Bronze ainsi que des grottes ornées de peintures et de gravures préhistoriques. Il conduisit des enquêtes ethnographiques dans les villages de la Sierra Nevada. Dès 1960, il assuma pendant trois années la chaire de professeur d'archéologie à l'université du Chili, réalisant une série de travaux dans le désert d'Atacama. De 1963 à nos jours, il poursuit ses recherches dans tous les pays de l'Amérique du Sud et de l'Amérique Centrale.
Jean-Christian Spahni est l'auteur de nombreux articles publiés par des revues spécialisées et d'une vingtaine d'ouvrages qui font autorité. Il s'est vu décerner en 1971 un prix de l'Académie Française pour ses travaux sur l'Amérique latine, et en 1975 un prix de l'Association des Ecrivains de Langue Française pour ses écrits sur les Indiens de la cordillère des Andes. Jean-Christian Spahni a également reçu le premier prix international du disque, de l'Académie Charles Cros de Paris, pour ses recherches sur le folklore musical.

Jean-Christian Spahni was born in Geneva in 1923, and later studied archaeology and ethnography at the university there. This was followed by research work at the University of Vienna and the British Museum in London. From 1953 to 1959 he worked with the Spanish Scientific Research Commission. In Spain he discovered the remains of Neanderthal and Cro-Magnon skeletons; he also discovered a number of burial places of the New Stone Age and the Bronze Age, and prehistoric caves decorated with paintings and engravings. Subsequently, he was in charge of research in the villages of the Sierra Nevada. For three years from 1960, Jean-Christian Spahni was Professor of Archaeology at the University of Chile; during this period he continued his work in the Atacama Desert. A specialist in Latin America, he has worked in all of the countries of South and Central America since 1963.
Jean-Christian Spahni has written numerous articles for scientific periodicals, and has written about 20 books which are regarded as authoritative. In 1971, the Académie Française awarded him a prize for his research in Latin America; in 1975 he received the prize of the Association of French-Speaking Writers for his work on the Andean Indians. Jean-Christian Spahni also received the first international recording prize of the Académie Charles Cros in Paris for his research on musical folklore.

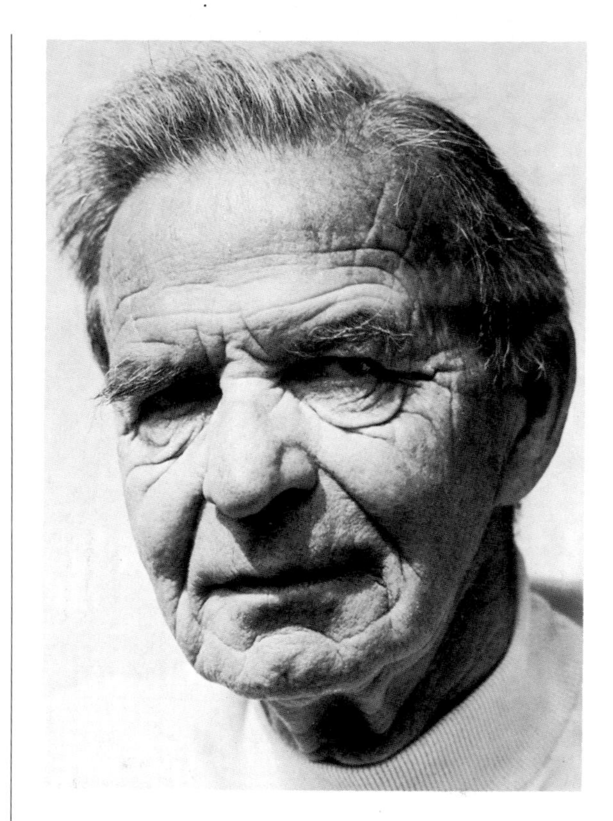

Erwin Heimann, 1909 in Bern geboren, kann auf einen bewegten Lebensweg zurückblicken. Er stammt aus einfachsten Verhältnissen, wurde Mechaniker und lebte in den Jahren 1930 bis 1934 als Metallarbeiter in Paris. Dort schrieb er seinen ersten Roman, der 1935 erschien. Ein Jahr später verheiratete er sich mit der Jugendschriftstellerin Gertrud Heizmann. Mit ihr zusammen lebte er zunächst in Ägypten und kehrte in abenteuerlicher Reise durch den Balkan zurück. Als Lastwagenfahrer, als Monteur für Heizungen und Kühlanlagen lernte er die verschiedensten Lebensgebiete kennen, die ihn immer wieder zu literarischer Arbeit anregten.
Sein Verleger, Francke in Bern, nahm ihn 1945 als Lektor in den Verlag, wo er auch die Beziehungen zum weltweiten Buchhandel betreute. Diese Aufgabe führte ihn durch ganz Europa, und in den Nachkriegsjahren war es ihm ein besonderes Anliegen, an der Heilung der Kriegswunden und vor allem an einer Verständigung zwischen Deutschland und Frankreich zu arbeiten.
Nach zwölfjähriger Tätigkeit bei Francke übernahm er bei den Städtischen Verkehrsbetrieben Bern eine Teilzeitarbeit, um mit literarischen Mitteln die Beziehungen zwischen Personal und Öffentlichkeit und zugleich die menschlichen Beziehungen im Betrieb zu verbessern. Dann endlich, im Frühjahr 1964, machte er seinen Jugendtraum wahr und wurde freier Schriftsteller. Seither lebt er in Heiligenschwendi über dem Thunersee.
Seine literarische Arbeit umfasst zahlreiche Romane, Erzählungen in Berner Mundart, Hörfolgen für den Rundfunk zur Zeitgeschichte, Arbeiten für das Fernsehen und zeitkritische Essais.
Erwin Heimann war von Jugend an ein begeisterter Berggänger und seit seinem 18. Altersjahr Mitglied der Sektion Grindelwald des Schweizer Alpen-Clubs.

Erwin Heimann. Né à Berne en 1905, il mena une vie fort mouvementée. D'humble origine, il devint mécanicien et travailla à Paris, de 1930 à 1934, comme ouvrier métallurgiste. Il y écrivit son premier roman. Un an plus tard, il épousa une femme écrivain de livres pour jeunes, Gertrud Heizmann. Avec elle, il vécut quelque temps en Egypte, et fit, par les Balkans, un voyage de retour fort aventureux. Il fut chauffeur de poids lourds, monteur de chauffage central et d'installations frigorifiques et apprit, ainsi, à connaître tous les domaines qui inspiraient sa création littéraire.
Son éditeur de Berne, Francke, l'employa, en 1945, comme lecteur dans son édition ou il fut aussi chargé des relations internationales avec le monde de l'édition et de la diffusion. Cette charge lui permit de voyager dans toute l'Europe et, durant les années d'après-guerre, il s'occupa de soigner les blessures de guerre et contribua surtout à la réconciliation entre la France et l'Allemagne. Il resta douze ans chez Francke, puis il accepta un travail à mi-temps auprès de la régie des transports en commun de la ville de Berne pour y améliorer, par des moyens littéraires, les rapports entre le personnel et le public et, en même temps, les relations humaines au sein de l'entreprise. Au printemps 1964 enfin, il réalisa son vieux rêve de jeunesse et se consacra librement à son œuvre littéraire. Il vit depuis lors à Heiligenschwendi, au-dessus du lac de Thoune.
Il écrivit de nombreux romans, des nouvelles rédigées en dialecte bernois, des feuilletons radiodiffusés sur l'actualité, des textes pour la télévision et des essais critiques sur notre temps.
Erwin Heimann est, depuis son jeune âge, un alpiniste enthousiaste, et depuis sa dix-huitième année, il est membre de la section de Grindelwald du Club alpin suisse.

Born in Bern in 1909, **Erwin Heimann** can look back on an eventful life. He came of working-class stock, was trained as a mechanic, and lived from 1930–1934 as a metalworker in Paris. There he wrote his first novel, which was published in 1935. A year later he married Gertrud Heizmann, a writer of children's books. They lived together in Egypt at first, taking an adventurous route back to Europe through the Balkans. As a lorry driver, and as a fitter for heating and refrigeration systems, he gathered a wide range of experience which proved a constant source of inspiration for his literary work.
In 1945, his publisher, Francke in Bern, appointed him as reader, in which capacity he was also responsible for relations with the international book trade. His work took him all over Europe, and in the post-war years it was one of his main concerns to help heal the wounds of war and, above all, to contribute towards the reconciliation of Germany and France.
After twelve years with the Francke Verlag, he took on a part-time job with Bern Municipal Transport with a view to using literary means to improve relations between personnel and public and at the same time human relations within the organization. Finally, in spring 1964, he fulfilled the dream of his youth, and became a freelance writer. Since then he has lived in Heiligenschwendi above Lake Thun.
His literary work includes numerous novels, stories in Bernese dialect, radio series on contemporary affairs, work for television, and critical essays on modern society.
Erwin Heimann is an enthusiastic mountain hiker since his youth, and, since the age of 18, he is a member of the Grindelwald Section of the Swiss Alpine Club.